DAVID GROSSMAN

CHE TU SIA PER ME
IL COLTELLO

Traduzione di Alessandra Shomroni

OSCAR MONDADORI

Copyright © David Grossman and HaKibbutz HaMeuchad, Tel Aviv 1998
Titolo originale dell'opera: *Shetehi Li HaSakin*
© 1999 Arnoldo Mondadori Editore S.p.A., Milano

I edizione Scrittori italiani e stranieri marzo 1999
I edizione Oscar scrittori del Novecento giugno 2000
I edizione Oscar contemporanea novembre 2008

ISBN 978-88-04-58819-1

Questo volume è stato stampato
presso Mondadori Printing S.p.A.
Stabilimento NSM - Cles (TN)
Stampato in Italia. Printed in Italy

Anno 2012 - Ristampa 22 23 24 25 26 27 28

 www.librimondadori.it

CHE TU SIA PER ME IL COLTELLO

LA LOGICA DELLA FOLLIA
E LE SUE RAGIONI

IL DOLORE È SUFFICIENTE A SÈ STESSO – NON È
CONDIVISIBILE CON NESSUNO. BASTA x UNA PERSONA
"ANCHE TU IN COMPAGNIA"

- SCRIVERA CON LA NOSTALGIA DA DESTINATARIO

- PROVO UNA SORTA DI PAESITUDINE. FORTE NOSTALGIA
  DI TORNARE DA CITTÀ A PAESI

- ABORTO SPIRITUALE

- LE PAROLE MUOIONO SUL FOGLIO .. O IL CONTRARIO?

di David Grossman

nella collezione Oscar

nella collezione Scrittori italiani e stranieri

*Quali è la profondità del corpo che indossa ed è indolente?
E il fiume dov'è il fiume?
L'altra riva* HEZY LESKLY

POETA EBRAICO

> Quando la parola sì farà corpo
> e il corpo aprirà la bocca
> e pronuncerà la parola che l'ha creato,
> abbraccerò questo corpo
> e lo adagerò al mio fianco.
>
> Hezi Leskli,
> ("Quinta lezione d'ebraico",
> da *I topi e Leah Goldberg*)

MANGIARE STORIE, PIENE, BUTTARE NEL GREto
Più PAROLA, PENSIERI, STORIE, POESIA, TUTTO iL
POSSIBILE LEGGIBILE E INTELLEGGIBILE Lo
BUTTAVO DENTRO PER RIEMPIRE QUALCOSA
DI IRRIEMPIBILE CON LE STORIE ALTRUI, TANTO
CHE AD UN CERTO punto, UNA NOTTE COSì
TANTA, OFFOSSA ERA GIORNO DA UNA PARETE,
INIZIAI A VOMITARE FUORI UNA FUSIONE DI
STORIE CHE ANDAVANO DA UNA PARTE
AD ARRIVARE LA VIA PENDENDOLA
IRRAGGIUNGIBILE NELLA SUA REDAMA, DALL'ALTRA
ERA PROPRIO LEI A DIVENTARE CARO FINO
COME AVANDO DAVANTI AD UN PLOTONE
D'ESECUZIONE FAI

Il primo passo per avere la carità ad
essere ucciso subito. Perché gli ultimi
saranno i primi - dicevano gli Apostoli -
ad andare in Paradiso - caso va x
Ma sarebbe stato il peggior inferno
- Indigestione di parole -
Prima o poi esca fuori la pelle anche
alle parole. Escono già gli occhi la bocca le
orecchie il naso - le mani - e diventano
pieriche camminano da sole Benedette
dentro un libro - fatto di tutta la
vita degli altri - di quello che ci hanno
preceduto - madri - nonne - libri letti -
persone incontrate. Noi non saremo
mai un cum - saremo solo l'infinita desiderio
sensazione fisica di un universo nato
da secoli e che con noi è destinato a
elevarsi così in basso fino all'inferno,
così in alto verso il loro opposto -
lo chiamano al di Bene e Male -

YAIR

3 aprile

Myriam,

tu non mi conosci e, quando ti scrivo, sembra anche a me di non conoscermi. A dire il vero ho cercato di non scrivere, sono già due giorni che ci provo, ma adesso mi sono arreso.

Ti ho vista l'altro ieri al raduno del liceo. Tu non mi hai notato, stavo in disparte, forse non potevi vedermi. Qualcuno ha pronunciato il tuo nome e alcuni ragazzi ti hanno chiamato "professoressa". Eri con un uomo alto, probabilmente tuo marito. È tutto quello che so di te, ed è forse già troppo. Non spaventarti, non voglio incontrarti e interferire nella tua vita. Vorrei piuttosto che tu accettassi di ricevere delle lettere da me. Insomma, vorrei poterti raccontare di me (ogni tanto) scrivendo. Non che la mia vita sia così interessante (non lo è, e non mi lamento), ma mi piacerebbe darti qualcosa che altrimenti non saprei a chi dare. Intendo qualcosa che non immaginavo si potesse dare a un estraneo. Inutile dire che questo non comporta obblighi da parte tua, non devi far nulla (sono quasi certo che non mi risponderai). Ma se, malgrado tutto, un giorno vorrai farmi sapere che leggi le mie lettere, troverai sulla busta il numero della casella postale che ho affittato questa mattina e che è destinata solo a te.

Se mi devo spiegare, allora è tutto inutile: non sentirti in dovere di rispondere, probabilmente mi sono sbagliato sul tuo conto. Ma se sei tu quella cne ho visto stringersi nelle braccia con un cauto sorriso, credo che capirai.

Yair W

Ciao Myriam,

da quando ho ricevuto la tua lettera non combino più niente, non ne sono capace. Non lavoro, non vivo, non faccio che pensare a te. Lascio ruggire nel mio cuore il tuo nome e se tu fossi qui, adesso, ti abbraccerei con tutte le mie forze fino a spezzarci entrambi nell'impeto di quel che provo per te (non temere, non sono particolarmente forte). E prometto di rispondere a tutte le tue domande, ti meriti le risposte più oneste possibili. Per avermi scritto. Per aver accettato! Per non esserti lasciata intimorire dalla pacata lettera di suicidio che ti ho scritto (e che mi ha lasciato il segno dei denti all'interno delle guance). Prima di tutto, però, devo raccontarti come ci siamo *veramente* incontrati (mi hai risposto! In un giorno! Non hai riso di questo pazzo che all'improvviso ti è comparso davanti). Non mi riferisco all'incontro a scuola la settimana scorsa, quello appartiene alla realtà. E cosa c'entriamo noi con la realtà? Che spazio sarebbe disposta a lasciarci?

Da dove iniziare? Se fosse possibile, inizierei contemporaneamente da ogni parte. All'improvviso ho la sensazione che ogni parola sia un grumo di lettere inutili, non trovi anche tu? Che qualcuno, sulla punta della penna, traduca l'ebraico in francese. Non avrei mai immaginato quanto potesse essere difficile spiegare, sbriciolare questa sensazione in parole. Hai scritto che ti ho ricordato il ragazzo con gli stivali a molle. Magari potessi saltare la fase delle spiegazioni e della logica, come se tu sapessi già tutto, subito, e mi accettassi nella mia totalità. Come se fossi già racchiuso in te, al punto che, quando aprirò gli occhi, ti vedrò sorridere e dire: "Va bene, possiamo cominciare". (Mi fermo qui. Ho la sensazione che ogni altra parola sarebbe superflua. Adesso tocca a te.)

Yair

7 aprile

Solo qualche altra riga. Ho spedito la lettera, sono tornato a casa e non sono riuscito a calmarmi. Ma chi vuole calmarsi, Myriam? Non far caso a quello stupido che da stamattina si aggira con un sorriso incontrollabile e che per la gioia vorrebbe ora, subito, spogliarsi, denudarsi completamente e rimanere di fronte a te, così com'è, nudo, al punto da mostrare il nocciolo bianco dell'anima. Se solo potessi disegnare per te, ruggire per te, nitrire, abbaiare, anche *fischiare* per te tutto quello che mi si muove dentro tumultuosamente. (Ricordo che a vent'anni cercavo il modo per diventare uno dei famosi trentasei giusti[1] e che feci il proposito di sedermi sull'autobus, almeno una volta la settimana, dietro una donna sola, preferibilmente vestita di nero come una vedova. Senza farmi notare, a quel punto le avrei fischiato piano nell'orecchio una struggente melodia d'amore che avrebbe raggiunto il punto più profondo del suo padiglione auricolare, risvegliando tutto ciò che vi dormiva, raggrumato e sconsolato...)

No, non temo l'estraneità che c'è fra noi, al contrario – ovvio che è il contrario. Dimmi cosa c'è di più bello ed entusiasmante della possibilità di dare qualcosa che ti è molto caro, quello che hai di più caro – un segreto o una debolezza, o una richiesta assurda come la mia – a una persona totalmente estranea (volutamente estranea!). Di metterlo nelle sue mani mentre io mi tormento per la vergogna e l'imbarazzo di essermi lasciato tentare da un'illusione così meschina, e aver sentito dentro di me questo desiderio di elemosinare. Ho provato questo tormento per tre giorni e tre notti, sentendomi a ogni istante come in cella d'isolamento, o in trappola. Poi, quando ormai ero sul punto di rinunciare, con un godimento perverso, torbido e grigio, allora, d'un tratto, la tua mano bianca...

Forse nemmeno tu capisci cosa sia a emozionarmi tanto, ma la tua lettera piena di calore e di luce – soprattutto il postscriptum finale, solo una riga, in fondo – mi è sembrata come un passaggio dall'ombra alla luce. Come se tu mi avessi teso una mano, facendomi superare il confine oltre il quale si

---

[1] Secondo una tradizione ebraica il mondo continua a esistere grazie alla presenza, in ogni generazione, di trentasei giusti che credono in Dio, lo servono e rispettano i suoi precetti con umiltà e semplicità. [*N.d.T.*]

trova la luce. Gentilmente, come se fosse del tutto naturale con un estraneo.

(Ed ecco un brivido di freddo. Proprio ora. Proprio in questo momento. Perché? Perché sto bene? Un'ondata di freddo che sale dalle viscere, come un pugno gelido che mi stringe il cuore. È per te.)

Vorrei che tu capissi, io parlo solo di lettere, davvero. Non di incontri. Niente corpo, né carne. Non con te. Mi è parso talmente chiaro dopo la tua lettera. Solo parole. Perché tutto si rovinerebbe a tu per tu, scivolerebbe subito su strade note, già percorse. Ovviamente il nostro rapporto dovrà mantenersi nella più completa segretezza, non dovrà essere svelato a nessuno, perché ciò che diciamo non venga rivolto contro di noi. Solo le mie parole che incontrano le tue, il ritmo lento dei nostri respiri che si uniscono. Provo una tale stanchezza nello scriverti. Non quella solita, però. Dopo qualche riga devo proprio fermarmi per respirare e ritrovare la calma.

È già sera. Ho fatto una pausa e mi sono un po' ripreso. Dieci ore esatte da quando ho trovato la tua busta bianca nella casella postale con il mio nome da una parte e il tuo dall'altra (forse come inizio potrebbe bastare). E dentro, su una metà del foglio (non avevi tempo?), la tua risposta. All'inizio non riuscivo a capire cosa stessi leggendo. Come se ogni parola, persino la più semplice, mandasse un *bagliore* accecante, come quello che emana la parola "io" se la si considera attentamente. Un istante di chiarezza seguito da una sorta di cupo oscuramento che si diffonde dentro di me, aspirandomi al suo interno. Ma quando sono arrivato al postscriptum, al ringraziamento per il mio regalo inatteso (e mi ringrazi anche!), al tuo cuore che ha provato nostalgia di quando eri bambina...

Vero che non c'è più niente da dire in questo momento? Che l'essenziale è già stato detto?

Tuttavia, senti: ho letto una volta che gli antichi saggi credevano che nel corpo ci fosse un ossicino minuscolo, indistruttibile, posto all'estremità della spina dorsale. Si chiama *luz* in ebraico, e non si decompone dopo la morte né brucia nel fuoco. Da lì, da quell'ossicino, l'uomo verrà ricreato al momento della resurrezione dei morti. Così per un certo periodo ho fatto un piccolo gioco: cercavo di indovinare quale fosse il *luz* delle persone che conoscevo. Voglio dire, quale fosse l'ultima cosa che sarebbe rimasta di loro, impossibile da distruggere e dalla quale sarebbero stati ricreati. Ovviamente ho cercato anche il mio, ma nessuna parte soddisfaceva tutte le condizioni. Allora ho smesso di cercarlo. L'ho dichiarato disperso finché l'ho visto nel cortile della scuola. Subito quell'idea si è risvegliata in me e con lei è sorto il pensiero, folle e dolce, che forse il mio *luz* non si trova dentro di me, bensì in un'altra persona.

7 aprile

Io, malgrado tutto. Un attimo prima di mezzanotte. È la terza lettera oggi, ma non spaventarti. Non hai idea di quante altre te ne abbia risparmiate. Ma è il nostro primo giorno insieme, il giorno in cui è arrivata una tua lettera e io ti ho risposto; finché non ne arriverà un'altra, potrò credere che tu mi legga esattamente come io ti scrivo: in dormiveglia, trasognato (oggi al lavoro ho letteralmente ballato invece di camminare), e in questo stato posso sussurrarti: "acqua, acqua". La voce mi si assottiglia quando ti penso. Acqua, gorgoglio d'acqua. Non so perché. Forse perché c'è dell'acqua nel tuo nome (senza quella "erre" un po' dura, come un ostacolo al flusso[2]), e forse perché non c'è fecondazione senza liquidi. Ma io sento, lo sento nel mio corpo, che abbiamo bisogno di tantissima acqua intorno a noi. Di cascate e di fiumi, solo per cominciare a essere.

Sto esagerando? Mi lascio trasportare? Ho sentito che ti ritraevi (davvero, il tuo corpo ha avuto una contrazione). Ho detto qualcosa che ti ha fatto male? Devi guidarmi, Myriam, spiegarmi dove fa male e dove occorre procedere con cautela. O forse oggi ti ho sommersa e sei già stanca?

Perché a me stanca scriverti, te l'ho detto. Non mi sono

---

[2] Il nome Myriam in ebraico si scrive come "acqua" (*maim*) con la semplice aggiunta di una "r". [*N.d.T.*]

mai sentito così debole dopo aver scritto cinque, dieci righe. Provo davvero un senso di vertigine. Ma è anche piacevole. Mi ricorda la sensazione che provavo da bambino quando uscivo di casa dopo una lunga malattia. Senti, e se stabilissimo fin d'ora che non sarà una corrispondenza troppo lunga? Per esempio, solo un anno? O finché il piacere non la renderà insopportabile? Perché se il mio corpo ora dice la verità, e il corpo, come sai, non mente...

Non mente? Ma quante volte ho mentito con il corpo? Quante volte ho abbracciato e baciato, quante volte ho chiuso gli occhi con un sospiro e sono venuto ruggendo, ma senza intenzione?

E quante volte tu?

Myriam, se è vero quello che sento adesso per te, allora anche un anno sarebbe troppo per noi. Non resisteremmo più a lungo, seminando distruzione in tutto ciò che ci circonda. E credo che entrambi abbiamo qualcosa da perdere, là fuori. Allora ho pensato – un'idea stupida, ma tant'è – che forse dovremmo decidere fin d'ora. Che sarebbe meglio fissare una data, o attendere che accada qualcosa di particolare nel mondo, qualcosa al di fuori di noi e che ci è assolutamente indifferente, ma che sarà già annotato sul nostro calendario. Cosa ne dici? Ti fa sentire un po' più tranquilla (benché ci ponga dei limiti)? Così sapremo fin dall'inizio che la separazione non dipenderà da noi e che dovremo fare tutto prima che giunga quel momento. Essere tutto o niente, cosa ne pensi?

Ti sei di nuovo allontanata, ti sei di colpo ritratta. Be', lo so di avere scritto un'idiozia, di avere dato un calcio al secchio prima che cominciasse a riempirsi, ma aspetta, non prendere decisioni contro di me! Senti, la cosa più facile è che io strappi questa pagina e la riscriva senza quelle disgraziate parole, purché non ti perda.

Vedi? L'ho lasciata esattamente com'era. Senza cancellature. Perché, dal momento in cui mi hai risposto, ho deciso che tutto quello che mi succede a causa tua ti apparterrà. È-scritto-in-me-ed-è-scritto-in-te. Ogni pensiero, desiderio, passione,

timore; ogni creatura, feto o aborto che concepirò a causa tua.
È questo il fulcro del mio contratto con te, e solo con te, in virtù
del quale rinuncio a ogni tentativo di corteggiamento, rinuncio a censurarmi e, più in generale, al diritto di difendermi...
(Che sollievo scrivere queste parole.)
Ma ecco, ho riletto quello che ho appena scritto.
Come mi piacerebbe scriverti diversamente. Come mi piacerebbe essere uno che scrive in un altro modo. Le mie parole sono così pesanti. In fondo avrebbe potuto anche essere semplicissimo, no? Come quando si chiede: "Dimmi, piccino, dove ti fa male?". Allora chiuderei gli occhi e scriverei in fretta: volesse il cielo che due estranei vincessero l'estraneità.
Il principio stesso dell'estraneità, carico di prescrizioni e conseguenze – il vertice del Cremlino, soddisfatto e sazio, che ci si è assestato nelle profondità dell'anima. Come vorrei pensare a noi come a due persone che si sono fatte un'iniezione di verità per dirla, finalmente, la verità. Sarei felice di poter dire a me stesso: "Con lei ho stillato verità". Sì, è questo quello che voglio. Voglio che tu sia per me il coltello, e anch'io lo sarò per te, promette. Un coltello affilato ma misericordioso – parola tua. Non ricordavo nemmeno che fosse lecita. Un suono così delicato e ovattato. Una parola senza pelle (se la si ripete più volte a voce alta ci si può sentire come terra riarsa, e non è facile il momento in cui l'acqua s'infiltra fra le crepe). Sei stanca, mi obbligo a dirti buonanotte.

Yair

12 aprile

Myriam.
Lo sapevo, non dirmi che non lo sapevo e che non mi sono messo in guardia.
È veramente quello che hai provato? A tal punto?
Be', puoi immaginare se non sia stato un colpo anche per me. Do con una mano, prendo con due. Sherazade e l'idiota sultano legati e aggrovigliati insieme... Questa mattina non ce l'ho più fatta e mi sono rispedito, per espresso, la tua prima lettera.

Ma tu capisci, vero, che nasce tutto dalla paura? Che dopo essere riuscito a prenderti per la manica, e a bloccarti per un attimo accanto a me, il mio fascino già appassito sarebbe completamente svanito e non avrei mai avuto una seconda occasione. Tu devi, devi credermi. Io mi rivelo solo al secondo sguardo, o al terzo, mai a quello che effettivamente mi osserva.

Malgrado questo, Myriam (hai un nome caldo, esuberante, duro e morbido allo stesso tempo), resta con me ancora un po', finché cesseranno questi spasimi involontari. Nel frattempo potrai annotare sulla tua agenda qualche piccola e disperata considerazione sul mio conto. Permettimi però di assistere a quelle conversazioni trasognate con te stessa, con Ana (una tua amica?), con la tua gatta e i cani, e forse avrò ancora qualche possibilità con te. Dopotutto, nella tua lettera hai chiesto – con sincera preoccupazione, mi pare – che cosa mi spaventi tanto. E com'è possibile che chi ha osato esprimere un desiderio così grande alla vita provi anche tanta paura nei suoi confronti?

Spiegamelo, ti prego.

Raccontarti quante volte ho letto le tue due lettere? Vuoi ridere? A ogni ora del giorno e della notte, ad alta e a bassa voce, nella vasca da bagno, accanto alla fiamma del gas in cucina e nel bel mezzo di una riunione di lavoro, corrugando la fronte con sussiego di fronte a dieci persone. I miei ridicoli tentativi di essere con te a ogni costo, in qualsiasi momento, nei vari stadi della materia. Anche nei cessi della stazione centrale degli autobus di Gerusalemme. Ci sono andato oggi pomeriggio, proprio per trovarmi di fronte ai graffiti pornografici e alle scritte oscene, perché si contorcessero dalla vergogna udendo le tue parole. Come scrivi! Davvero, anche quando sei delusa. Senza trucchi né finzioni. Perfino senza curarti di te stessa. Ti dai con semplicità e mi accordi la tua fiducia senza nemmeno conoscermi.

Raccontarti ancora di me? Cosa c'è da raccontare?

Il tuo modo di scrivere mi ha fatto venire in mente che una volta pensavo di insegnare a mio figlio un lessico privato. Per isolarlo di proposito dalle parole del mondo e mentirgli fin

18

dalla nascita, così che credesse solo ed esclusivamente a ciò che gli avrei insegnato io. Doveva essere un lessico *misericordioso*. Intendo dire che avrei camminato con lui, mano nella mano, chiamando tutto ciò che vedeva con nomi che non gli avrebbero procurato dolore. Così, per esempio, non avrebbe capito che esiste la guerra, che la gente uccide e che quella cosa rossa è sangue. Un'idea un po' sfruttata, lo so, ma mi piaceva immaginare che avrebbe attraversato la vita con un sorriso innocente e fiducioso. Il primo bambino illuminato.

Naturalmente non ho bisogno di dirti la mia felicità quando iniziò a parlare. Di sicuro ricordi il momento meraviglioso in cui un bambino comincia a chiamare le cose per nome. Eppure, ogni volta che imparava una parola nuova, una parola che è anche un po' "loro", di tutti, persino la sua prima parola, una parola bella come "luce", io provavo una stretta al cuore, perché pensavo: chissà cosa sta perdendo in questo momento. Chissà quanti tipi di chiarore ha visto e assaggiato e odorato prima di stiparli tutti in quella piccola scatola chiamata "luce", con quella "c" nel mezzo, come un interruttore per spegnerla. Capisci, vero?

Sì, certo. Di strette al cuore tu ne sai qualcosa. Forse sei addirittura un'esperta, a modo tuo. L'ho capito guardandoti. E anch'io, evidentemente, sono già riuscito a far soffrire il tuo cuore, a fargli provare qualche stretta.

Ma fino a questo punto? Davvero? Come se tu avessi perso qualcosa di prezioso, di agognato, un attimo prima di averlo ottenuto?

Almeno dimmi cos'era questo qualcosa di prezioso (perché mi renda conto di cosa può esserci in me).

Yair

16 aprile

Naturalmente hai ragione, mi merito il rimprovero (ma non ho pensato nemmeno per un istante che tu fossi fatta di parole). Chi mai avrebbe potuto immaginare che in te ci fosse anche del sarcasmo, amaro e così tagliente. Ne ho visto un accenno nelle tue spalle, nella schiena. C'era qualcosa di contratto, perfino di rassegnato, come se si stessero preparando al colpo successivo. Ma forse mi sto sbagliando.

E se invece fosse a causa mia? Senti, sono io che ti faccio contrarre così? È una cosa che conosco così bene. Spero che per te...

Sai, oggi, davanti al mio ufficio nella zona industriale, a metà mattina, in piena luce, c'era un cieco seduto alla fermata dell'autobus con la testa china e il bastone tra le ginocchia. È arrivato un autobus e ne è sceso un altro cieco. Quando quest'ultimo è passato davanti al primo, ancora seduto alla fermata, di colpo si sono entrambi raddrizzati e le loro teste si sono girate contemporaneamente. Sono rimasto a guardarli, senza muovermi. Hanno annaspato con le mani, si sono scoperti e per un attimo si sono abbracciati, rimanendo immobili. È durato un secondo, non di più, nel silenzio totale. Dopo un attimo si sono separati, e a me si è accapponata la pelle, come quando urlo il tuo nome. E in cuor mio ho pensato: così!

Allora vieni, avvicinati, voglio darti qualcosa di molto personale. Non scappare, non ripiegarti su te stessa. Qualcosa di *molto* personale, opposto a quell'"anonimo" di cui mi hai accusato mentre, come una corte marziale, sedevi sulla tua veranda (un petalo viola è rimasto un po' schiacciato, imprigionato tra il foglio e la busta, proprio su quell'"intimità anonima", cancellandola leggermente). Resisti, Myriam, abbiamo detto: o tutto o niente.

Quando io e mia moglie cominciammo a frequentarci, un sabato mattina andammo a fare una gita sul monte Carmelo, arrivando a un piccolo bosco. Era molto presto, poco dopo l'alba, parlavamo e ridevamo. In genere detesto ciò che viene definito "la bellezza del creato", eppure lì, all'improvviso, non fui più in grado di contenere lo splendore che mi circondava e mi spogliai completamente, mettendomi a correre tra gli alberi, nudo, urlando e ballando. Maya (la chiameremo Maya tra noi; e ti prego di scegliere per i tuoi cari i nomi che più ti aggradano) rimase allibita e si fermò, forse spaventata dalla mia nudità – la vedeva per la prima volta all'aperto (e anche al buio non è particolarmente eccitante). Sentii che mi chiamava sottovoce, supplicandomi di smettere, ma io ero già ubriaco e le giravo intorno in una sorta di danza di corteggiamento che doveva sembrare piuttosto ridicola. La invitai a unirsi a me, e per un momento forse lo desiderò. Cerca di capire: prima di quel momento io non avevo mai voluto ballare con lei, né alle feste né in pubblico. Nudo, invece, improvvisamente, potevo farlo, me n'era venuta voglia. Pensa: ballavo nudo, raggiante di felicità. Forse è impossibile non essere belli quando si è felici e Maya parve quasi sul punto di lasciarsi andare. Sentii che il desiderio cresceva in lei e per un momento sembrò come sradicarsi da se stessa. Ma poi non lo fece. Perché il poliziotto nel tuo sogno pretendeva che tu sporgessi denuncia contro di me? Per averti scritto delle lettere minatorie?

(Come mi sono sentito rinascere, all'improvviso, quando hai detto a quell'idiota ficcanaso che ti sembravano piuttosto lettere minatorie nei *miei* confronti – forse è proprio per questo che non mi lasci.)

Ballavo nella foresta. Magari potessi ballare così ora, in questi anni. Ballavo perché, inaspettatamente, non aveva cominciato a rodermi il solito dubbio, il brivido di freddo. O meglio: stava per arrivare, naturalmente. È un meccanismo che in me funziona sempre, appena il cuore mi si allarga per qualche motivo, la vescichetta piena di veleno si svuota subito nell'apparato circolatorio. Ma quella volta mi provocò una reazione contraria. Mi scatenai ancora di più, non so perché. Forse sentivo che stavo finalmente facendo lo sbaglio giusto e, anche se Maya mi aveva già girato le spalle tornandosene in macchina, non riuscivo a smettere di correre tra gli alberi e di ballare, così, nudo. L'odore dei pini si fece pungente fin quasi a farmi piangere, e intorno era pieno di voci: uccelli, cani, il ronzio degli insetti. Annusai la terra, le fenditure delle grotte, la cenere dei falò estivi, e mi sentii come se una cataratta enorme mi si staccasse di dosso. Solo dopo essere crollato per la stanchezza raccolsi i vestiti e tornai alla macchina. Maya era pallida. Non mi guardò, chiese che mi rivestissi – sarebbe potuto arrivare qualcuno – dicendo che era meglio tornare subito a casa, perché i suoi genitori ci aspettavano per la colazione. Ma all'improvviso la sua voce si spezzò e lei scoppiò a piangere. Io feci lo stesso. Capii che era la fine del nostro giovane amore e pensai che non avrei potuto sopportare di separarmi da lei, perché non avevo mai amato nessuno in quel modo: con la gioia, la semplicità e la freschezza con cui avevo amato lei. Ecco, come al solito, già all'inizio avevo rovinato tutto e mi ero rivelato per quel che ero.

Stavamo seduti in macchina, ognuno immerso nei propri pensieri, piangendo, lei vestita e io nudo. Ma in quel pianto ci sentimmo ancora più vicini e ci lasciammo andare. Ridemmo. Io cominciai a rivestirmi e lei mi aiutò, un indumento dopo l'altro. Mi allacciò i bottoni e mi piegò le maniche, e per tutto quel tempo io continuai a baciare e a leccare le sue lacrime, perché intuivo che sì, piangeva, ma non mi avrebbe lasciato. Piangeva, ma sarebbe rimasta. E sentii il cuore scoppiare di gratitudine perché sapevo che mai, in vita mia, le avrei più fatto una cosa simile. Decisi che da quel momento in poi l'avrei protetta da me stesso, perché non poteva rimanere indifesa nel mondo in cui io mi aggiravo libero. Lei sorrise fra le lacrime e disse pressappoco la stessa cosa: per proteggerla da me, d'ora in avanti avrei dovuto semplicemente rimanere con lei, per sempre. Lo disse quasi per scherzo, ma era anche una verità profonda e il logico destino di due persone, di una coppia. Tu sai che queste, a volte, si rivelano solo dopo una vita trascorsa insieme (ho visto l'uomo con cui eri, o a cui stavi vicina). Noi, chissà perché, la intuimmo fin dal primo momento.

Vedi?, per anni non ho più ripensato a quell'episodio. Eravamo solo due bambini spaventati, ma nella frazione di un secondo riuscimmo, malgrado tutto, a stipulare un difficile patto per la vita. Un patto secondo le regole, e mi sorprende ora ripensare che, per un istante, volgemmo i nostri sguardi lontano, come a garantire che da quel momento il nostro amore avrebbe trionfato, sempre e a qualunque costo. Un costo che stabilimmo, anche. Poi non ne parlammo più, mai più. Perché, senti, com'è possibile parlare improvvisamente di queste cose a metà della vita?

Dimmelo.

Non avrei dovuto raccontartelo, vero? Cosa c'entri tu con

il matrimonio di un uomo che non hai nemmeno visto? Già sento il gelo dell'errore – un altro errore da buffone, così di certo ti sembrerà. Quest'uomo getta in aria tutto quello che ha e, naturalmente, tutto ricade a terra intorno a lui. Non fa niente, la gente ama i buffoni, così mi hanno insegnato un paio dei miei grandi maestri (ma in un angolo della tua mente pensami anche, diciamo, come un uomo dal viso ustionato che decide di entrare in una stanza piena di gente). Credi che avrei dovuto aspettare un po' prima di raccontarti questa storia? Aspettare che ci conoscessimo meglio? Lo credo anch'io. Ma con te non mi comporto in modo logico: solo in modo follemente logico. E non voglio nemmeno aspettare, perché il tempo con te è diverso. È circolare, e ogni momento si trova esattamente alla stessa distanza dal centro. Non mi scuso neppure se ti ho messo in imbarazzo. La nostra non è una conversazione da salotto. Con te, ritrarsi è un delitto.

.   *16-17 aprile*

Non riesco a dormire. Magari potessi sapere cosa proverai nel ricevere la lettera di questa mattina, e se continuerai a scrivermi dopo averla letta. Sono quasi sicuro di no. Penserai che sia volgare da parte mia raccontarti certi fatti della mia vita. Comunque sono felice di avertela mandata. Anche se poi mi sono tormentato per tutto il giorno. Avevi ragione: in fondo, sto cercando un compagno per un viaggio immaginario. Ma hai sbagliato nel dire che forse non ho bisogno di un compagno reale. È esattamente il contrario: ho bisogno di un compagno reale per il mio viaggio immaginario. Quando scrivo queste parole sento battere il cuore. Mi succede sempre più spesso quando fantastico. Ecco, batte di nuovo. Sai che esiste un uccello chiamato "batticuore"?

Se appena gli si tocca il petto, il suo cuore smette di battere e lui muore. Quando si trova nei paraggi è proibito fare una mossa falsa perché il minimo errore gli procura un colpo al cuore. Se solo potessi comprare un "batticuore" così. Anzi, due. No, uno stormo di "batticuore". Li lascerei liberi di svolazzare su tutto quello che ti scrivo, perché facciano da rive latori di menzogne come i canarini che segnalavano le fughe di gas in miniera. Prova a immaginarlo: una sola parola falsa, inesatta o volgare, o anche solo indifferente, e un uccello cade morto sul foglio. Vedresti allora come ti scriverei! A proposito, mi sono dimenticato di dirti che mi sono offeso quando hai scritto di aver pensato che potessi averti scambiata per un'altra, quella sera. E mi ha offeso ancora di più che tu abbia fatto tanta fatica a decidere se preferivi che mi fossi sbagliato oppure no.

Sai invece quando ho veramente provato una stretta al cuore? Quando hai descritto te stessa per eliminare qualsiasi dubbio e, chissà perché, ti sei riassunta in una sola frase, oltretutto tra parentesi ("piuttosto alta, capelli lunghi, ricci e ribelli, occhiali...").

Se è davvero così, se ti senti tra parentesi, permettimi allora di infilarmici dentro, e che tutto il mondo ne rimanga fuori, che sia solo l'esponente al di fuori della parentesi e ci moltiplichi al suo interno.

Y.

P.S. Comunque, anche se non tutto fila liscio e le cose sono già complicate fin dall'inizio, sento il bisogno di dirti una cosa. Devo raccontarti come le pupille mi si dilatano quando vedo una *tua* parola da qualche parte, persino quando mi ci imbatto nel giornale, o nella pubblicità... Ci sono parole che ti appartengono a tal punto! Impronte della tua anima che in bocca ad altri appaiono solo come strumenti discorsivi o articolazioni linguistiche, nient'altro. Non avevo mai immaginato che conoscere il linguaggio di un estraneo potesse essere eccitante come il primo contatto con il suo corpo, il suo profumo, la sua pelle, i capelli e i nei. È così anche per te?

21 aprile

Ma come farò a farci incontrare? È arrivata una tua lettera. È lì sul tavolo, pallida come una morta. Il bianco respinge la luce, no? La aprirò fra un minuto. Lasciami godere il dubbio. Lascia che sparga un po' di colore ottimista... Te l'ho già detto che vedo noi due sempre immersi nel verde? Mi balena davanti il verde, quando penso a te. Un'ampia distesa di verde. Forse il ventre infinito del mare, forse un'antica foresta europea, forse solo un grande prato (avrei dovuto metterti in guardia, di solito i miei sogni finiscono all'altezza del prato). Tu sei seduta sull'erba, leggi un libro, e io un giornale. Tra noi c'è una distanza enorme. Un prato gigantesco e due estranei. Come portarli in un solo secondo ad abbracciarsi senza passare attraverso gli stadi intermedi e senza declamare le frasi che milioni di uomini e di donne hanno già rese insipide prima di noi?

A giudicare dallo spessore della busta, un foglio solo, non di più. Pensavo di provare a indovinarne il contenuto, ma mi hai vietato di decidere per te cosa pensi e cosa provi. Magari mi annoto un'immagine di noi due che ho già da qualche giorno. Chissà cosa ne penserai. Un'immagine così, un po' stupida, di me e di te immersi nella lettura su un prato. Siccome siamo soli, avvertiamo una certa tensione e siamo entrambi consapevoli della presenza dell'altro. Io, come al solito, indosso dei jeans, tu un vestito nero, piuttosto leggero e aderente, punteggiato di stelle e lune chiare. Se non sbaglio hai anche una sciarpa verde, sottile e vaporosa, che ti copre le spalle. Così ti ho vista al raduno del liceo (una sciarpa o un lungo foulard di seta? Ogni particolare è importante per me, ora). "L'unica cosa che mi è rimasta impressa è stato il mantello verde che ella portava." Così, per la prima volta, il protagonista incontra Cordelia nel *Diario del seduttore*. Che il verde sia esploso proprio dalla sciarpa?

Il verde che di colpo si è spento sotto l'enorme maglione grigio che tuo marito ti ha gettato sulle spalle quando hai avuto un brivido. Ricordi? Perché io ricordo chiaramente un suo gesto, veloce e aggressivo, che mi ha stupito mentre ti guardavo, quando ancora non avevo capito fino a che punto ti stessi guardando. Improvvisamente lui – lo stesso "lui" al quale non hai intenzione di nascondere il nostro legame, proprio perché non si sognerebbe mai di indagare su cosa tu faccia e con chi – lui, dall'alto della sua statura titanica, ha gettato su di te il maglione come si lancia un lazo su un puledro in fuga.

Ma perché sei rabbrividita, tu "piuttosto alta, capelli lunghi, ricci e ribelli, occhiali..."? Se non fosse per quella parentesi irritante, avrei riso. È così che ti vedi? Solo così? Perché non hai scritto del tuo meraviglioso portamento, solenne e morbido a un tempo, o delle guance splendenti? Come mai non hai detto che il tuo viso tradisce una specie di chiara e lentigginosa ingenuità, un po' anacronistica, non offenderti, come di una persona anni Cinquanta...?

E perché non ho scritto subito parole come oro, grano e burro? Non ho detto del tuo viso che, a un primo sguardo indifferente o superficiale, sembra quasi passare in secondo piano rispetto al corpo stupendo ed espressivo? Spero di non offenderti: un viso da bambina perbene, un viso bello e responsabile da capoclasse. Ma all'improvviso l'occhio cade su qualcosa di imprevisto, un neo scuro sotto le labbra, o la bocca stessa, larga, vibrante e inquieta. Hai una bocca affamata, Myriam – dimmi se qualcuno te l'ha già detto e troverò subito un'altra parola. Non sono disposto a infangarmi nelle parole degli altri.

Ho divorato il tuo viso, quella sera. Ti ho visto forse per cinque minuti, ma quei cinque, lunghi minuti ti hanno impressa in me, e già ti conosco a memoria. Adesso devi decidere se il tuo "strano sospiro" è veramente nato dal dubbio che ti avessi scambiata per un'altra donna, o dal fatto che sei tu, malgrado tutto, tu la prescelta dal mio destino... Non darò spazio ai tuoi dubbi. Sono già passate tre settimane da allora e il mio sguardo sfiora appena ogni donna che vedo, proiettando subito il tuo ritratto nella mia mente. Come mi ha commosso il tuo viso. Io, che parto sempre dal corpo. Ma non ho trascurato nemmeno quello. Mi sembra che tu abbia cercato di nasconderlo nella lettera ("piuttosto alta..."). La penna mi trema in mano al pensiero che fra poco descriverò il tuo corpo, la sua bellezza, la sua generosità celata dagli abiti. E non dimentico la rotondità un po' curva delle spalle, come se qualcuno cercasse rifugio dentro di te e tu lo difendessi.

O il modo in cui hai piegato la testa e hai tremato un po' sotto il vestito. E come, con un gesto lento e quasi trasognato, ti sei stretta nelle braccia, quasi provassi dolore per lui. Sembra strano, ma mi è parso che fosse proprio così, che tu provassi dolore e pietà per lui. E con un solo sguardo ho saputo qualco sa di te. Forse ti sto facendo di nuovo arrabbiare, pretendo di descriverti senza alcuna incertezza, ma sono sicuro di aver capito. Il tuo viso era senza veli, in quel momento, non avevo mai visto un adulto così nudo sotto la pelle. Si vedeva come ogni emozione ti si rispecchi subito sul volto. Era evidente fino a che punto sei incapace di nascondere, e quanto tutto ciò si pericoloso. Ma dov'eri quando la vita ce l'ha insegnato?

(Basta, non riesco più a controllarmi. Vieni, vieni messaggero dall'aria severa. Vieni, lettera di congedo laconica e amara, sentiamo cos'hai da dirci.)

22 aprile

Myriam.

Innanzitutto: al supermercato, oggi, verso sera, un bambino che non conosco mi ha chiesto di prendergli tre tavolette di cioccolato da uno scaffale troppo alto per lui. Ho teso la mano e il piccolo si è di colpo trasformato in un bambino affetto da una malattia sconosciuta, in cura già da qualche mese. Tutti si preoccupano per la sua salute, ma sembra che le cose vadano già meglio e sia ormai in via di guarigione quando, improvvisamente, comincia a mangiare cioccolato, ad abbuffarsi di cioccolato. Si alza come un sonnambulo di notte per divorarlo, ed è impossibile impedirglielo, nessuno se la sente di negargli quel piacere proprio perché deve sopportare tutte quelle terapie dolorose. Il fatto è, però, che il bambino ha intuito qualcosa che gli altri, genitori e medici, ancora non sanno, e forse nemmeno lui stesso sa. È una sorta di consapevolezza interiore, e lui si *rifornisce* di cioccolato in preparazione al lungo e gelido viaggio che lo attende. Gli ho preso le tavolette e lui è corso via felice.

Ho avuto questa sorta di intuizione mentre tendevo la mano verso lo scaffale e ho giurato di ricordarmela per raccontartela. L'ho addirittura annotata su un biglietto. E allora? Ho una decina d'intuizioni come queste in un giorno e una decina vanno perdute per sempre. Ma non è un fatto particolarmente degno di nota. Però, se non te l'avessi scritto, l'avrei dimenticato, e sarebbe stato un peccato. Peccato che morisse ancor prima di nascere, perché è una briciola viva dell'anima. Certo, tutti hanno centinaia di briciole come questa, ma a nessun altro sarebbe venuta in mente *questa* idea così stupida. E anche se qualcuno l'avesse avuta, chi avrebbe avuto il coraggio di raccontare una cosa del genere a un'altra persona? Hai mai sentito di qualcuno che lo fa?

Credo che all'improvviso tu l'abbia capito: se smetti di scrivermi, solo perché ci sono momenti in cui ti faccio impazzire, forse non te lo perdonerai per tutta la vita.

Vedi, Myriam, continuo a rileggere la tua lettera. Forse non oso capire fino in fondo ma mi sembra che ci sia scritto, con la tua minuscola scrittura, che di sicuro, se tu mi voltassi le spalle prima di avermi veramente incontrato, sentiresti di aver rinnegato il tuo vero io.

E io so, non c'era bisogno di spiegarlo, che questo tuo "vero io" non ha nulla a che vedere con me, è qualcosa di completamente tuo, e forse addirittura, come hai detto, la "Cosa" più importante per te. Ma io leggo anche quello che hai aggiunto sotto, con una strana grafia: a volte provi un brivido scoprendo come un estraneo riesca a notare, con un solo sguardo, questa "Cosa" e, senza conoscerti, a chiamarla con il suo vero nome.

Yair

(Già domani)

Quello che intendo dire è che, se solo potessi raccogliere un po' di quelle briciole dell'anima, forse potrei comporle in un mosaico completo e capirei finalmente qualcosa, il *principio* che mi mantiene unito, non credi?

Sto parlando di cose che non hanno nome, cose che nel corso della vita si accumulano sul fondo dell'anima, sedimenti e strati di terriccio. Se mi chiedessi di descriverteli, non saprei da che parte cominciare, non avrei le parole adatte. Solo una stretta al cuore, un'ombra passeggera, un sospiro. Qualcuno si stringe nelle braccia in un gruppo di persone e improvvisamente ti senti sommerso dalla nostalgia. Qualcuno scrive: "Ti sei presentato come 'uno sconosciuto', ma uno sconosciuto non potrebbe scrivermi in questo modo..." e subito senti un groppo in gola, una goccia stilla dalla ghiandola della solitudine, nient'altro. Cosa c'è di più importante? Se considerata in profondità, mi spiegò una volta Rilke durante un turno di guardia nel Sinai, in ogni cosa si può sempre trovare una legge che la governa. Molto bene, gli dissi, è davvero tranquillizzante pensare che tutto ha un significato. Ma questa consapevolezza ormai non mi soddisfa più, Rainer Maria. Il mio tempo scorre in fretta e, anche se dovessi vivere altri trent'anni, vedrò soltanto i primi trenta colchici, cioè un mazzetto piuttosto striminzito, mentre io, per una volta, voglio vedere con i miei occhi il testo di quella legge, capisci? La *costituzione*. Voglio una visita guidata a quelle "profondità" misteriose, e pretendo di conoscere tutti gli strati sedimentati, per chiamarli almeno una volta per nome e avere da loro una risposta. Che siano finalmente miei, senza il solito, eterno silenzio (che in questo momento, per esempio, senza motivo apparente, nella calca del quotidiano, mi fa esplodere il cuore)

Y.

A proposito, non darti tanta pena di individuarmi tra la gente che ti stava attorno quella sera. Non ha davvero nessuna importanza, evidentemente non mi hai notato. Ma se insisti: non alto (forse persino più basso di te, spero non t'importi, in una relazione fatta solo di parole non dà fastidio), e piuttosto magro. Non hanno utilizzato molto materiale nel costruirmi, forse non hanno nemmeno dovuto fare un grande sforzo mentale. Non proprio un Adone, se vuoi saperlo, anzi, magari bruttino. Ora ricordi? Una faccia un po' malinconica, con una barba-spelacchiata-e-chiara, che vagava incessantemente tra i vari gruppi senza unirsi a nessuno. Ricordi qualcuno del genere? Una specie di incrocio tra un marabù corrucciato e un giudeo? Insomma: peccato perdere tempo, non potresti ricordare, perché non c'è niente da dimenticare.

29

Non hai pietà, sai.

E niente sconti.

Ma cosa c'è di tanto terribile se sono un po' adolescente quando ti scrivo? Sono adolescente, bambino, vecchio, neonato. Ho tante età diverse quando ti scrivo. E non mi dispiacerebbe se anche tu lasciassi intravedere un po' di quella fiamma che a tratti (solo a tratti? Davvero?) ti sei permessa di mostrare quando eri nell'età terribile dell'adolescenza. Come sarebbe possibile attraversare il tunnel di quegli anni bui senza un po' di "auto-esaltazione"? E perché anche oggi limiti così le tue vampate, passate e presenti? Yair è disposto a comprare tutto, tutto il tuo assortimento termico. Perché, capisci, il punto a cui voglio arrivare con te non è ancora abbastanza vivo e se mi allontano, osservandolo a distanza, si raffredda anche per me, e quando tu lo metti in dubbio, anche con un semplice commento, si raggela immediatamente. Credi che sia facile creare qualcosa "da due"?

Da ieri cerco di capire cosa ti è successo tra l'ultima lettera e quella che ho davanti. A che voce, a noi estranea, hai prestato orecchio? (È Ana, vero? Hai parlato con lei, gliel'hai raccontato. Sono sicuro che non hai nessuno che ti sia vicino quanto lei. Ha già fatto di me una barzelletta, vero?)

Altrimenti come spieghi l'improvvisa ritrosia e la pretesa – avanzata con una freddezza che non ti è naturale, nervosamente, a denti stretti – che io ti racconti finalmente di me, del me visibile?

Speravo di avere già superato questa fase, speravo tu avessi capito che quell'io non è importante in questo caso. A chi potrebbe interessare? E cosa importa se Yair Wind non compare nell'elenco telefonico? Non è in questo elenco! "Visibile"? Te l'ho detto, non mi hai nemmeno visto quella sera. Stavo in un angolo in cui non potevi vedermi. Scrivi a quell'angolo, guarda attentamente e mi vedrai agitare le mani in saluto dalla pupilla di quell'angolo nascosto. Myriam, ti prego...

Avrai notato che non cerco mai di sminuire le tue sensazioni. Fino a che non ho cominciato a scriverti, è stato vero, hai dato un'esatta descrizione di me: tutti i sintomi della malattia. Persino la "furia nello scrivere", che ai tuoi occhi è sempre un po' sospetta, viscida. Credo di sapere di cosa stai parlando. E credo di capire anche il tuo sospetto nei miei confronti per aver affidato così, senza troppo riflettere, le mie più intime debolezze a una sconosciuta. Un espediente strano e imbarazzante per affascinare, dici tu, come se non si trattasse veramente di una questione di vita o di morte.

Leggo queste frasi taglienti e penso: mi viviseziona come se non le avessi suscitato alcuna emozione e si emoziona come se non avesse nessuna capacità di analisi. Chi è veramente?

Non ho intenzione di telefonarti a casa, grazie. Mi ha alquanto sorpreso che tu ti sia tanto arrabbiata per l'innocente proposta, la settimana scorsa, di chiamare i tuoi cari con dei nomi fittizi. Hanno dei nomi veri (lo so) e non hai intenzione di inventargliene di nuovi per me (certamente). Ma perché non posso credere nella possibilità di un legame semplice e naturale, alla luce del sole, fra due persone? Ero sicuro che alla fine di questo sfogo mi avresti scaraventato le mie lettere in faccia per sempre, per l'eternità, e ora, invece, mi dài il numero di casa!

Non ti telefonerò, per un motivo di "sicurezza nei contatti" (qualcuno potrebbe essere in casa e sentire), ma soprattutto perché anche la *voce* potrebbe essere troppo reale per l'illusione che voglio creare fra noi, fatta solo di parole scritte. La voce potrebbe trafiggere quest'illusione e a quel punto vi fluirebbe dentro la realtà con i suoi dettagli, i numeri, le sue molecole piccole e sudate. La realtà ci incatenerebbe. In un attimo tutta questa accozzaglia irromperebbe come un'ondata gigantesca, spegnendo ogni fiammella. Perché non vuoi capire?

In ogni caso, non sei capace di fingere nemmeno per cinque righe, barricandoti dietro riserve e argomentazioni molto logiche: se continuerò con questi giochi clandestini o con l'idea della "ghigliottina" che calerà su di noi tra qualche mese, non potrai credere con tutto il cuore *nemmeno* alle cose "oneste ed emozionanti" che ti racconto. D'altra parte, non sopporti *nemmeno* di stare nell'angolo in cui vieni sospinta dai miei illusionismi, l'angolo di un uomo chiuso, critico e freddo. E via di seguito. Mi hai rinfacciato altri tre rigidi "nemmeno" con un tono da maestra con lo chignon. Poi, improvvisamente, le tue labbra hanno tremato e ti è sfuggito un "non" piccolo e impudente ("avrai già notato, credo, che non mi spaventa la passione vera nei rapporti e nei sentimenti. Tutt'altro, tutt'altro...")

Ogni volta che arrivo a questo "non" impulsivo il cuore mi si stringe per il piacere (come se ti fossi tolta una calza di seta davanti a me).

No, senti, onestamente: ho sbagliato? Ho sbagliato riguardo a te? Ora, per esempio, un'onda grigia sale di nuovo a riempirmi le viscere. Forse ho davvero sbagliato e non faccio che torturarti perché è chiaro che chi non è accordato sulla nota acuta che ti ho suonato sentirà solo lo stridore, il cigolio di lamiera della mia casella postale, o l'accenno di tradimento che ho fatto balenare ai tuoi occhi poco fa, quel riferimento alla "sicurezza nei contatti" che ti ha fatto venire la nausea.

È ovvio che mi sono chiesto se eliminarlo, o almeno ingentilirlo un po', ma l'ho lasciato, ormai lo sai, perché voglio che tu sappia tutto di me, voglio che tu mi conosca nella mia nudità, nei miei piccoli calcoli e nelle mie ansie meschine, nella mia stupidità, nelle mie vergogne e nella mia infamia. Perché no? In me c'è anche "infamia". Anche lei vuole donarsi a te, come il mio orgoglio. Lo vuole con la stessa intensità, ne sente il bisogno.

Sai, a volte, mentre ti scrivo, provo una strana sensazione, totalmente fisica, come se prima di poterti parlare fossi costretto a vedere le parole che mi abbandonano in una lunga fila per giungere fino a te, per consegnarsi nelle tue mani.

Quella parola, "infamia", non l'ho mai scritta prima d'ora. Adesso è qui, odora di pantofole vecchie e logore (a dire la verità, odora di *casa*).

Mi fa impazzire il fatto che ti aggrappi di nuovo alla logica, che è senz'altro utile nella vita: ma noi non siamo nella vita, Myriam! È il segreto che ti sussurro all'orecchio già da un mese: *noi due non siamo vivi!* Voglio dire, non in un luogo in cui vigono le leggi ordinarie che regolano i rapporti tra le persone, tantomeno i rapporti tra uomo e donna. Dove siamo, allora? Non m'interessa sapere dove, perché dargli un nome? Sarebbero comunque nomi "loro", nomi tradotti, e con te voglio una costituzione diversa di cui saremo noi a fissare le leggi. Parleremo una nostra lingua e racconteremo le nostre storie, e ci crederemo con tutte le nostre forze, perché in mancanza di un luogo privato come questo – dove quello in cui crediamo si realizzerà, anche se solo per iscritto – la nostra vita non sarà tale; o peggio ancora: la nostra vita sarà solo una vita... Sei d'accordo?

Y.W.

7 maggio

Finalmente.

Ero già disperato, mi ero quasi dato per vinto.

Peccato solo che abbiamo sprecato più di un mese – no, hai ragione tu, non l'abbiamo "sprecato". Non dobbiamo rinunciare a niente né pentirci. Ora (un po' in ritardo, naturalmente) inorridisco per il mio egocentrismo: non mi ha nemmeno sfiorato il pensiero di tutto quello a cui devi rinunciare per avvicinarti a me e avere fiducia in me alle condizioni che ti pongo. Ero così entusiasta di te che ero certo di poter fondere tutto: la logica, le circostanze della vita, perfino le nostre personalità... È davvero sorprendente, Myriam, solo ora mi rendo conto di quanto sia sorprendente la tua decisione (una decisione perentoria, ti immagino con le labbra e il mento in fuori!) di gettare le motivazioni logiche nel pozzo più profondo di Beit-Zeit[3] e di porre la tua anima nel palmo della mia mano.

La mia mano che non conosci, e che ora trema un poco per la grande responsabilità che si è assunta.

---

[3] *Moshav* (villaggio agricolo di tipo cooperativistico) appena fuori Gerusalemme. [*N.d.T.*]

Come potrò ringraziare l'amico misterioso che con poche parole ha indirizzato il tuo cuore verso di me? Cosa ti dice esattamente di me? E chi è? Un uomo senza palpebre, di più non hai detto, non hai spiegato nulla. Va bene, piano, col tempo. Mi sto abituando al tono trasognato che hai quando sei sicura che capisco – oppure non t'importa che io capisca e ti senti libera di parlare. Allora io so che la tua anima è distesa e che parli a te stessa come in sogno, in dormiveglia...

In ogni caso non dimenticarti di ringraziare quel signore a nome mio. Anche se mi sconcerta sapere che hai un "amico" così vicino, con cui parli in maniera tanto esplicita e aperta. Mi verrebbe da chiederti che bisogno hai di me quando hai qualcuno con cui puoi sempre parlare, di qualunque umore tu sia, uno che ti sta vicino quando cadi nel tuo pozzo di Giuseppe, abbandonata da tutti.

Credi che un giorno potrai raccontare anche a me cosa si prova a stare lì?

E chi ti getta laggiù con tanta facilità? (Ancora e ancora e ancora.) E chi ti nega una mano per farti uscire?

E cosa ti succede nei giorni "maledetti" (hai usato intenzionalmente questa parola?) in cui ti senti come il pozzo dopo che anche Giuseppe l'ha lasciato?

Strano, vero? Non so proprio a cosa tu ti riferisca, forse chiamiamo "Giuseppe" e "pozzo" cose completamente diverse. Ciononostante, a volte, ripeto ad alta voce una tua frase, o solo una sequenza di parole, e sento sfilacciarsi una cucitura interna, l'imbastitura dell'anima.

Scrivi, racconta, ogni giorno sprecato è un delitto.

Yair

8 maggio

Ieri ti ho mandato una lettera (l'hai già ricevuta?). Ma oggi, in qualche modo, la conversazione è proseguita. Qualcuno ha telefonato e mi ha fissato un appuntamento. Non voleva saperne di venire nel mio ufficio e ha insistito perché ci incontrassimo sulla spianata davanti ai Grandi Magazzini (mi imbatto in non pochi pazzi del genere, ma a volte sono proprio loro ad avere il materiale più interessante). Gli ho chiesto come avrei potuto riconoscerlo e lui mi ha detto che avrebbe indossato dei pantaloni di velluto nero, una camicia a scacchi e, ha persino aggiunto, delle scarpe di camoscio... Sono rimasto là per quasi un'ora ma non ho visto nessuno che corrispondesse a quella descrizione. Poi, quando avevo ormai perso la pazienza e stavo per andarmene, ho scorto in fondo alla spianata, vicino alle cabine telefoniche, un nano. Il nano più piccolo che avessi mai visto in vita mia. Totalmente deforme. Aveva il corpo sciancato e un viso che incuteva paura. Si reggeva con due piccoli bastoni ed era vestito esattamente come nella descrizione (non sono stato capace di avvicinarmi a lui).

Poi ho pensato alla tua lettera nella mia tasca, con quella frase che a una prima lettura mi era sembrata un po' ermetica e astratta, quella a proposito del dolore che è impossibile dividere con qualcuno, che è sufficiente per una sola persona.

11 maggio

Sì, certo mia cara, splendida, con tutto il cuore, cosa credi...

Improvvisamente siamo più a nostro agio, vero? Ti ho proprio sentita tirare un sospiro di sollievo al di là del foglio. Le spalle ti si sono rilassate un po'.

Anche grazie ai colori, alla fioritura e agli odori che si sono riversati come una cascata nelle tue pagine; finora hai scritto quasi sempre in bianco e nero. Finalmente in questa lettera ci sono due fogli (hai ragione: con due ali si può spiccare il volo). È meraviglioso che tu abbia scelto di farmi arrivare a casa tua non dalla via principale, da dove arrivano tutti, ma partendo dalla lontana diga di Ein-Kerem, attraverso la valle – e attraverso ogni fiore, albero e rovo (lucertole, cavallette e aironi compresi). Erano anni che non venivo condotto così, come un animale al pascolo, ma chi può resistere al tuo fascino quando ti risvegli all'improvviso, e ridi e corri davanti a me, accarezzando ogni gigaro e altea e tronco di ulivo? Guarda com'è fiorita e rigogliosa la salvia, senti com'è profumata... Per non parlare delle diverse specie di briza e di tordylium. Senti, chi ti ha insegnato tutti quei nomi, il loro profumo, chi ti ha insegnato a riconoscere i cecidi e le fritillarie, e a sgranare i chicchi?

Per fortuna leggo in fretta. Anche così riuscivo appena a starti dietro mentre ti arrampicavi, aggrappandoti ai massi. Perché corri? Non immaginavo che il tuo corpo grande e morbido potesse muoversi così. Hai scritto come una leonessa, muscolosa, sorprendente... E le tue parole emanavano un odore pungente, vivo. Un odore di terra, di polline e di sudore. Sei splendida quando gioisci, quando ti rotoli nei campi di papaveri o mi getti addosso le spighe dell'avena (te le ributto, sai! Anche voi giocavate a "Quanti figli avrai?").

Un'antemide bianca e gialla ti si è impigliata fra i capelli e per un momento ho provato una fitta di infelicità perché non potevo togliertela e nemmeno farti da "scaletta" con le mani perché potessi arrampicarti sulle terrazze. E i graffi che non mi sono fatto, le punture che non mi sono preso, il tuo sudore che non ho leccato. Ti scrivo soltanto e ne ho già nostalgia.

È un bene che tu ti sia fermata nel *moshav* a chiacchierare con i bambini dell'asilo, così ho potuto riposare un momento. Ho notato che ti sei ben guardata dal rivelarmi se uno di loro è tuo (a giudicare dalla descrizione, si potrebbe pensare che siano tutti tuoi). Ho l'impressione che nelle ultime due lettere giochi un po' agli indovinelli: ti riveli e ti nascondi, sorridendo in cuor tuo. Stupendo, sono con te, respiro appena, ma ti seguo nei passaggi segreti fra le case e i recinti, fino al cancello di casa tua, blu con macchie di ruggine. Perché ruggine? Qualcuno ne trascura la manutenzione? Fa' come se non l'avessi detto. Ma chi se ne importa quando ti volti verso di me facendo ondeggiare il vestito e per un attimo (non so se te ne sei accorta) ti sveli in tutte le tue età? I tuoi occhi scuri hanno brillato (che voglia di metafora!) come due noccioli in una nespola che si schiude, quando mi hai sussurrato: ti va di entrare?

Sì, certo, mia cara, stupenda, con tutto il cuore, cosa credi?

(mattino)
Stanotte, mentre dormivo profondamente, ho pensato che

potrebbe trattarsi di quello stesso amico di cui, ogni due o tre giorni, leggi i diari per sapere cosa gli è successo in quel medesimo giorno decine di anni fa. Quello che, già nella seconda lettera, mi hai detto essere la tua preghiera del mattino.

Non arrabbiarti se ho cercato di intrufolarmi in una tua conversazione privata. Ho solo giocato un po' a fare l'investigatore e in piena notte sono balzato dal letto, ho controllato qualche data, ho sfogliato qua e là ed ecco, esattamente lo stesso giorno in cui sei tornata a me, il 4 maggio, nel diario del 1915 ho trovato che aveva scritto: "Considero i rapporti degli altri con me. Per quanto poco sia, qui non c'è nessuno che abbia comprensione di me nel mio complesso. Oh, possedere qualcuno che abbia questa comprensione, non so, una donna, vorrebbe dire essere sostenuto da ogni parte, avere Dio".

Se per caso ho intuito male, se ho toccato un punto troppo personale, vorrei ricompensarti con qualcosa dello stesso giorno e della stessa persona: "... Talvolta pensai che mi capisse senza saperlo, per esempio quando, provando un'insopportabile nostalgia di lei, trovai che mi aspettava alla fermata della metropolitana e io, nel desiderio di raggiungerla possibilmente presto e supponendo che fosse di sopra, stavo per passar oltre di corsa ed ella mi prese tranquillamente per mano."[4]

Y.

16 maggio

Sei un tale enigma.

Non è obbligatorio risolverlo, dici tu, stai solo con me. OK, sono con te. Attraverso il vostro giardino. Vi siete creati un piccolo paradiso (quando sono salito sulle scale verso la veranda con la bouganvillea ho riconosciuto finalmente il petalo viola dell'"intimità anonima"). Tu volteggi verso l'interno, mentre io sono ancora stordito da ciò che sta accadendo, mi sento sommerso, letteralmente sommerso, dalla luce e dal ca-

---

[4] Franz Kafka, *Diari*. [*N.d.T.*]

iore, dalla profusione di colori e dalla giungla di piante. E poi i tappeti di lana, gli arazzi, il pianoforte e le pareti coperte di scaffali zeppi di libri, dal pavimento fino al soffitto. Mi sento subito al sicuro. Persino la confusione mi sembra familiare.

Allora ci siamo, che dici? Sono in casa tua. Una casa generosa, non solo: traboccante. Straripante davvero. È un po', come hai detto tu stessa, "una casa da rigattiere". L'ho imparata a memoria, ne ho persino fatto uno schizzo su un foglio, e così so dov'è la parete con le foto, so in quale finestra c'è la vetrata arancione e dove sono le anfore di vetro blu di Hebron, e so come i raggi del sole al mattino si infrangono su di esse riflettendosi sul ricamo di filigrana (com'è esattamente?). Ma soprattutto ho visto te, le tue parole, improvvisamente hai scritto come... l'hai notato?

Capisci di cosa sto parlando?

Non è una critica nei tuoi confronti, me ne guardo bene. È solo una domanda o, diciamo, un involontario inarcare le sopracciglia. Perché anche lungo la strada di ritorno dalla diga eri molto felice, ma là gioivi e io non potevo che entusiasmarmi con te. Mentre in casa, come spiegare?, mi è sembrato per un attimo che ti sia lasciata prendere un po' dalla *frenesia*...

In fretta, in fretta, da una camera all'altra, quasi senza respiro, in maniera convulsa, non secondo il tuo ritmo. E, ora che ci penso, nemmeno in armonia con il tuo tono, con la tensione muscolare delle tue parole. Come se ti fossi spaventata di te stessa per avermi repentinamente introdotto nella vostra intimità. O forse volevi soltanto dimostrarmi che anche tu puoi fare così, come me?

Sono un tale idiota. Guarda di cosa mi sto lamentando. Vorrei anch'io rallegrarmi come un bambino, come la prima volta, davanti al quadro appeso da anni in salone, o di fronte a un barattolo di cetrioli sottaceto. Provare stupore davanti a un'anfora di ceramica "grande e panciuta"...

Sono felice di potermi finalmente rilassare e dirti che all'inizio mi sono sentito un po' intimidito da te, mi trovavo esuberante (e prolisso, eccessivo, ecc. ecc.) Forse perché quella sera mi sei sembrata così introversa e chiusa in te stessa. C'era in te qualcosa di limpido, di cristallino e monacale, quasi

sdegnoso, con una sfumatura di biasimo, forse mi rimprove-
ravi senza nemmeno conoscermi. E adesso, all'improvviso,
questa casa *chiassosa*.

D'altra parte, non fraintendermi, mi tranquillizza anche, e
mi prova che abbiamo qualcosa in comune. Forse niente di
particolarmente significativo, forse non ti farà felice, neanch'io ne sono molto orgoglioso, ma improvvisamente, proprio perché l'ho scoperto anche in te...

Spero che tu non ti offenda, non è davvero una critica ai
tuoi gusti. Spero tu capisca che non è il "gusto" o la "mancanza di gusto" a importarmi ora, bensì le tracce di una somiglianza tra noi, in qualunque cosa, grande o piccola, anche in questa faccenda delicata e misteriosa che si chiama
"giusta misura". Voglio dire: la somiglianza che esiste, po-
niamo, tra due tazze rotte esattamente nello stesso punto.

Yair

20 maggio

Annotare tutti quei momenti nel corso della giornata sarebbe
impossibile, naturalmente, ma mi è piaciuto che tu abbia
usato la parola "incontri" per descriverli. I nostri incontri.

Stamattina, per esempio, nel solito ingorgo prima dello
svincolo di Ganot avevo davanti una grossa Volvo con un
bambino sul sedile posteriore che agitava la mano per salu-
tare. Dei cinque guidatori nelle macchine attorno non uno ha
mosso un muscolo o ha fatto cenno di notarlo. Il bambino ha
sorriso ancora un po', speranzoso. C'era qualcosa di timido e
di fragile nel suo sorriso.

Ecco il mio dilemma: se avessi risposto al suo saluto
avrebbe capito immediatamente che stavo solo fingendo di
essere adulto. Che ero io l'anello debole della catena. Da quel
momento avrebbe potuto farmi dei gestacci, trasformando-
mi all'istante nello zimbello dell'ingorgo. Proprio per quel
sorriso che rivelava la sua vulnerabilità non avrebbe potuto
sprecare un'occasione simile per sentirsi più forte.

Ho chiesto consiglio a te (in altre parole: ci siamo incontraci). Ho accettato il tuo suggerimento e gli ho sorriso. L'ho salutato. Ho visto la sua bocca allargarsi in un sorriso di felicità, quasi incredulo che gli fosse capitata una cosa simile... L'ha raccontato subito a suo padre e quello mi ha guardato nello specchietto retrovisore. Ho gettato un'occhiata di lato e ho visto cosa pensavano di me gli altri automobilisti.

Ho anche pensato che, se ci fosse stata una donna, sarebbe stata lei a sorridergli, esonerandomi da quell'incombenza.

Allora, di nuovo, per la seconda volta oggi: buongiorno a te.

Mi diverte il tuo modo di non rispondere subito alle domande dirette (per esempio, riguardo a quanto ti ho scritto della tua casa). Ormai so che dopo un paio di lettere avrò una risposta, magari anche indiretta, e che, se non l'avrò, è perché questo è il tuo modo di dare ritmo e direzione alla nostra corrispondenza, impedendomi di assumerne il controllo... Ma mi hai fatto una domanda e, contrariamente ai timori che l'hanno preceduta, posso rispondere con sincerità: voglio senz'altro un altro bambino. Altri tre persino, perché no? Passeggiare nella via con un codazzo pigolante, non ci sarebbe niente di più bello. Ma nella situazione attuale, visto che me lo chiedi, già uno mi basterebbe.

Mi basterebbe a cosa? Difficile dirlo esattamente.

Forse a farci diventare una famiglia. Perché non lo siamo ancora.

Be', ha stupito un po' anche me. Ti manderò comunque questa lettera.

Y.

Non è che viviamo male, noi tre (voglio assolutamente che tu capisca). Però, per il momento, siamo solo tre persone che vivono insieme senza problemi, con amore, certo, e con grande amicizia (ma, com'è noto, un triangolo è una figura geometrica instabile).

(quasi mezzanotte)
Magari avessi una bambina! Non c'è niente che desideri più di una bambina piccola e morbida, come un minuscolo favo di miele. Mi piacerebbe proprio vedere che razza di *bambina*

verrà fuori da me, la mia versione femminile, e come si armonizzeranno in lei tutte le parti, gomiti e seni. In qualche modo, forse, per il solo fatto di esistere saprà risolvere un conflitto del quale non abbiamo ancora parlato.

C'è, naturalmente, anche il desiderio di scoprire, attraverso una bambina, la metà della vita di Maya che non ho conosciuto.

Maya – si chiama così. Amarla dal principio, dal suo inizio, e vederla crescere e diventare adulta. Ti sembra strano?

Se avessi una figlia la chiamerei Ya'arà, piccola Ya'arà. Vedi, la mia ghiandola *ninfatica* comincia già a gocciolare. Una bambina con i capelli neri e soffici che le ricadono sulle tempie, con gli occhi verdi, come quelli di Maya, e le labbra rosse, e un'allegria prorompente – perché lei sarà felice, vedi, quasi tutto al mondo sarà per lei motivo di gioia.

Ma come saprò crescerla senza trasmetterle quello che ho in me, quello che ha già reso opaco e stanco il viso ingenuo e aperto di Maya? E che ha già inaridito un bambino che un tempo era come un raggio di sole?

Ecco, l'ho scritto.

Allora sì, se proprio vuoi saperlo, mi fa morire il pensiero che forse non avrò altri figli, per il momento Maya non ne vuole. Avrà certamente le sue ragioni per esitare, così devo accontentarmi di gettare sguardi loschi e poco rassicuranti sulle bambine per la strada. Un tempo desideravo le mamme e ora... Ahi, non pensavo che saremmo arrivati a parlare di queste cose! Ero sicuro che a questo punto ci saremmo lasciati trascinare in visioni appassionate, scrivendoti, per esempio, che l'odore del mio sudore diventa acre quando penso che tra poco le tue dita reggeranno questo foglio e che persino il tuo numero di telefono mi eccita, con quella conca tra i seni che si intravede nell'868. Invece è bello poter parlare con te anche di tutto il resto. Descriverti le gambe grassocce che avrà la mia bambina (quando indosserà il suo vestitino giallo!), descriverti il suo corpo nudo e liscio come una pesca quando giocherà con l'acqua in giardino...

A cuccia, cuore, a cuccia!

Y.

Funambolo?

Pensavo buffone, ma evidentemente ci sono altre attrazioni in un circo. Davvero hai questa impressione? Che io sia arrivato improvvisamente, di corsa, ti abbia ficcato in mano l'estremità di una fune e abbia detto: reggila?

C'è un solo, piccolo errore: dici che non sei sicura di come sia riuscito a convincerti, o perlomeno a far nascere dentro di te il dubbio che, se mollerai quella fune, io cadrò. Ma non è una fune, Myriam: è a malapena uno spago, una ragnatela di parole (e, se mollerai, io cadrò).

Innanzitutto devi capire che non ho nessun desiderio di raccontare le mie storie ad *altre* persone. Voglio scrivere solo a te, solo in tuo onore si è risvegliato in me questo impulso. Così, senza preavviso, nel bel mezzo della vita, perché prima di vederti non avevo mai conosciuto *questo* tipo di desiderio. Forse da bambino, con i temi a scuola. Comunque, l'appassionata teoria che hai formulato nel cuore della notte e che ti ha impedito di dormire (finalmente!) non è proprio adatta al mio caso. Ho troppo rispetto per i libri e non avrò mai la sfrontatezza di scriverne uno. Quindi non temere: quello che ti sei immaginata di me, e mi hai persino augurato, non può essere il sale sulla ferita: non c'è alcuna ferita – e, se c'è, non si è ancora aperta.

Solo riguardo al nostro legame sono pronto a usare, con molta cautela, quella parola – fatale anche ai miei occhi, sì: come vorrei essere un vero artista nei miei rapporti con te. Più di questo non oso chiedere.

Poco tempo fa hai detto che il mio sforzo per inventarti potrebbe anche impedirmi di trovarti. Be', mi sembra che tu abbia già capito come io, per trovare, debba anche inventare un po'...

Ecco, senti, è andata così: eravamo su quel prato enorme e tutto intorno era verde. Sto pensando al grande prato del kibbutz Ramat-Rachel, alla periferia di Gerusalemme, ai margini del deserto. Lo conosci? Potresti andare a vederlo, fare uno sforzo per me – che ci sarebbe di male? Io ci sono andato ieri, dopo aver ricevuto la tua lettera. L'ho letta davanti al deserto, ad alta voce. Ho cercato di sentire la tua voce, la sua melodia. Ho l'impressione che tu parli lentamente. Nelle lettere sento che ti soffermi (un verbo che ami!) su ogni parola. C'è qualcosa di pieno e di maturo nel tuo modo di parlare, e io sento come riesci a mettermi a fuoco, come se incidessi qualcosa dentro di me. Magari sapessi cosa. Talvolta ho l'impressione che tu lo sappia esattamente, molto meglio di me. Cosa intendi quando dici, per esempio, di intuire in me una sorta di "quinta colonna", a cui io, chissà perché, insisto nell'essere fedele...?

O quello che hai mormorato verso la fine della lettera, quando eri già quasi assopita, un sussurro non molto significativo, ma pieno di dolcezza: "Che strano, ti scrivo improvvisamente come se già da vent'anni mi fossi abituata a stare in cucina, di notte, a chiacchierare con te".

Capisci ora da cosa ti creo?

Dopo una dolce carezza come questa ieri mi sono lasciato trasportare sul prato davanti al deserto, e lì ho visto davvero me e te, incapaci di continuare a concentrarci sul testo. Spirava una brezza leggera, il mio giornale frusciava e le pagine del tuo libro si sono messe a scorrere da sole, velocemente. Erano le cinque di sera, il sole brillava ancora e ci siamo sentiti così chiari nella luce, quasi trasparenti. Se fosse passato qualcuno la magia sarebbe svanita, ma eravamo soli, e ancor prima di scambiarci una parola ci siamo trovati avviluppati nella ragnatela delle nostre storie. Tu hai la tua e io la mia, ed era incredibile sentire come si intrecciassero, rapidamente. Perché a volte, nei momenti più impensati, per strada, puoi sentire l'anima lacerarsi, catturata nella storia di qualcuno che ti è appena passato accanto. La maggior parte delle volte, però, quelle storie vengono sradicate e muoiono subito, senza che gli interessati si rendano conto di ciò che hanno perso. Rimane solo un leggero dolore che svanisce immediatamente, anche se in me a volte può durare ancora qualche ora, come se avessi avuto un piccolo aborto spirituale. E rimane una sorta di angoscia, la morte della storia.

(Mi segui? Per un momento mi è sembrato di perderti,

proprio quando ti ho sentita più vicina ti sei contratta e sei indietreggiata. Forse ho di nuovo esagerato? Oppure ho detto qualcosa di sbagliato?)

Senti, hai messo veramente il disco di *Zorba* e hai ballato il sirtaki in salotto, con me e con Anthony Quinn? E perché me l'hai raccontato solo ora? Perché non me l'hai rivelato subito, dopo il racconto della mia danza nel bosco?

Per fortuna hai detto che ti è caduto un "batticuore" morto sul foglio quando me l'hai nascosto. Concediti a me, lasciati andare, apri un po' i pugni dalle nocche bianche. Peccato che tu non mi abbia mandato qualche foto di quelle bambine con i pugni chiusi (di sicuro tu eri quella alta che stava sempre in terza fila) e più ancora peccato che io non mi trovi vicino a te ogni mattina quando ti svegli, per scioglierti le dita e accarezzarti le nocche. Cosa vi custodisci tanto gelosamente?

E cosa significa che eri "la reginetta buona della classe" (esisteva anche una reginetta cattiva)?

Ma basta con questo senso di oppressione, vieni, incontriamoci: improvvisamente, alle cinque in punto, quando eravamo ancora molto lontani l'una dall'altro, si è sentito un rumore insolito e terrificante. Prova a immaginare una cerniera arrugginita che si apre velocemente nel ventre della terra, lungo il prato. I nostri sguardi terrorizzati si sono rivolti a destra e a sinistra. I tuoi occhi, grandi, scuri e belli, per un istante si sono aggrappati ai miei e insieme ci siamo raddrizzati e rialzati, grazie quasi alla sola forza dello sguardo (è chiaro? Ti è chiara l'immagine? Voglio che tu veda ciò che vedo io!). Ti ho vista piegare e stendere le lunghe gambe sotto il vestito con un movimento che mi ha fatto impazzire. Le tue caviglie tornite. Ti sei fermata un attimo, disorientata, fragile come una cerbiatta. Una cerbiatta inquieta. Cosa ti ha tanto sconvolto quando ti ho scritto che noi due non siamo vivi? E cosa si nasconde in questo "Ahi, da dove cominciare, Yair"? Comincia e il resto verrà da sé (nelle ultime lettere sospiri moltissimo, te ne sei accorta?), sei così viva ai miei occhi. L'abbondanza che prorompe dal tuo corpo rigoglioso, la tua pienezza, la pienezza del tuo tocco, e il modo in cui mi ricami in silenzio, un filo dopo l'altro, nel tuo quotidiano. Ma cosa dici? Sei così viva!

Io, ai margini del grande prato, come un cervo non proprio aitante. Quasi scornato, gracile. Un cervo con le mezze maniche, con il torace stretto e un principio di calvizie. Com'è umiliante questa progressiva calvizie. Sorpreso, anch'io ho cercato l'origine del rumore che ha disturbato la pace di cui prima godevo, mentre ti guardavo di sottecchi. Ma ti interessa ancora continuare la storia, dopo che mi sono descritto? Di' la verità: se proprio devi complicarti la vita con un assurdo legame romantico, non sarebbe meglio un cervo come si deve?

Va bene, va bene, so che non dovrei fare domande del genere. Come ti sei infuriata quando mi sono descritto "magari bruttino"! Non fai sconti su cose come queste, vero? Nemmeno per scherzo. Davvero non conosci nessuno che si possa definire con la sola parola "brutto"? Davvero? Be', può darsi. Però ti rifiuti anche di accettare l'esistenza di qualcosa come un insieme-di-leggi-che-regolano-i-rapporti-tra-uomo-e-donna... Senti, quanti anni dovranno passare prima che io riesca ad aprirti gli occhi?

E quell'altra cosa, quella che hai definito "sicurezza nelle menzogne"...

Meglio che taccia, vero?

Vieni, guarda laggiù, resta con noi. Siamo completamente circondati dal sibilante mormorio della terra. Entrambi pensiamo al veleno, a un giardino maledetto. Non so se conosci questa sensazione – qualcosa di estraneo ma anche di molto familiare che si propaga in un attimo nei tessuti. Ascolta con me, ascolta bene, sussurri e fruscii da tutte le parti, come il fermentare di un pettegolezzo volgare, ignorante (srsrsrsrsrs)... Forse per questo il cuore ci si è stretto, per la paura improvvisa e per un senso di colpa. Persino il tuo cuore, Myriam, il tuo cuore puro a cui nessuno chiederà mai cosa fai e con chi. Ammetti, riconosci con che rapidità ci mordono i serpenti interiori. Ci puniscono persino per i desideri del cuore, per le visioni più dolci. Per un attimo sento lo schiocco delle labbra di mio padre che racconta a mia madre di aver colto in flagrante il maresciallo, suo superiore, mentre bacia una soldatessa nel suo ufficio...

Basta. Sono stanco. L'ispirazione mi ha abbandonato. Mi è difficile immaginare persino l'inizio. Troppe pietre e troppo fango ostruiscono i canali.

(Continuerò dopo.)

Y.

(notte)

Finalmente, in questo momento, si è risolto l'enigma racchiuso nella terra, e mille getti d'acqua si sono sprigionati da irrigatori nascosti (cosa non sono capace di inventare). Entrambi abbiamo gridato per la sorpresa e ci siamo messi a correre qua e là, ma non nella direzione logica, fuori dal prato. Cosa ci aspettava là fuori? Abbiamo sorriso, sbagliando di proposito, e ci siamo sentiti attratti l'uno verso l'altra, sforzandoci di raggiungere il punto più inondato, dove confluivano tutti i getti d'acqua. Là, finalmente, ci siamo scontrati, sbigottiti. Ci siamo abbracciati, poveri profughi dell'alluvione, gridando molto più forte del necessario: "Sarebbe meglio cercare un modo per andarsene da qui!", "Dammi almeno il tuo libro, perché non si bagni!", "Ma ci stiamo bagnando tutti e due!". Facevamo un gran chiasso, ma senza più muoverci. A poco a poco ci siamo calmati e ci siamo guardati sotto il getto d'acqua che ci illividiva le labbra. Schegge di luce si riflettevano nei tuoi capelli splendidi: castani, folti, ribelli, screziati da sottili fili d'argento (non tingerli mai! È l'ultimo desiderio del tuo condannato: lascia che diventino bianchi lentamente!). Ansimavamo in maniera esagerata ridendo della nostra stupidità, di come ci eravamo lasciati sorprendere proprio come due bambini. Gorgogliavamo con l'acqua che ci riempiva la bocca, e le parole ci nuotavano dentro. Guardaci sotto l'acqua, lavati e lucidi come due bottiglie. Due bottiglie di naufraghi che ancora conservavano i loro messaggi. Ma nel frattempo, dall'esterno, cosa si vede? Che tu sei più anziana di me, per esempio. Non di molto, però. Mi pare che la differenza d'età ti disturbi un po', comunque io non sono mai stato un tuo alunno. Improvvisamente mi sento dire senza criterio, solo perché provo l'urgenza di farlo, che sempre, con chiunque, a volte persino con mio figlio, ho l'impressione di essere io il più giovane, il più inesperto, l'ingenuo. Chissà perché? Tu mi ascolti e capisci subito, come se fosse ovvio che un uomo dica questo a una donna incontrandola sotto un getto d'acqua.

Senti, non ho mai scritto niente di tanto strano, il mio corpo è teso e trema...

Dove eravamo? Non smettere ora, non perdere questo tremito interiore. Il nostro respiro si è calmato ma non ci siamo allontanati. Ci siamo toccati ancora, guardandoci negli occhi. Uno sguardo diretto e tranquillo, molto semplice, tenendo conto dell'imbarazzo che di solito si crea in situazioni simili. Semplice come il bacio che si dà a un bambino quando viene a mostrarti una ferita. Il cuore si spezza al pensiero che si possa guardare così un adulto.

Non ridiamo più. C'è un silenzio prolungato, quasi terrificante. Vorremmo staccarci ma non ne siamo capaci, e negli occhi di entrambi si aprono altri schermi in profondità. Penso a come un attimo simile ricordi il momento della tragedia, dopo la quale niente sarà più come prima. E noi, debolissimi, ci aggrappiamo l'una all'altro per non cadere e vediamo, con strana e triste lucidità, la nostra storia. Le parole non sono più importanti ormai, e nemmeno la lingua. Che sia scritta pure in sanscrito, in ideogrammi, nel geroglifico dei cromosomi: mi vedrai bambino, mi vedrai ragazzo, vedrai l'uomo che sono. Guarda cosa mi è successo mentre arrivavo qui, come si è sbiadita la mia storia. Da dove cominciare, Myriam? Penso sempre che in me non ci sia neanche una molecola d'innocenza, e ciononostante mi rivolgo a te con candore. Dal momento in cui ho cominciato a scriverti le parole sono sgorgate da un punto assolutamente nuovo, come se un seme fosse stato tenuto in serbo solo per un'amata particolare. Ma tu vorrai forse dormire. Anch'io. Per quanto ormai non ne abbia più molte probabilità, questa notte. Ancora un momento. Aiutami a calmarmi. Tendimi la mano, anche un dito mi basterebbe adesso. Ho bisogno che ora, proprio ora, tu mi faccia da parafulmine.

(È chiedere troppo? Resta almeno finché cade la cenere dalla sigaretta.)

Senti, ho letto bene? Un triangolo non è necessariamente una figura instabile? Anzi, "in un determinato contesto" può essere addirittura stabile e appagante? Può addirittura arricchire? Ed è anche conforme alla natura umana? "Almeno alla mia" hai scritto, suscitando un'enorme curiosità nel ristretto pubblico dei tuoi lettori...

A patto che sia equilatero, hai aggiunto subito, e che tutti i suoi lati siano consapevoli di far parte di un triangolo (Vorrebbe essere un rimprovero? Cos'hai sentito sul mio conto?)

Ora è troppo tardi per approfondire l'argomento, e anche la cenere trema all'estremità della sigaretta. Aspetterò con pazienza la tua risposta. Sappi solo che mi sono divertito a vedere come, con due tocchi, hai creato una disciplina scientifica molto personale: la geometria poetica. Peccato solo che tu non mi abbia spiegato come funziona nella vita, questa agognata merav...

(la cenere è caduta)

30 maggio

Non mi stanco di guardare. La foto dell'ombra delle colline di fronte, i getti d'acqua degli irrigatori-delle-cinque con le gocce sfavillanti e soprattutto la bottiglia (che immagine!), la bottiglia rotta sulla roccia...

E il fatto che tu ti sia bagnata, Myriam, entrando e uscendo come niente fosse dal gelido zampillo. Ci sei pure rimasta sotto così a lungo (io non ne sarei stato capace, in pochi secondi l'acqua gelida mi avrebbe intirizzito). E cosa hai raccontato, dopo, a casa? Come l'hai spiegato? Avevi con te dei vestiti asciutti o ti sei messa sotto l'acqua senza pensarci?

Non smetto di rivedere quell'attimo, il balzo dalle mie parole all'acqua viva. Non mi è rimasta pelle sul corpo a fu ria di docce negli ultimi giorni. Ti chiedo solo di non lasciarmi la mano, di continuare a immergerci insieme, sempre più profondamente, per arrivare là dove ci colmeremo dell'intensa emozione della *nudità*. Perché l'acqua ci ha incollato i vestiti addosso rivelando la forma del corpo: il tuo seno pieno e rotondo, spuntato improvvisamente sotto la maglietta bianca e bagnata, e i nostri volti, lavati e ripuliti dalla stanchezza, l'estraneità, l'indifferenza e il rifiuto di ciò che è importante. Tutta la crosta-da-adulti accumulatasi nel corso della vita. Ho capito quello che hai voluto dirmi, ballando il sirtaki in salotto: che non ti saresti affrettata a rivestirmi nel bosco sul Carmelo, e che, se solo avessi intravisto la bellezza che vedevo io, forse ti saresti persino unita a me, facendo esattamente quello che facevo io. Lo so! Dal momento che ti ho vista, ho sentito quanto è forte in te questo desiderio. Non fraintendermi, non sto parlando di una nudità erotica, ma di altro tipo, di fronte alla quale è quasi impossibile non rimanere turbato e cercare rifugio negli abiti. Una nudità senza pelle, questo è ciò che sto cercando e che mi diventa sempre più chiaro, lettera dopo lettera (una nudità come quella delle parole che hai scritto dietro la foto della bottiglia).

Non puoi saperlo ma io, già da anni, da quando ero ragazzo, sono ossessionato dall'idea di correre nudo per strada. Spogliarmi non tanto per scandalizzare, quanto per essere il primo a farlo, per il bene di tutti. Immagina un po': togliermi improvvisamente tutti gli abiti e lanciarmi tra la gente a pelle nuda (io, che mi vergogno a spogliarmi sulla spiaggia, che non sopporto quando mi vedono introdurre una lettera nella buca – un uomo che spedisce una lettera rivela sempre qualcosa di molto intimo, no?). Ebbene, quello stesso "io" desidera con tutte le sue forze essere, anche solo per un momento, lo sfavillio di un'anima sotto la fuliggine dell'indifferenza e dell'estraneità degli altri, lanciare un grido chiaro senza parole, "a corpo aperto".

Magari, dopo tre o quattro scorribande del genere in punti diversi della città, qualcuno potrebbe unirsi a me. Mi segui? Qualcuno che sentirà di dovere, in qualche modo, assorbire nel suo corpo la mia eccitazione. Immagino che il primo a essere contagiato sarà un pazzo; ma poi ne seguiranno altri, sono sicuro, e fra questi la prima sarà una donna. Si strapperà improvvisamente gli abiti di dosso e sorriderà di sollievo e di felicità. La gente la segnerà a dito, ridendo, ma lei, con calma, si toglierà l'armatura di stoffa, e vedendo quel corpo gli altri taceranno e capiranno qualcosa. Poi ci sarà un lungo silenzio e all'improvviso, di colpo, la tensione accumulata nello sforzo di occultamento, di copertura, di mimetizzazione, si scaricherà con un'esplosione assordante sopra le loro teste e scoppierà una tempesta. Una donna e un'altra ancora, e poi un uomo e dei bambini. Una tempesta con lampi di corpi nudi (mi piace sempre immaginare questo momento). Naturalmente interverranno subito i reparti della buoncostume: poliziotti speciali con occhiali protettivi che correranno tra i diversi focolai di depravazione, equipaggiati di tele cerate e guanti di amianto perché è ripugnante toccare una persona nuda (penso sempre che un uomo nudo potrebbe fendere la folla come un coltello. Tutti si ritrarrebbero da lui come da una malattia infettiva o da una ferita aperta). Immagina, gente senza alcun indumento. Allora non ci sarebbe più ragione di fingere, perché com'è possibile odiare una persona nuda? (Prova a combattere contro un soldato nudo.) E tu hai scritto una parola: "carità". È quello che di te mi allarga il cuore: improvvisamente, nel bel mezzo di discorsi semplici e quotidiani, puoi illuminare con una parola come questa. Allora sì, Myriam, la carità sarebbe così facile, diretta e naturale, nella nudità.

(Un momento, sento la chiave nella porta. Devo smettere.)

(Falso allarme. La donna delle pulizie.)

Dove eravamo? A cosa valgono tutti i miei nobili pensieri? Nel frattempo il mondo si è vestito e corazzato, solo noi due rimaniamo abbracciati, bagnati e tremanti di freddo – o di qualsiasi cosa possa suscitarci un tremito. I miei occhi nei tuoi e il peso di un corpo femminile contro il mio. Un'anima estranea che svolazza libera dentro la mia e io non mi rinchiudo in me stesso, non la sputo fuori come un nocciolo conficcato in gola. Al contrario, la inspiro ancor di più e lei si aggrappa al mio corpo, dall'interno...

Più tardi (sono un po' ubriaco di pensieri, ti dispiace?) ci siamo avviati verso la macchina mano nella mano. Abbiamo riso un po', ma solo all'apparenza, perché in cuor nostro stavamo già riprendendo coscienza – coscienza fredda e vendicativa – di tutto quel che stava al di fuori dell'isola-di-acqua in cui c'eravamo trovati per un momento (anche questa è una fotografia stupenda: il tronco bluastro formato dall'unione di tutti i getti d'acqua. È difficile credere che in sette anni non hai mai preso in mano una macchina fotografica). Vicino alla mia Subaru ammaccata, banale e anonima, mi hai permesso di asciugarti i capelli, belli e folti, con il vecchio asciugamano che tengo in macchina, dopo averlo scosso da tutto ciò che gli è rimasto appiccicato nel tempo: granelli di sabbia di gite con la famiglia, ramoscelli del falò della festa dell'Indipendenza, macchie di budino al cioccolato ripulite da una bocca piccolissima, di quasi cinque anni – se proprio insisti nel voler affondare i denti in una fetta di pettegolezzo reale e succoso. Quell'asciugamano ormai logoro che conserva la sporcizia-decisamente-buona della mia vita, una vita che io amo molto ma nella quale, spero ti sia ora comprensibile, la mia anima aspira a qualcosa, sempre. Aiuto, un esemplare padre di famiglia capace di scrivere lettere come questa. Che enigma è? A chi saprà risolverlo è garantita la pace eterna dell'anima (ma basterebbe anche una pace momentanea).

Ho scostato i tuoi folti capelli e ho scoperto la fronte e gli occhi scuri, sgranati, seri, inquisitori. I tuoi occhi così tristi – magari sapessi il motivo – che tuttavia, in ogni lettera, sento pronti a illuminarsi, a spalancarsi. I tuoi occhi alla Giulietta Masina (alla fine di *Le notti di Cabiria*, ricordi?). E con quello sguardo mi chiedi ancora: chi sei? Non so, vorrei essere chiunque il tuo sguardo vede in me. Sì, se solo non avrai paura di vedere – forse sarò.

Con delicatezza ho tenuto il tuo viso fra le mani. Ho già detto che sei un po' più alta di me, ma stiamo bene insieme, non sembriamo ridicoli. Ho sentito fra le mani il tuo viso caldo e ho pensato che quasi tutti i volti che incontro ogni giorno hanno espressioni che ricordano sempre un po' quelle di altri; ma il tuo viso... Allora ti ho stretta a me e per la prima volta ho baciato la tua bocca affamata e assetata. Ho posato le mie labbra esattamente sulle tue, anima contro anima, e la tua bocca era morbida e calda. Tu hai alzato leggermente il labbro superiore – hai questo vezzo, l'ho notato – e io, naturalmente, per un attimo mi sono chiesto se sarei riuscito a far l'amore con te prima di scoprire il tuo nome. Non dimenticare che sono un uomo e ho questi sogni da conquistatore (peraltro mai avveratisi). Ma allora, proprio in quel momento, a dispetto delle mie intenzioni e della mia stupidità, ho chiesto in fretta come ti chiamavi. Tu hai detto: Myriam, e io ho risposto: Yair. Poi, con un sorriso tremante di freddo, hai mor morato che la tua pelle è molto delicata, e io ho ascoltato ciò che intendevi dirmi con quel sorriso: vuoi che ti tratti con delicatezza, non con rudezza e indifferenza, non con le cinque dita che, probabilmente, più di una volta ti sono state riser vate. Temo sempre più che lui ti tratti in questo modo e la mia anima si è commossa alle tue parole. Anche adesso, mentre scrivo, la mia anima si strugge quando ridi, quando tremi, quando ti stringi a me, perché, come nessuna delle donne che mi hanno abbracciato, so che tu ti stringerai a me completamente, nella tua interezza, perché sei *viva*. Ho annotato dentro di me questo piccolo particolare che ha sempre attirato la mia attenzione. Perché le donne, capisci, mi hanno sempre abbracciato, all'inizio, solo con metà corpo, metà del loro corpo contro il mio corpo affamato. Solo un seno, per essere precisi (anche se non so come abbraccino gli altri uomini). Mentre tu hai violato questa legge femminile proclaman do con il tuo corpo che sei fedele e hai degli obbligh esclusivamente verso l'uomo che sono, non verso la totalità delle donne che sta dietro di te.

E so già esattamente come mi sentirò quando accadrà, è scritto in ogni mia cellula. In quel momento una sensazione nuova e calda comincerà a diffondersi dolcemente nel mio cuore: l'aspetto da così tanto tempo. Ma cosa accadrà a te? Scrivimi, cosa accadrà al tuo cuore che ha provato nostalgia di quando eri piccola? Mi stringerai ancora più forte e mi bacerai con tutta l'anima, come se, così facendo, riversassi in me tutto quello che è racchiuso e celato in te, che si aprirà e si svelerà nel mio corpo, piano piano, finché tutto si scioglierà. Tutto quello che è fra te e te, ma ora è anche un po' fra te e me. Si scioglierà nella mia bocca, nella lingua, nel naso. Verrà assorbito. Solo allora, forse, riusciremo a staccarci e a guardarci con occhi languidi, mentre io sussurrerò senza respiro: "Oh, Myriam, guarda, sei tutta bagnata, non puoi a tornare a casa in queste condizioni".

(Come vorrei sognarti stanotte e gridare il tuo nome nel sonno, così che il segreto venga svelato e io non ti nasconda al mondo! Sei una donna che deve essere svelata!)

Yair

5 giugno

Ciao, Myriam.

Circa sei giorni fa ti ho mandato una lettera a scuola, come al solito, e non ho ancora ricevuto risposta.

Immagino che sia solo questione di tempo, forse sei impegnata con la fine della scuola e le schede di valutazione (di già?). Comunque, pensavo di controllare se per caso mi avessi risposto.

Mi trovo in una situazione un po' stupida perché c'è sempre la possibilità che, per qualche motivo, tu abbia deciso di non rispondermi e sparire. Forse a causa della mia ultima lettera, forse perché qualcosa nella tua vita è improvvisamente cambiato. Ma anche in questo caso sono sicuro che avresti scritto, vero?

Ho semplicemente cominciato a preoccuparmi un po' – porto personalmente le mie lettere alla cassetta postale della scuola (avrai forse notato che non hanno un timbro), magari c'è stato un disguido nella distribuzione e la mia lettera non ti è arrivata.

Se è così, chi l'ha ricevuta?

O forse nella lettera c'era qualcosa che ti ha fatto arrabbiare (cerco di pensare a voce alta). Forse di nuovo il fatto che, come sostieni, a poco a poco io scompongo la realtà in parole e mi accontento solo di queste? Ti disfo laggiù per ricamarti qui?

Vedi, mi sto già ingarbugliando. Allora, ti prego, fammi almeno sapere qual è l'attuale stato dei tuoi sentimenti nei miei confronti. E non esitare a scrivere tutta la verità. Voglio dire, se quella lettera disgraziata ti è arrivata, posso capire la tua decisione di non voler avere niente a che fare con un uomo *del genere*. Ecco, ti ho persino scritto una frase adeguata così da risparmiarti garbati giri di parole. Non devi preoccuparti e nemmeno aver compassione di me – sono molto più forte di quel che potrebbe sembrarti (davvero, è difficile piegarmi).

Ti sto chiedendo di raccontarmi cosa hai provato vedendo come mi sono permesso di spogliarmi così, davanti a te, senza sapere quasi niente sul tuo conto e senza che nulla ci unisca nella realtà. Improvvisamente ti compaio davanti e scopro la spalla della mia anima, in uno spettacolo di strip-tease. Vero che è andata così? Vero? Ammettilo. Che c'è di male? Ammetti qualcosa per una volta!

Insomma, te ne stavi là, distante, con le braccia conserte, esaminandomi con stupore e sospetto, un po' intimorita e un po' divertita dalla sinfonia di un uomo che si è avventato su di te dopo aver perso la testa per la tua ultima lettera, quella con le fotografie di Ramat-Rachel. Forse hai dimenticato il grado di intimità che vi hai raggiunto. Anche il fatto insignificante che per la prima volta hai scritto "noi due" – "noi due siamo gente che vive di parole". Sì, e improvvisamente hai avuto una sorta di illuminazione, sostenendo che forse io sono uno che *soffoca* nelle parole, ricordi? (Io ricordo tutto.) Insomma, hai detto che probabilmente provo una sorta di "claustrofobia nelle loro parole" e per questo senso di soffocamento a volte ansimo, rantolo...

Ho provato un tale sollievo, Myriam, come se tu mi avessi concesso di respirare in modo diverso e allora, dopo quella gioia esagerata e criminale, senza alcuna vergogna né controllo, entusiasta ed ebbro di te, di noi...

Senti, peccato sprecare inchiostro. Ti lascio libera.

Una piccola aggiunta, nonostante tutto. Solo per farti sapere che, se mi hai visto *così*, non eri sola. Forse non l'hai notato, ma anch'io ero lì, vicino a te, con le braccia incrociate in alto sul petto. Sempre, dalla prima lettera che ti ho scritto. Cosa credi? Anch'io me ne stavo in disparte a esaminare, esattamente come te, quella mia esplosione di follia – mi preme dirtelo, per ogni evenienza. Tutto il resto è superfluo, vero?

Allora perché non sono capace di smettere?

Scrivi tutto quello che ti passa per la testa, ma non lasciarmi così. Sono andato ancora, per la quarta volta oggi, alla posta.

Dài, almeno questo me lo devi. Stare un momento insieme, fianco a fianco, a guardarlo, a disprezzarlo per l'ultima volta insieme, quel mio organo interno che all'improvviso si è scatenato ed è uscito di testa – la milza si è data alla danza...

Stop! Due battiti di mano del regista e cambio di scena: facciamo finta per un momento di essere due *cammelli*. Mi va di essere un cammello, perché no? Ho avuto un'illuminazione – arguto e originale anche nei momenti difficili. Siamo due cammelli con il muso lungo e privi di senso dell'umorismo. Una coppia di cammelli adulti, maschio e femmina, disillusi e che ruminano desolazione, consapevoli del loro posto nella carovana, come da copione. Finché, improvvisamente, salta fuori uno strano somarello, o qualcosa che sembra un somarello. Forse è un incrocio tra un cammello e un cappello da clown. Una specie di scherzo della natura, con orecchie d'asino e una gobba da cammello. Insomma, questo piccolo strampalato si scatena in una danza delirante. Allontanati, Myriam, perché da tutti i suoi pori fuoriescono schizzi ributtanti. Prendi un impermeabile, metti un maglione, perché i sedimenti della sua anima non ti insudicino troppo. Per carità!

Esattamente così vedo lo "spettacolo" umiliante che ho rappresentato davanti a te in quella lettera, e in fondo in tutte. Dall'inizio. Non so cosa mi sia successo. Per un momento il cuore si è gonfiato e il sangue ha inondato vaste zone del cervello. Cos'è successo veramente? Ricordo di averti visto. C'era della gente intorno a te, la conversazione era animata, ma tu non vi partecipavi. Improvvisamente le tue labbra si sono piegate in un sorriso strano, lacrimoso, no, peggio ancora, il sorriso di una persona che ha appena saputo di aver perso anche l'ultima speranza, l'ultimo desiderio, nientemeno. Pur sapendo fin dall'inizio che sarebbe finita così e che avrebbe dovuto continuare a vivere con quella perdita... In quel momento io sono entrato nella tua vita. Un momento un po' strano e non felice, ma non ho avuto nemmeno il tempo di esitare perché ho visto il mio nome in fondo al tuo sorriso e mi sono tuffato. D'altra parte, forse non era nemmeno il mio nome. Forse ero ansioso di dimostrarti che avevo capito, che non eri sola, e mi sono tuffato troppo in fretta. Anche questo non sarebbe nuovo per me, sappilo. Ho alle spalle una lunga e triste storia di tuffi prematuri – nel lavoro, nella vita, in famiglia. Già ai tempi della scuola e anche durante il servizio militare. Nelle lettere ai direttori dei giornali o dovunque senta che qualcosa viene ostacolato o frenato, non importa per quale motivo: ottusità, paura, stupidità, o semplicemente così, perché "non si fanno cose del genere". In momenti come quelli io mi tuffo di proposito. Giusto per provocare (come dice mio padre). Non è vero: per salvare. Pensavo che tu l'avessi capito. Tu, che hai osato scrivere per prima la parola "desiderio"... In momenti come quelli sento qualcosa montarmi dentro, l'hai visto, e al diavolo le leggi della natura e della società, che impongono a un'anima di accontentarsi della propria esistenza, racchiusa nella propria pelle.

O sepolta nel proprio pozzo.

È stupido cercare di spiegare (e tuttavia non riesco a smettere), ma è sempre così per me. In qualche punto, molto vicino, si accumula qualcosa – o qualcuno – che implora di esplodere, soffocherà non trovando uno sfogo e, anche se non mi è assolutamente chiaro cosa – o chi – sia, capisco perfettamente il suo bisogno di erompere, sento chiaramente il suo grido soffocato. Hai chiesto che musica ascolto quando sono a casa, al lavoro e soprattutto quando ti scrivo. L'hai chiesto come se fosse naturale che la musica mi accompagni sempre. Mi spiace deluderti, non sono molto musicale, anzi, mi definirei una persona "smusicale" (ciononostante sono andato a comperare *Children's Corner* di Debussy e lo ascolto continuamente in macchina. E, naturalmente, anche Emma Kirkby che canta Monteverdi: forse un giorno capirò quello che hai detto). Ma *quell'*urlo, lo sento sempre, e lo capisco subito. Non nelle orecchie ma nello stomaco, nel battito del cuore, nell'utero. Anche tu lo senti, hai sentito così anche me. Allora come mai, d'un tratto, non mi senti più?

Be', non c'è motivo di continuare. Decidi quello che vuoi. Per me è importante farti capire che so esattamente cosa mi sta accadendo in questo momento e cosa tu pensi di me. È la solita tortura, Myriam, io sono sempre *entrambi*, quello che se ne sta con la faccia paonazza e le braccia conserte, e quello che d'un tratto compie un balzo oltre se stesso e cade sempre più in basso. E, mentre cade, ha ancora la faccia tosta di discutere con il paonazzo, urlandogli mentre precipita verso la perdizione: "Lascia vivere, lascia sentire, lascia sbagliare".

Però, ecco, sono anche l'altro. Che ci posso fare? Quello che sibila con disprezzo che la fine è ben nota: tornerai da me strisciando, dice con tono secco (ha il difetto di avere le mucose aride), mentre il somarello continua a strillare che non gli importa, perché forse un giorno ce la farà. Per sbaglio naturalmente, perché secondo lo statuto imperiale questi atti di carità possono accadere solo per sbaglio. Forse un giorno, finalmente, colpirà il bersaglio; no: *toccherà* il bersaglio, lo toccherà. Toccherà un'anima sconosciuta. La toccherà proprio, anima contro anima, mucosa contro mucosa, una sola anima fra i sei miliardi di cinesi che ci sono al mondo (in una situazione come questa, all'improvviso sembrano tutti cinesi). Quell'anima si schiuderà davanti a lui e gli donerà i suoi frutti...

Così continua a cadere e a gridare con la sua voce rotta e stridula, perennemente infantile.

Ma a questo punto si chiarisce – come avrebbe potuto essere altrimenti? – che intorno a ogni grido si radunano dieci saggi, intelligenti, pacati e posati, che si consultano per verificare se, in questo modo, non si stia anticipando qualcosa. Forse è un'altra delle *tue folli idee* (mi dicono con labbra riarse), di quelle che prosperano solo nell'oscurità della notte e svaniscono alla luce del giorno; insomma, un'altra creatura ibrida e difettosa che potrebbe nascere storpia e deforme...

Dovresti vedermi allora. Anche se in fondo mi hai visto. È probabilmente quello che ti ha fatto ribrezzo. So bene come sono in momenti simili, come se implorassi pietà per me stesso, nientemeno. Perché poi mentire, Myriam? Dentro di me so che, se dipendesse da loro, non "approverebbero" nemmeno me ("non è conforme alle norme" decreterebbero). E io corro dall'uno all'altro, isterico, supplicando che facciano uno sforzo per vedere quello che vedo io, basta che uno di loro lo veda perché venga redento. Allora anche in me qualcosa sarà "approvato". Ma va a spiegare a *loro* una cosa del genere.

A quel punto io non ce la faccio più (ti descrivo tutto il processo). Arriva il momento in cui li mando al diavolo, il momento in cui penso, per esempio, cosa valgo se non ti mando una lettera? La mia anima si proietta in avanti e io volo, proprio come sono volato da te. Ecco, persino in questo momento, sono io che volo laggiù. Continuo ancora a planare verso di te, verso chi accetterà di credere con me. Guarda, ridi: sono io l'anello debole della catena – di ogni catena, di ogni legame, contatto, connessione, congiunzione o possibile combinazione con loro, con quelli; e ora anche con te. Vedo dissolversi quello che c'è tra noi, ma ti chiedo ancora di crederci. Forse, per caso, troveremo un filone d'oro – ecco, l'avevamo quasi toccato. Ci sono stati dei momenti di luce e mi sono abituato a te, alla tua irritante onestà da Corte Suprema (e ai buffi garbugli di parole quando ti emozioni). Dove troverò un'altra donna così infantile? Una donna capace di sprofondare in pensieri sul primo amplesso fra Adamo ed Eva compiacendosi di come abbiano scoperto quello che è bene fare in modo naturale; e quanto sia bello e doni felicità scoprire solo in modo naturale...

Vedi?, ricordo tutto. Forse distruggo le prove della tua esistenza, "sicurezza nei contatti" ecc., ma dentro di me esisti in un modo che mi atterrisce. Cosa ne farò ora di questa nuova esistenza che non mi vuole?!

Eccomi davanti a te: io sono il somarello, o il varco nella

recinzione; sono la fenditura attraverso cui l'errore e il tradimento – o anche solo il ridicolo – si infiltrano dentro casa. È così fin dall'infanzia, da che mi ricordo. Sono il *buco* – quanto poco virile! A chi altri avrei potuto dire una cosa simile? Ma credimi, almeno nel momento del volo sono me stesso, l'"io" che dovrei essere. Ed è un momento colmo di felicità – un momento ricco, completo. Come vorrei saper prolungare per tutta la vita un momento simile.

Poi, naturalmente, c'è il tonfo dell'atterraggio. Un polverone intorno e un silenzio tremendo. Mi riscuoto da tutto ciò che ero fino a un minuto prima e mi guardo in giro con cautela; comincio a gelare per il freddo che mi avvolge dentro e fuori, un freddo che solo i buffoni e gli stupidi conoscono.

È vero che nella vita mi è anche successo di essere seme vivo, di avere un'idea brillante, ma la maggior parte delle volte si è rivelata non più di uno sputo. È a causa di un'idea simile, per esempio, che sono bloccato in questo stadio della mia esistenza come Heine nella sua tomba di materassi, con circa quarantamila libri e fascicoli che mi si ammucchiano intorno. Ho avuto un'idea, capisci? Una grande idea...

Ecco. A volte si esce da un tuffo stupendo come Nachshon[5] e si viene citati nella Bibbia per poi scoprire che la piscina sotto è vuota. Inevitabilmente, anche se ce l'hai fatta, sei sempre molto solo quando ritorni alla tua vita di prima, ai loro sguardi di disapprovazione che ti sembrano improvvisamente solo un roteare d'occhi. Mio padre era solito dire: "Tutto il corpo sente il bisogno di pisciare, ma tu sai cosa si tira fuori per farlo".

Adesso mi sento così e sono distrutto, perché non sopporterei uno sguardo del genere dai tuoi occhi. Perché a causa di un altro tuo sguardo ho deciso di buttarmi a corpo morto, completamente, per la vita o per la morte, e *not less than everything*, conforme alle norme di produzione di T.S. Eliot.

[5] Nachshon Ben Aminadav, personaggio biblico. Secondo la leggenda, fu il primo a gettarsi nel Mar Rosso prima che questo si aprisse per lasciar passare il popolo di Israele in fuga dall'Egitto. [*N.d.T.*]

Ora non faccio che tormentarmi per non essere stato più pru
dente.

Avrei potuto scriverti una cauta lettera di approccio, mascherare le mie intenzioni, sedurti piano piano, flirtare con te
con leggerezza, incontrarti a tu per tu, secondo le leggi del
tradimento in vigore nella comunità degli adulti. Quando
penso alle cose che ti ho scritto, le cose che ti ho detto sulla
mia famiglia, o le cose che, a causa tua, ho detto *a me* della mia
famiglia. Quella frase terribile su tre persone che vivono insieme... Avrei voglia di castrarmi, di strapparmi la lingua!

7 giugno

Basta, non ce la faccio più. Una notte insopportabile (e pensare che forse non immagini nemmeno cosa sto passando!).
Non ti ho ancora raccontato come è iniziato esattamente. Voglio dire, ho raccontato parecchio, direi che ci sono già tornato sopra una trentina di volte, ma a dire il vero ho parlato solo di te, cos'ho visto in te, e non sono capace di lasciarti
andare senza che tu sappia cos'è successo a me in quei momenti.

Ecco allora, in breve, così la facciamo finita. Una sera, circa due mesi fa, ti ho vista. Stavi in un gruppo piuttosto folto
di persone raccolte intorno a te e, soprattutto, a tuo marito.
Uno sciame d'insegnanti e educatori rispettabili che si la-
mentavano di quanto è difficile ottenere buoni risultati nel-
l'insegnamento e quanto tempo deve trascorrere prima di
vederne i frutti. Qualcuno, com'è ovvio, ha citato Honi ha-
Meaggel[6] e il vecchio che piantò un carrubo per i nipoti, e
tuo marito, cioè il "tuo compagno", ha parlato di un esperimento genetico complicato a cui lavora ormai da dieci anni.
Non ho capito esattamente di cosa si trattasse perché non

---

[6] Saggio vissuto nel I secolo d.C. Secondo una leggenda, era solito disegnare un cerchio e non uscirne finché la grazia che aveva chiesto in preghiera
non si fosse realizzata. Per questo motivo viene spesso citato come esempio
e simbolo di caparbietà e perseveranza. [N.d.T.]

stavo attento a quello che diceva, porgigli le mie scuse. La triste verità è che la sua storia era lunga e noiosa, piena di *fatti*. Qualcosa a proposito della fertilità dei conigli, mi pare, e della disposizione dell'utero a riassorbire gli embrioni nei periodi di difficoltà. Non importa. Comunque tutti lo ascoltavano perché ha un piglio sicuro che conquista e un particolare modo di parlare, molto lento e autoritario. Un uomo come lui sa che nel momento in cui apre la bocca tutti taceranno e lo ascolteranno. Anche il suo viso esprimeva la serietà del maschio adulto, con quelle guance allungate, la mascella prominente, le sopracciglia folte... Credimi se ti dico che sei fortunata, Myriam. Ti sei accaparrata il maschio più dotato del gregge. Darwin ti porge i suoi complimenti dalla tomba. E poi voi due state benissimo insieme, vi elevate reciprocamente. Ma io ero ancora libero, cioè libero di sbagliare.

Tuo marito ha riso all'improvviso. Ecco: ricordo di essere rimasto sorpreso da quella risata forte, virile, spumeggiante. Ricordo di essermi contratto come se mi avesse sorpreso in un atteggiamento imbarazzante. Non so nemmeno per cosa abbia riso, o di chi, ma tutti si sono uniti a lui, forse solo per sguazzare un istante nella luce autoritaria del suo viso. Io ho guardato te, forse perché eri l'unica donna presente. Cercavo comprensione, o difesa, e ho notato che tu non ridevi. Al contrario, hai avuto un brivido e ti sei stretta nelle braccia. Forse il suo riso, che di certo ami, ha risvegliato un ricordo penoso, o forse ti ha spaventata, come è successo a me.

In ogni caso quelli hanno continuato a parlare, a *intrattenersi nella conversazione*, come tutti sanno fare molto bene, ma tu non eri già più lì, e la cosa incredibile è che ho visto come fuggivi senza muoverti dal tuo posto, sfruttando quella momentanea distrazione per sparire. Ho anche visto dove sparivi. Qualcosa nei tuoi occhi si è aperto e chiuso, una porta segreta ha sbattuto e d'un tratto solo il tuo corpo era presente, triste e abbandonato (ormai non posso più descriverlo il tuo corpo chiaro, morbido, burro e miele). Tenevi la testa un po' china e ti stringevi nelle braccia, come se stessi cullando te stessa-bambina, te stessa-neonata. Sulla fronte ti si sono disegnate delle rughe di stupore, come quelle di una bambina intenta ad ascoltare una storia lunga, complicata e triste. Sì, il tuo viso si è staccato da se stesso e ha cominciato a librarsi nell'aria. Senza capire, ho sentito il mio cuore balzare verso di te nella danza del somarello. Evidentemente c'era una breccia lì, dove mi manca una costola. Tutto si è confuso, e anch'io.

(Non preoccuparti, ne esco già sorridente, gli ultimi spasimi...)

Ora mi torna in mente che, subito dopo, ti è piombato addosso un folto gruppo di studenti, ricordi?

È strano che non ci abbia pensato finora: ti hanno letteralmente rapita agli adulti per una foto ricordo, ti hanno quasi portata in braccio. E nel momento in cui mi passavi davanti ho visto che stavi ancora sognando, benché già ti sforzassi di sorridere. Un sorriso pubblico e fluorescente. Vedi, me l'ero quasi dimenticato.

Ma forse no. Forse, proprio grazie a quell'incredibile sbirciatina, ho saputo subito che avresti capito...

Perché è stato un momento di "infamia" per te. Probabilmente l'ho riconosciuto anche senza capire. Un sorriso così, un po' come una smorfia. Per un momento hai avuto un sorriso da campagna elettorale... Ma di cosa sto parlando? Di te? Di campagna elettorale? Sì, sì, certo, non mi sbaglio su queste cose. Allora anche tu, eh? Farsi eleggere, ancora e ancora e ancora. Affascinare, sì, incantare gli estranei (e mi spiace sempre più che non continueremo).

E i ragazzi? Non so se te ne sei accorta, forse non eri ancora completamente tornata in te: una mandria di adolescenti imponenti e goffi, con le teste rapate. Ognuno lottava per il privilegio di esserti vicino, di toccarti, di strapparti uno sguardo o un sorriso, di gridarti la cosa tremendamente-importante che gli premeva dire proprio in quel momento. Era piuttosto buffo da vedere...

"Buffo" non è la parola giusta. Peccato per il "batticuore". Perché persino nel ragazzo che in quel momento stava in disparte si è risvegliata un'urgenza strana e inattesa – è proprio imbarazzante ricordarlo ora – il bisogno selvaggio di spalancare la bocca da uccellino in un accesso di fame improvvisa e impellente: "Io, io, prof, me, me...".

Basta, basta. A ogni mia parola mi umilio ancora di più. Per favore, prendi un foglio di carta e scrivi: sì o no. Non ho la forza ora per una lettera di spiegazioni dettagliata. Scrivi: mi dispiace, ho provato ad abituarmi a te, ci ho provato sul serio, ma non sono riuscita a superare i tuoi tumulti, i tuoi illusionismi.

Ecco, bene, siamo d'accordo. Sapremo perlomeno qual è la situazione. Per un po' forse continuerò a urlare il tuo nome a me stesso, nel cuore. Ma alla fine la ferita si cicatrizzerà. Magari andrò di nuovo a Ramat-Rachel o da qualche altra parte fuori città, in un posto dove non c'è gente e che è un po' nostro, per gridare con tutte le forze: Myriam, Myriam, Myriam!

Yair

Non preoccuparti. Ancora un giorno, ancora due. A poco a poco le parole si sfalderanno e rimarrà solo il mio solito grido per te: yih ah! yih ah!

10 giugno

La tua lettera è arrivata quando ero allo stremo delle forze. Ho aperto la cassetta solo per abitudine, come decine di volte nell'ultima settimana, e c'era una busta bianca. Sono rimasto lì a guardarla, non ho provato niente, solo stanchezza. Forse anche spavento. Perché pensavo di essermi abituato all'idea che fosse finita, ibernata per sempre. E dove troverò le forze per sopportare i dolori del disgelo?

L'ho letta, naturalmente. Una volta e un'altra ancora, e ancora. Proprio non capisco come abbia potuto andare in pezzi così rapidamente per una pausa di una settimana. Ci credi? Mi sentivo come se tu fossi sparita almeno da un mese. Come se non aspettassi altro che un pretesto per tormentarmi.

Non ho niente da aggiungere oggi. Sono contento che tu sia tornata, che siamo tornati. Che non ti sia nemmeno passata per la testa l'idea di sparire. Al contrario.

Tuttavia sono arrabbiato con te. Come hai potuto non immaginare che avrei sofferto così? Come potevi non saperlo? Proprio tu? Avresti almeno potuto mandare un biglietto prima di partire. O una cartolina dalla stazione degli autobus di Rosh-Pina.[7] Avresti perso dieci minuti, non di più, e mi avresti risparmiato moltissimo dolore.

Ma intuisco che forse non mi avresti causato una tale sofferenza se solo ti fosse stato possibile.

Allora ecco, una nota ottimista con cui terminare questa lettera incolore: fino a tal punto, probabilmente, non ti è stato possibile.

10-11 giugno

Ancora una non-risposta, non la risposta che meriteresti a quella lettera che più leggo e più ne capisco la profondità. Il fatto è che, sai, mi hai liberato dalla trappola in cui ero caduto senza farmi provare nemmeno un briciolo di imbarazzo.

(Ti lasciano una tale libertà d'iniziativa a scuola? Due settimane prima della fine dell'anno?

E cosa dicono a casa di questo?

Non è affar mio.)

Ogni volta, di nuovo, mi colpisce il contrasto tra la serietà, l'equilibrio, la tranquillità materna che manifesti, e la tua insospettabile leggerezza di movimenti: quei sussulti e il balzo inatteso, inatteso persino per te. Ti vedo camminare da un capo all'altro del bosco di querce sopra il lago di Galilea, ritta, con un'espressione severa, mentre ti stringi nelle braccia in cerca di una tranquillità perduta, respingendomi con forza, ancora e ancora...

Questo? È solo un sorriso. Mi sono ricordato che nelle prime lettere ripetevi in continuazione quant'era strano che uno sguardo distratto avesse provocato in me una simile bufera ("forse il mio viso non nasconde nulla? Forse ti sei solo ritagliato nella notte una figura di donna?"). Poi, a poco a poco,

---

[7] Caratteristico villaggio nel nord della Galilea. [*N.d.T.*]

hai cominciato a spiegare a te stessa che, in fondo, comincia sempre così, dallo sguardo di uno sconosciuto. E ora quello che hai scritto laggiù, inciso nella pietra: solo uno sguardo "prosaico e di strette vedute" potrebbe considerarci due estranei...

Prima, quando mi sono svegliato (adesso sono le tre e mezzo), sono rimasto seduto in sala al buio, rannicchiato sulla poltrona, pensando a te e a me, a quello che ci succede all'improvviso a metà della vita, ed ero felice dell'occasione di essere un po' solo in casa, nel silenzio assoluto. Ti ho invitata a stare con me, e tu hai accettato. Di solito, nel quotidiano, mi sforzo di non pensare a te quando sono qui, attento a rispettare il principio di separazione delle istituzioni. Non so se dirti in quali momenti mi ricordo di te, immancabilmente: quando faccio la doccia, o, che vuoi farci, quando vado a pisciare. Sì, quando lo vedo.

Ho provato a chiedermi se potrei essere un parafulmine per qualcuno. Ho capito che questa è una domanda che ti tormenta, ma mi è difficile darti una chiara risposta. Una risposta davvero onesta. Non mi hanno mai chiesto una cosa del genere. Nessuno me l'ha mai chiesto così direttamente, come hai fatto tu, così bruscamente, senza mezzi termini, quasi implorando.

Forse mi hanno subito letto in faccia la risposta.

Ti ho scritto, ricordi?, che quando ti ho vista per la prima volta ho sentito il desiderio, forte e chiaro, che ci fosse un altro dentro di me. Può darsi che questa sia una risposta indiretta alla tua domanda. Mi sono chiesto se provo ancora questo desiderio e mi sono detto di sì, persino più forte.

Senti, com'è che non mi spaventa volere una cosa simile? Come può qualcuno permettere a un altro di penetrare dentro di sé? Sul serio, Myriam – questa notte ho improvvisamente capito che cosa straordinaria ed emozionante, generosa e altruista, è lasciare che un altro penetri nel tuo *corpo*! Improvvisamente mi sembra quasi anomalo, tanto naturale da far paura! E la gente lo fa senza nemmeno pensarci (così mi dicono), penetra e si lascia penetrare. Persino una scopata

65

a volte diventa un cliché. O forse dobbiamo proprio non capire perché un'incursione del genere possa avere luogo?

Immagina che per un momento ho avuto paura di non poterli più fare, quei movimenti da nuotatore. Farli in modo abituale, intendo dire.

Probabilmente, colto da un timore, mi sono immerso in uno dei miei passatempi preferiti: a occhi chiusi ho ripensato a una scopata della mia collezione privata – tu sei la prima a cui racconto queste cose (forse perché mi hai raccontato della prima volta di Adamo ed Eva). Mi ricordo che da bambino cercavo di ricostruire nella mente intere partite di calcio mentre oggi, cosa vuoi farci, sono le scopate, i miei piccoli tradimenti, il modo più comune per elevarci al di sopra delle convenzioni, come mi ha rivelato Nabokov una volta, durante un lungo viaggio verso una base militare nel Sinai.

Non tutte, naturalmente, non ne sarei capace – sei o sette al massimo (è già da qualche anno che non ne aggiungo una nuova alla collezione). Quelle speciali, quelle in cui mi trovavo nella condizione di consapevolezza più agognata e anche più rara, trasognato e cosciente al tempo stesso, sonnambulo ma conscio di tutto: ogni gesto della mano e ogni movimento del suo corpo, ogni sua parola e ogni suo respiro. Potrei descrivere la curva del fianco e dire dove c'era un neo (dove ne hai tu? Conosco quello sotto le labbra; secondo me, è solo un microfilm che stai cercando di trafugare sul tuo viso ingenuo. Ma dove ne hai altri?). Niente va perso in questa ricostruzione silenziosa, e non chiedermi come – non ne ho la più pallida idea: sono come quei geni degli scacchi che ricordano a memoria centinaia di partite con tutte le loro mosse. Sai, Myriam, forse è questa la mia genialità nascosta, la mia eccelsa vocazione (la mia *arte*...)

Ora chiudo la busta e comincia il piacere dell'attesa.

Yair

(mattino)
Nonostante tutto voglio che tu sappia con chi hai a che fare. Credo di essermi fatto qualche sconto, stanotte, riguardo al "parafulmine".

Perché io ho bisogno di tutte le mie forze per mantenermi *equilibrato*, per conservare un equilibrio totale e preciso che non sgarri nemmeno di un millimetro. Non sono particolarmente orgoglioso nello scrivertelo, ma la mia capacità di autocontrollo ha la grandezza di una nocciolina e la perdo facilmente, hai visto cos'è successo solo una settimana fa. È incredibile quanto mi sia facile perderlo, crollare in pochissimo tempo. Ed è facile anche voler non essere, rinunciare a tutto.

E mi chiedi se posso essere un parafulmine per qualcuno. Io? Ma se tutti quelli che mi stanno attorno devono essere sempre in ottima forma, in piena salute e assolutamente normali. Certo, hai indovinato quando hai scritto che Maya rappresenta per me una sorta di "casamadre". Sì, è così, senza possibilità di appello. E quanto mi piace che tutti quelli che mi stanno attorno si impegnino a rispettare questo vincolo di ammissione nel mio ristretto circolo.

Ecco, l'ho detto. Quello che c'è di più meschino in me. Meschino, vizioso e fiacco, ma è importante che tu lo sappia. A volte mi stupisce come tutti obbediscano a questa direttiva e, senza pensarci, eseguano i miei ordini nascendo sani e sviluppandosi a dovere, senza lasciarsi tentare da tumori e malformazioni. E non muoiono nemmeno: non esiste la morte per me! Nemmeno a un'età veneranda, solo dopo di me! Persino i miei genitori saranno probabilmente costretti a rimanere in vita finché io sarò nel fiore degli anni. Per non parlare di mio padre che, già da qualche tempo, a causa di questa mia legge draconiana è bloccato all'estremità dell'intestino dell'esistenza.

Devi sapere, però, che non solo la morte mi deve obbedienza. È proibita ogni eccezione, ogni violazione a questa regola sacra. Se Maya, per esempio, osasse solo pensare di abbandonarmi o di innamorarsi di un altro, lasciandomi in pasto ai cani sanguinari della gelosia, quella sarà la mia fine, niente di meno. Un martello di cinque chili sulla testa del "batticuore". È una legge non scritta: chi vuole starmi vicino deve assumersi la responsabilità della mia anima. Perché qualunque idiota può capire come sia facile uccidermi. Uno sguardo ben mirato basterebbe. Non sto scherzando. Sono convinto che da qualche parte, dentro di me, c'è un punto vulnerabile che chiunque, anche uno sconosciuto, può vedere e colpire. Eliminarmi con una parola. Ma, a quanto pare, tutti quelli che mi circondano evitano di farlo, per qualche motivo. Non mi danno il colpo di grazia. E io non riesco a capirne la ragione. Sono persino un po' sospettoso su cosa stiano tramando. E anche tu, sì, tu laggiù, l'invisibile, colei che scrive, vigila su noi due, proteggi entrambi. Anche nei momenti in cui sono così meschino, nei momenti in cui sono solo uomo a metà. Sii doppiamente forte. Tu ne sei capace, sento che ne hai la forza. Sii tu la nostra guardia del corpo.

Non sono sicuro di spedire questo scarabocchio. Da dove è saltato fuori? Non so perché, dopo essermi sentito così vicino a te questa notte, debbano percorrermi correnti torbide come queste. Penso a ciò che hai detto nell'ultima lettera, che a volte provo lo strano impulso di abbrutirmi in tuo onore. A quel tuo sogno del fruttivendolo bislacco che metteva in bella vista i pomodori marci. Allora tieni presente anche questo perché, malgrado tutto, sento di averti rivelato qualcosa che non ho mai osato rivelare a me stesso.

È ora di spedire la lettera, vero?

11 giugno

(Non ho dovuto aspettare nemmeno quattro ore. Forse le lettere si sono incrociate. Quando leggerai la mia vedrai che, stranamente, rispondi a cose che ancora non hai letto.)

Myriam, penso che la storia del nostro incontro tra gli irrigatori non sia giusta. Non voglio incontrarti così.

Non solo perché hai riso del fatto che io non credo a una banalità meravigliosa come il normale incontro di due persone – su un autobus, in banca, a un raduno di ex liceali, o anche semplicemente in un negozio di verdure – ma perché, d'un tratto, non so, due estranei che siedono su un prato e si ritrovano abbracciati sotto un getto d'acqua... Chissà perché, dopo la lettera in cui hai detto che mi sforzo di truccare la realtà... non so, di colpo quella visione mi appare goffa e forzata, un esercizio di pirotecnica acquatica che non ti si addice. Non si addice alla tenerezza con la quale voglio arrivare a te, non si addice alla tranquillità che ti circonda, e soprattutto non si addice alle cose che hai scritto nelle ultime righe, quello sfogo inatteso, che non so ancora come interpretare.

Tuttavia è molto importante per me che tu sia d'accordo sul fatto che anche l'immagine degli "irrigatori" e, in generale, tutto sia possibile tra noi: avremo un sacco di primi incontri come quello e ogni volta ci scopriremo in modo nuovo. Perché rinunciare a qualcosa? Perché rinunciare a tutto? Voglio *tutto* con te, perché solo con te posso volere tutto. Perché, forse, solo attraverso questo prodigo "tutto" ci verrà svelata, a poco a poco, l'essenza particolare che può crearsi tra te e me, ma mai tra altre due persone.

Certo, hai ragione nel sostenere che la realtà è qualcosa di stupefacente e miracoloso ma, scusa, anch'io potrei dire cose belle come queste in modo tenero e suadente. Non bisogna però dimenticare che anche la "realtà" è, in fin dei conti, solo *una* coincidenza momentanea su un globo enorme, brulicante di possibilità che non si realizzeranno mai. Ognuna di loro potrebbe raccontarci una storia completamente diversa di noi, interpretarci in modo differente. Perché allora non incontrarci nei luoghi più impensati, scaturiti dalla parte oscura della mente?

Voglio avere con te *dieci* tipi diversi di rapporto, perché no? E voglio che ognuno di loro faccia parlare e gridare in me qualcuno di totalmente nuovo, un essere sconosciuto. Per questo la gente stringe amicizia, no? È esattamente come la domanda che mi hai fatto: se avrò mai davvero il coraggio di guardarti negli occhi e leggere in te quello che tu stessa non sei in grado di vedere. Come vorrei poterti rispondere con sicurezza! Non so (ma forse, proprio per questo, già dal primo momento stavo in un punto dove non potevi vedermi).

Chiedo troppo? Forse, ma perché accontentarsi di poco? Per tutta la vita ci "accontentiamo", e con te voglio toccare tutto, con gesti ampi e generosi, come se questa fosse l'ultima volta che tocco in vita mia. E come fai tu a fermarti nel momento in cui hai cominciato a svelare qualcosa di profondo? "Le mie infamie", hai detto, come se scherzassi o mi misurassi addosso una delle mie parole. Eppure d'un tratto la cosa si è fatta seria, no? "Forse dovresti smetterla una volta per tutte di definire 'infamie' le offese che hai subito in passato!" Sei sbottata senza preavviso. Ma ho sentito che proprio quella parola si è aggrappata a te, ti si è appiccicata addosso, come se tu fossi obbligata a ripeterla continuamente per scrollartela di dosso – e per toccarla ancora. "Qual è il nesso tra offese, ferite e infamie?" "Perché sento sempre in te uno strano piacere nel confondere continuamente ferite e infamie?" Più la ripetevi e più sembrava incollartisi addosso, e allora tu...

Spiegami, Myriam, cos'è questa guerra che a volte devi combattere per finire una giornata con la ferma volontà di alzarti il giorno dopo? Di cosa parli esattamente? E da dove arriva questa sensazione, assurda e folle, che a te sia vietato creare qualcosa di nuovo nel mondo? Sono io l'incostante e il distruttore, non dimenticare!

(O forse, ci sto pensando adesso, è una sorta di visione. Forse è la storia che hai scelto di raccontarmi? Ma è proprio una storia tanto tremenda?)

Capisci in che situazione mi hai lasciato? Non hai spiegato niente. "A volte, la sensazione che ogni cosa viva, persino i due gattini che Nilly ha partorito ieri e che, come è solita fare, mi ha affidato perché li allattassi, persino loro, in certi momenti, sono nelle mie mani come del fuoco rubato", e subito ti sei zittita. Hai lasciato sulla pagina non poche righe bianche e io non sapevo come riempirle. Le immagini si rincorrevano e, quando sei riapparsa davanti a me, il tuo viso era già ricomposto e hai raccontato qualcosa di non molto rilevante. Scusa questa *mia* osservazione da insegnante, ma sembrava che tu volessi solo terminare la lettera in maniera educata. È una cosa molto bella che tuo figlio sia impegnato nell'eroica impresa di contare fino a un milione (un modo non peggiore di altri per sprecare la vita) – anche perché hai finalmente rivelato di avere un figlio. Avevo già cominciato a preoccuparmi. Ma come hai potuto lasciarmi così, dopo ciò che hai detto?

Basta, basta stringere i pugni. I nostri segreti sono sempre più piccoli di quanto crediamo. Allora lasciati andare, concediti senza freni, scrivimi, per esempio, in un'altra lettera – una lettera di una sola frase – qual è la prima cosa, il primo pensiero, la fiamma che balena in te quando leggerai *questa* lettera (sì, sì! Ora! In questo preciso momento. Scrivila, metti il foglio in una busta e mandamelo, ancor prima della lettera di risposta "ufficiale"...).

14 giugno

Bum!

Allora adesso tocca a me?

Dopo aver fatto l'amore, dormiremo abbracciati. La tua schiena contro il mio ventre. E io stringerò le dita dei piedi intorno alle tue caviglie, come delle mollette, perché tu non possa volar via la notte. Saremo come un'immagine su un libro di scienze: un frutto tagliato a metà, tu la buccia e io il torsolo.

Yair

P.S. Non credevo che avresti osato tanto.

17 giugno

E quando faremo l'amore voglio chiudere gli occhi e sfiorare con delicatezza i tuoi peli, laggiù, sotto l'ombelico, per sentire sotto le dita quel punto, uno dei punti, delicato e setoso, in cui da bambina ti sei trasformata in donna.

Y.

18 giugno

Una lettera che non rispetta l'ordine: ieri sera, nel vicolo Regina Elena, davanti a me camminava un bambino di nove o dieci anni. Eravamo soli. Il vicolo era buio e lui, ogni tanto, mi gettava un'occhiata allungando il passo. Ma io, quando cammino piano, vado comunque piuttosto veloce. Ho sentito la sua paura, una sensazione che ricordo bene. Stavo considerando come avrei potuto tranquillizzarlo senza creargli imbarazzo, ma proprio in quel momento lui ha cominciato a zoppicare Ha storto la gamba e si è messo a trascinarla, sospirando. Sia mo andati avanti così fino alla fine del vicolo, adagio, mantenendo sempre la stessa distanza. Lui zoppicando fuori e io dentro.

Y.

Il difetto di queste sveltine è che dopo un'ora ti ritorna l'appetito (anche se "a volte tocchi contemporaneamente il punto dove provo dolore e piacere" mi basterà almeno per una settimana).

19 giugno

Hai già scritto? L'hai mandata? Quand'è che da voi ritirano la posta dalla cassetta delle lettere?

(Sto solo riscaldando un po' i muscoli dell'eccitazione, perché non si atrofizzino. E perché tu possa sempre ricono scermi.)

Per quanto riguarda le ultime supposizioni, hai sbagliato, triplo sbaglio: non ti scrivo da una prigione, non sono affetto da un male incurabile e inchiodato in un letto, e non sono nemmeno una spia israeliana a Damasco o a Mosca attualmente in patria per un periodo di vacanza. Sono tutt'e tre le cose insieme.

E cos'altro? Non molto.

Tantissimo: il tremito della tua mano quando prendi le mie lettere dalla casella in sala professori.

Anch'io sono così, cosa credi: prima di tutto controllo, tasto lo spessore della nuova lettera per capire quanto cibo avrò da digerire nei prossimi giorni e nelle prossime notti.

Per quanto riguarda la tua domanda (inattesa): con le lancette e digitale insieme (ma in fondo che importanza ha?).

Ah, mi sono ricordato di qualcosa che dovevo chiederti: c'è un qualche legame – è un po' stupido, lo so, ma tant'è – hai per caso a che fare con un giornale cinese (scritto completamente in cinese)? Un settimanale che viene pubblicato a Shangai e che ho cominciato a ricevere ultimamente, senza che io l'abbia chiesto? Se non è così, dimentica la domanda.

Non è una vera lettera, solo una specie di borbottio notturno, un fischio nella notte finché ti rifarai viva.

(Non smetto di stupirmi per come quest'arida vita abbia improvvisamente deciso di mostrarmi il suo seno prosperoso.)

Yair

21 giugno

Una bocca spalancata o un buco nel tronco di un albero? Difficile decidere. Ma mi sono sentito pieno di gioia perché finalmente *non c'erano parole!*

Non immaginavo che tu sapessi anche disegnare La linea, il carboncino, la forza del tratto.

Sul serio: un giorno ballerò per te. Anche se ci sarà altra gente intorno. Non m'importa. Ti guarderò negli occhi e ballerò solo per te.

Ma nel frattempo bisogna scrivere, no? Allora ecco, per via del carboncino: uno scimmione nero, per esempio, segaligno, corre su e giù sul ventre di una donna.

Ti dice qualcosa? Non importa. Abbiamo detto: facoltà di parlare liberamente. A me suggerisce che il consorte della gentildonna l'abbia comprato per lei in una delle fiere che ha visitato nel corso dei suoi viaggi. Il signore è sempre in viaggio – il viaggio del signore. Lo scimmione è ammaestrato. È stato acquistato per procurare piacere alla signora, un piacere che a lui è negato. Ci mancherebbe, capisci? Lui non deve mai dimenticare il proprio ruolo, quello del vice, finché il signore tornerà (e forse non esiste nemmeno un signore).

Y.

Io so che tu sai a cosa sto pensando ora. Alla lettera in cui hai scritto quanto strano ti sembra che io ricordi ogni gesto, sospiro o neo della donna che era con me, senza però che io compaia mai in quei ricordi.

Quando sono con altra gente (mi è venuto in mente stasera, mentre facevo il bagno a mio figlio) – non importa se estranei o molto vicini – c'è un pensiero che non mi abbandona: sanno tutti fare con naturalezza ciò di cui io mi sento assolutamente incapace: mettere radici.

Domanda: senti, idiota, perché le racconti scempiaggini come quelle? Le tue vuote riflessioni e la tua filosofia da quattro soldi? E perché non c'è in te una briciola di nobiltà o di delicatezza a insegnarti che *non si deve dire tutto*?!

Risposta: è il somarello che c'è in me ed è l'impulso che provo soprattutto con lei, più che con chiunque altro, a raccontare tutto, anche la mia filosofia spicciola. Non si tratta nemmeno di raccontare. A volte è solo farle giungere un bagliore, come quando si porta un parente privo di sensi al pronto soccorso e lo si getta nelle braccia del medico, pregando poi che riesca a salvarlo. Raccontale del nastro di Moebius.

Domanda: sei impazzito? Di già?

Risposta: cosa significa "di già"? Tra voi non esiste un prima e un dopo, il tempo è circolare, ricordi? Lei ha detto che questo tempo è stato creato apposta per lei...

Vieni, dammi la mano. Ecco, ti racconto una cosa che faccio ogni tanto: pensare a lui da vecchio. Parlo di mio figlio, del mio-chiamiamolo-Yidò. Del mio Yidò.

Magari lo faccio per immunizzarmi (immunizzarmi da cosa? Dall'amore eccessivo che ho per lui?). Continuo a immaginarmelo vecchio. E aiuta. In un attimo ogni slancio d'amore e ogni ansia nei suoi confronti si spengono. Nota bene: vecchio, non morto. Naturalmente mi sono specializzato anche in questa fantasticheria, e morto sarebbe qualcosa di troppo definitivo per la tortura di cui ho bisogno. Mio figlio: un vecchio curvo che fissa il televisore in un ospizio, sbavando. È morto, perché la scintilla nei suoi occhi è spenta. Non è facile concentrarsi su un pensiero come questo. Provaci. Ci vogliono muscoli dell'anima particolarmente forti, muscoli dorsali. Perché l'anima si tende in un gran rifiuto e ci vuole molta forza per piegarla, per vincere la sua resistenza... Dove eravamo?

Eravamo a mio figlio, al bambino che era, tanto tempo fa. Mio figlio vecchio, raggrinzito, sciancato, con le mani coperte di macchie scure, afflitto da una di quelle malattie della sua età, intento a ricordare qualcosa che ha dimenticato, forse me? I miraggi della memoria gli stanno forse restituendo la mia immagine? Io e lui in un momento tranquillo? Come quando, stamattina, gli è entrato un bruscolino nell'occhio e io gliel'ho tolto con la lingua? Oppure quando ho ricoperto di spugna gli spigoli delle mensole, il giorno in cui ha cominciato a sbatterci contro la testa? Oppure, semplicemente, quando ho provato per lui un amore intenso – almeno quello di cui sono capace?

Forse, invece, si sta confondendo, e pensa di essere mio padre.

Magari fosse così. Vorrei che nell'universo infinito, nel luogo in cui i destini e le persone vengono assegnati l'uno all'altro e per un attimo si ha la possibilità di essere altro, vorrei che esistesse un momento come questo. Un momento in cui lui fosse mio padre (ci pensi? L'impenetrabile e gravosa arbitrarietà per cui io sono suo padre e non il contrario). Vorrei soprattutto che fosse già finita per rifugiarmi sotto la sua ala protettrice e marcire nella sua carne, polvere nella polvere. Come vorrei poter vivere il momento in cui vedrà in me soltanto un altro uomo, un uomo come lui, uno che ha tentato, ha fatto la sua comparsa nel mondo...

Allora, forse, proprio in quel momento – il momento della riconciliazione e dell'indifferenza che la vecchiaia porta con sé – e grazie alla saggezza accumulata nel corso dei suoi anni di paternità, potrà scegliermi di nuovo. Pensi che mi sceglierà?

Parlami.

A volte è difficile aspettare due o tre giorni per la risposta. Perché *ora* fa male.

Dopo aver fantasticato della piccola Ya'arà hai detto di avere la certezza che io do moltissimo anche a Yidò, forse più di quello che molti genitori sono in grado di dare a un figlio, e che di certo non mi limito a "inaridirlo". Ti ringrazio per aver cercato di liberarmi da questa sensazione. Ma ho paura a dirti quanto io sia capace di inaridire. Sono Yair l'i-nariditore. È una cosa che faccio inconsapevolmente, basta la mia presenza. Ma allora, nell'anno duemilasessantacinque, lui mi sorriderà con gengive sdentate e occhi opachi, dicendo di non preoccuparmi perché ha capito la bizzarra punizione del nostro campo di internamento – che un giorno sei Franz Kafka e un giorno sei suo padre, Hermann...

A volte me lo immagino nei minimi particolari. Vedo come lui mi riporterà dall'oltretomba. Mi prenderà fra le dita, esaminandomi alla luce giallognola del pomeriggio come si tiene in mano un oggetto-senza-più-desiderio, un oggetto che non rappresenta più alcun pericolo. Allora passerò con cautela le dita sul suo corpo e sul mio come lungo il nastro di Moebius, dove il dito che lo sfiora non può capire quando passa dall'esterno all'interno.

Credo che sia il momento della pubblicità.

24 giugno

Mi diverte che le mie "storie cittadine" ti piacciano tanto. Penso che, grazie a te, oggi mi capitino molti più "momenti" come quelli (davvero: la città mi parla come non aveva mai fatto prima).

Eccotene una, freschissima. Stamattina, nell'isola pedonale di Ben-Yehuda, vicino al caffè Atara, c'era un clown che è anche prestigiatore. Forse ti è capitato di vederlo: un uomo gigantesco, "rasputiniano", che fa uno spettacolo macabro, ma divertente, con una ghigliottina. Ormai lo conosco e da molto tempo non mi fermo a guardarlo. Ma oggi l'ho fatto. Forse per via della parola "ghigliottina", riapparsa nella lunga lettera che hai scritto di recente, quando ti sei fatta seria e hai avuto quello sfogo.

Il prestigiatore cercava un volontario. Un ragazzo nel pubblico, un turista americano, si è fatto avanti e ha appoggiato la testa sul patibolo. Il prestigiatore gli ha misurato il collo con molta teatralità, ha tagliato un capello sulla lama per provare quanto fosse affilata e gli ha messo un cesto di paglia davanti.

Poi, quando il prestigiatore ha sollevato la lama, il ragazzo improvvisamente ha teso le mani attraverso i ceppi e senza proprio pensarci, con un gesto istintivo e toccante, si è tirato il cesto vicino, in modo che la testa "cadesse" esattamente al suo interno.

Tutti hanno riso, ma io mi sono commosso, come se tu fossi stata lì con me e io ti avessi mostrato qualcosa di *mio*, che non so spiegare a parole.

28 giugno

Ti mando una fotografia che forse ti farà felice.

Stamattina ho trovato (non per caso) su un vecchio settimanale la foto di tuo cugino Alexander. Scusami sai, ma ho potuto capire l'inquietudine dei tuoi genitori: non solo perché aveva sei anni più di te, ma anche per qualcosa nel suo aspetto, quell'espressione "da lupo"... Guarda come sta sul podio, per esempio. Quel sorriso. (Devo ammettere che anche con quello stupido cappellino e la medaglia fa una gran bella figura. Un maschio-alfa perfetto. Quelle spalle, quei pettorali e quei bicipiti!)

Terribile, vero? Vedere quella forza e quell'orgoglio sapendo che cinque anni dopo sarebbe stato steso morto sulle rotaie di un tram.

Cerco di scoprire cosa fosse rimasto di te in lui – la foto è stata scattata esattamente quella settimana – ma non trovo nulla. Cosa significa? Che tua madre aveva ragione? Comunque mi sembra di notare una sorprendente dolcezza intorno alla bocca, sul labbro inferiore. Allora, forse, anche un casanova esperto come lui si è lasciato intenerire dal tuo primo bacio, l'unico che tu gli abbia dato.

Ma c'è un'altra cosa strana: sono andato a vedere sui giornali l'edizione successiva della Maccabia,[8] tre anni dopo, e ho scoperto che lui vi partecipò ancora come membro della squadra belga (ma senza vincere nessuna medaglia). Secondo i miei calcoli, a quell'epoca tu avresti dovuto già avere se-

---

[8] Giochi olimpici per la gioventù ebrea di tutto il mondo. [*N.d.T.*]

dici anni e mezzo. Voglio dire, non proprio un'età in cui ti si può chiudere in casa e proibirti di incontrare qualcuno (e di certo lui venne a trovarvi per portare i saluti della famiglia...). Allora mi chiedo: com'è che dopo la tempesta che hai descritto, le settimane di passione in cui ti promettesti a lui, e i sogni di un anno intero, le lettere profumate eccetera, com'è che rinunciasti a un nuovo incontro con lui?

Io la vedo così: probabilmente, con tre anni di più sulle spalle, capisti di essere stata solo un passatempo per lui e ti fu chiaro che non era lui l'uomo dei tuoi sogni. Eppure, mi chiedo, non c'era in te un po' di curiosità? O il desiderio di incontrarlo e dirgli: "Guardami ora. Guarda come sono cresciuta, non sono più la tua cuginetta...".

(Non so perché il pensiero della sua ultima visita mi rattristi tanto.) A proposito di baci: saluta calorosamente il neo da cui ti sei separata quando su di lui sono cominciati a crescere... Non dimenticherò quella sveltina incredibile. Una volta, forse in un'altra vita, bacerò anche quello.

30 giugno

"Che tempo magnifico, Louise, che sole splendente! Tutte le persiane sono chiuse; ti scrivo in penombra."

Così Flaubert a Louise Colet. Mi ci sono imbattuto oggi e, malgrado la tua stoccatina (davvero faccio sempre delle citazioni?), ho visto in quella frase un nostro segno di riconoscimento.

Negli ultimi due giorni ho pensato spesso alla tua proposta. La tua strana richiesta di propormi a te, bambina, come "fidanzato" con decine d'anni di ritardo. Mi hai costretto a tornare con la memoria a un periodo che non ho amato molto. Non sono nemmeno sicuro di avere trovato la storia che potrebbe "fare coppia" con la tua – di certo non con la ragazza che eri, disillusa e lucida, capace di prendere una decisione e di metterla in atto, così mi sembra, con determinazione e senza ripensamenti... A essere sinceri, Myriam, non sono sicuro che la ragazza che eri avrebbe voluto "quel" bambino come "fidanzato".

Avevo tredici anni, più o meno, ma non starò a descriverti il mio aspetto d'allora – ti irriterebbe; e perché dovrei sfidare forze più grandi delle mie? Probabilmente, però, suscitavo un certo interesse perché un'adolescente handicappata del mio quartiere mi rapì e mi sottopose a un intervento chirurgico senza anestesia. Ora dirai che, come al solito, descrivo tutto in maniera drammatica ed esagerata, ma è esattamente quello che accadde.

Non so quanti anni avesse, non era nemmeno in grado di parlare. Mugolava. Una ragazza ossuta, mascolina, rigida. Una povera handicappata che io prendevo in giro tendendo agguati a lei e a suo padre, che l'accompagnava nella passeggiata quotidiana (lui camminava con un bastone per difendersi da lei nel caso l'avesse attaccato, pensa un po'). Per qualche anno, nel quartiere, avevo condotto una campagna di derisione nei suoi confronti, inventando le cose più feroci per tormentare lei e il suo povero papà: scritte in gesso sul marciapiede, caricature...

Giustamente mi chiederai: perché la prendevi in giro? Perché la mia mente spaventata si sforzava di puntare l'attenzione di tutti su di lei e solo su di lei? Come potevo ridere di una povera minorata? E quanto sarcasmo e veleno investivo in quegli sforzi? Meglio lasciar perdere. Insomma, un giorno lei riuscì a scappare di casa. Suo padre svenne sulle scale, e tutti i vicini e i bambini del circondario si mobilitarono per cercarla. Arrivò la polizia e ci fu un gran casino. Io mi allontanai in silenzio da tutti e andai in fondo alla via, in una spianata dove oggi sorge un grande albergo. Lì, in uno degli angoli più squallidi, c'era un mucchio di rottami accumulati negli anni: vecchi materassi, fornelli, un frigorifero scassato. Insomma, tutto il ciarpame e le schifezze del quartiere. Dietro la discarica, vicino alla recinzione, c'era una siepe in cui si era formato un nascondiglio, piccolo e buio, che pensavo di essere l'unico a conoscere e dove mi piaceva appartarmi.

Avevo la sensazione che si fosse recata lì, che il suo istinto animale l'avrebbe condotta in quel posto, dove nessuna persona normale sarebbe mai entrata. Infatti, quando valicai la linea della penombra, lei si gettò su di me, e in quel momento capii, con una sorta di strana rassegnazione, che mi stava aspettando.

Sai, non ricordo quando tu mi abbia chiesto – forse parlando del parafulmine – se in vita mia ho mai gridato "aiuto" sul serio; a squarciagola, cioè, con la gola che ti si lacera e gli occhi strabuzzati per la disperazione e lo sgomento (perché poi me l'hai chiesto?). Forse quella volta, quando lei mi trascinò nel nascondiglio, avrei dovuto urlare così. Invece rimasi zitto. Questa è la storia, Myriam.

Lei mi buttò a terra, si stese su di me e senza perdere un secondo, con una forza tremenda, cominciò a strusciare il suo corpo contro il mio, come se fossimo due pietre focaie. Non potevo muovermi, era come se avessi perso conoscenza. Però vidi e sentii tutto. Lei era seria e come presa da una folle idea che le palpitava dentro. Un'idea assurda che io solo al mondo potevo capire esattamente. Non si trattava di qualcosa di sessuale. Voglio dire, non sessuale nel senso corrente del termine. Era qualcosa di molto più complesso e occulto. Come spiegare? Era come se lei volesse frantumare i materiali di cui entrambi eravamo fatti...

Devo entrare nei dettagli?

Tutti i materiali, intendo, tutte le polveri, sue e mie. Perché? Non so (lo so, lo so). Per poterci ricreare migliori. Per riequilibrare, se questo è il termine. Riequilibrare o "compensare" tutto quello che forse eccedeva o difettava in lei, e anche in me, nel corpo e nell'anima (ma è possibile capire una frase del genere? Ha senso anche al di fuori di me?). Lei avrebbe voluto semplicemente ricrearci entrambi, in maniera più equa e forse più sopportabile ai nostri occhi, senza gli eccessi e le mancanze... È una storia strana, una ragazza handicappata voleva ricrearmi. Ti giuro, era questa l'idea fissa che frullava nella sua mente contorta. Solo io l'avevo capito e per questo non gridai "aiuto". Era una cosa tra me e lei e non riesco a credere che te lo stia raccontando. Che ne dici? Quel bambino avrebbe potuto essere, a modo suo, un "fidanzatino" per la ragazza che eri, filosofica e istruita?

Ricordo che lei prese la mia mano sinistra e che per dieci,

venti, cinquanta volte spinse le sue dita ruvide tra le mie. Quindi fece lo stesso con la mano destra, poi spalla contro spalla, petto contro petto, ventre contro ventre. Sistematicamente, con puntiglio, mentre i suoi occhi spenti brillavano per quell'idea grandiosa, senza badare a me. Quella fu la cosa incredibile che mi ipnotizzò completamente. Aveva una questione da risolvere ma non con me, bensì con quello che rappresentavo. Nel mondo illuminato non avrebbe avuto alcuna logica ma nel buio sapevo, e sentivo, chissà perché, che lei desiderava anche il mio bene. Come se cercasse di mescolare con cura le carte dei nostri mazzi per ridistribuirle in maniera più giusta per *entrambi*. Capisci? Lei sola aveva intuito, con i suoi sensi genio-animaleschi, quanto soffrissi per ciò che mi aveva riservato la lotteria della vita e quanto, anche in me, tutto avesse disperatamente bisogno di restauro. Riesci ancora a seguirmi, Myriam? Dimmi solo se è possibile raccontare una cosa del genere a qualcuno e sperare che capisca davvero. Dimmi se un uomo può raccontare questo a una donna che sta corteggiando, o se un marito può raccontarlo alla moglie mentre prendono il caffè.

Y.

5 luglio

Sono andato, ho comprato, sono tornato.

Una capatina di tre giorni ad Amsterdam-Parigi-Svizzera. Affari. Un buon acquisto di due pezzi rari, richiestissimi a Zurigo. Uomo di mondo bum-bum.

Quando l'aereo è decollato, ho provato una fitta inaspettata e ho scoperto che tra me e te c'è un cordone ombelicale che fa male quando viene teso.

Cosa ti ho portato dalla spumeggiante Parigi? Un profumo che fa perdere la testa? Un gioiello? Degli slip sexy?

Il mio incubo, quando mi trovo nelle grandi città europee, sono i figli delle mendicanti. Sai di cosa sto parlando? Di quelle donne indiane o turche, sedute per strada o nelle stazioni della metropolitana, che hanno sempre un neonato o un bambino sulle ginocchia.

Già da un po' ho notato che quasi sempre i bambini dormono. A Londra, a Berlino, a Roma. Ho il sospetto che le madri li anestetizzino di proposito, li droghino, perché un bambino addormentato fa ancora più pena e "aiuta gli affari"... A Parigi, di fronte al mio solito albergo, c'era una donna turca con un neonato e il giorno dopo ho cambiato albergo.

Non è solo la crudeltà a deprimermi, ma l'idea che quei bambini passino la loro vita dormendo. Pensare che c'è un bambino (e ce ne sono centinaia così) che per anni, forse per tutta l'infanzia, vive a Londra, o in un luogo magnifico come Firenze, senza quasi vedere la città, sentendo solo, nel sonno, i passi della gente, il rumore delle macchine, il battito del cuore della metropoli, e che, svegliandosi, si ritrova nella misera topaia in cui vive...

Quando mi imbatto in una donna così per strada le do sempre qualcosa, e nel farlo fischietto anche una bella canzone, allegra, con tutte le mie forze.

Sono tornato.

7 luglio

Buongiorno! Oggi sono arrivate due lettere!

Da tempo aspettavo il momento in cui, non riuscendo a trattenerti, dopo aver chiuso una busta avresti sentito il bisogno di scrivermi subito un'altra lettera. La prima è arrivata questa mattina, l'altra con la posta del pomeriggio (i piaceri dell'intestatario di una casella postale!), e sono entrambe allegre ed entusiaste. La prima scritta a casa e l'altra, quando hai cominciato ad avere caldo e a sentirti soffocare, nella tua valle segreta vicino a Ein-Kerem. È stato stupendo incontrarti finalmente con parole del tutto nuove (e una nuova gonna, perdipiù!). Come respirare una ventata d'aria fresca. Ed è stato stupendo sentire il tuo tono di meraviglia quando dici di essere felice ultimamente. È la prima volta che questa parola compare nelle tue lettere. L'ho subito mandata ad analizzare in laboratorio e mi hanno confermato che si tratta proprio di felicità (sto solo cercando di capire come mai la tua felicità mi appaia ancora tanto triste). Ma oggi questa parola ha degli effetti anche su di me. Un'effervescenza interiore, non so. Forse perché sono finalmente riuscito a rallegrarti?

Perché, grazie a questo, improvvisamente l'estate è esplosa anche per me, capisci? Come se solo ora, in virtù del tuo "apriti, Sesamo", fossi uscito anch'io dalla galleria scura e tortuosa che abbiamo scavato insieme, con le nostre complicazioni e il senso di oppressione. "Sono felice" hai detto, ed è stato come se tu mi avessi concesso qualcosa; la bella stagione è iniziata anche per me. Già luglio, immaginati un po', e solo ora mi risveglio all'estate accecante, con le sue forze vitali, la sua volgarità naturale, la sua voglia di vivere e tutto quello che hai descritto (mi sorprende che tu abbia ancora paura di tornare a dipingere con i colori. Una persona che scrive così...). Anch'io, toccami, di colpo sono così vivo, ardente. Mi amalgamo con il corpo dell'estate, come se fossi una delle sue "arterie pulsanti"; ma sono anche puntato su di te come un laser. Attenta, non sono responsabile delle mie azioni, non so cosa mi stia succedendo, hai qualche idea?

Cosa ne dici? Magari smetterò di lavorare e di vivere nel mondo, nella cosiddetta vita, per limitarmi a scrivere, a descrivere te in ogni situazione e a raccontare come mi sento mentre ti guardo, a riversarmi dentro di te; finché, semplicemente, i miei succhi si esauriranno. Quando impiccano un uomo, nell'istante supremo, ha un'eiaculazione. L'ho letto una volta, e da allora questa cosa non mi dà pace. Quasi fosse il testamento del corpo e dell'anima. Esattamente così vorrei che fosse il dialogo tra noi, perché tra qualche mese *moriremo* l'uno per l'altra, anche se tu non ne vuoi sentir parlare. L'idea di quella "ghigliottina" ti fa rivoltare lo stomaco. Ai miei occhi, però, è il fulcro del nostro legame perché forse, nella vita di una coppia normale, non può accadere quello che accade tra noi – qualcosa che al tempo stesso ha il sapore dell'ambrosia e del sangue. Tu già lo senti, io lo sapevo fin dall'inizio.

Pensavo che la storia della ragazza handicappata ti avrebbe disgustato e invece tu, come al solito, vieni e mi tocchi a mani nude. E allora? Davvero non vorresti ridistribuire le nostre carte? Davvero ad attrarti sono le mie carte mescolate alla rinfusa?

Ma solo per iscritto, lascia che rimanga così. Con la speranza di avere entrambi la forza di combattere ancora le seduzioni della realtà. Il sesso, non la religione, è l'oppio dei popoli. E quando ci incontreremo, perché alla fine ci arrenderemo... Sono un po' fragile oggi, il caldo scioglie i propositi più fermi. Spero che non accada... Ma forse, tra due o tre settimane, se non già stasera, in questo accesso feroce che mi sta facendo perdere la testa... È colpa della gonna che hai comprato. Improvvisamente hai un corpo. Il tuo corpo, che ero quasi riuscito a dimenticare, d'un tratto è risorto davanti a me. Le tue gambe si sono mosse, giovani e belle, sotto la gonna – e non dire nemmeno per scherzo "non sapevo di avere delle gambe"... Mi sono tornate in mente le tue caviglie affusolate e ho afferrato il nesso tra la forma delle caviglie e la nuca...

Ci arrenderemo, ti è chiaro, vero? Quando nel cuore si sarà accumulata una dolcezza triste, pastosa e pesante, nettare d'autunno. Yair si è fatto poetico – è il nettare dell'estate. Bene, per quanto tempo riusciremo ancora a trasformare *questo* sperma in inchiostro? È colpa dei tuoi occhiali dalla montatura nera se evito di scriverti cosa mi sta passando per la testa e dove esattamente ti immagino: con i vestiti, senza vestiti, con quella gonna arancione che ha uno spacco laterale, con la maglietta morbida e aderente. In piedi, distesa, un po' selvaggia, con l'aria dolce, in auto. Le tue caviglie sottili avvinte intorno alla mia schiena. Muoio dalla voglia che avvenga un miracolo e che tu mi compaia davanti per caso, in strada...

Dove eravamo?

Non ho la più pallida idea di come farò ad alzarmi da questa scrivania davanti alla mia segretaria, diplomata a "Beit-Ya'akov".[9] Di certo ti chiederai cosa voglio da te, tutt'a un tratto. Perché faccio impazzire entrambi in questo modo. Non lo so. So solo che ora ti desidero disperatamente. Ma so-

---

9 Scuola per ragazze ultraortodosse. [*N.d.T.*]

no anche sicuro che ci è proibito persino osare di porre un piede nella realtà. Tutto si scioglierebbe, perderebbe vigore, ricadrebbe nei soliti cliché. I mille fili sottili e trasparenti con cui abbiamo ricamato noi stessi – di colpo quest'astratta bellezza si materializzerebbe nella carne e andrebbe perduta in un istante. Credimi, so quello che dico e ripeto: esisteremo solo per noi, anche se pensi che non abbiamo niente da nascondere, nemmeno al tuo amato marito. Ecco, questo non potrò mai capirlo: perché fargli del male? Perché umiliarlo? In base alla legge di compensazione della felicità, è già tradito, ingannato e inconsapevolmente depredato di quello che c'è tra noi...

Ancora una volta devo interrompermi. È arrivato un pacco. La vita continua a metterci il becco. Andrò avanti stasera, voglio continuare a parlare di questo...

10 luglio

Non ci credo. Rifiuto di credere che tu mi abbia fatto questo.

Cosa sei, una veggente? Hai degli occhi a raggi x? O era la lettera più bella che avessi scritto? Non c'è in te un briciolo di curiosità, semplice curiosità femminile? Come hai potuto resistere alla tentazione? (Forse non sono una tentazione per te.)

Mi sforzo di capire cos'è successo, come funzioni questo tuo meccanismo: tre giorni fa hai ricevuto quella lettera, scritta sull'onda dell'entusiasmo per l'estate e per la tua nuova felicità. L'hai letta. Ma quella successiva, spedita più tardi, la sera, e molto buffa, hai deciso, per qualche motivo, di restituirla, chiusa e sigillata. Per quale motivo? Per il calore dei fogli che filtrava dalla busta? Per il modo in cui avevo scritto l'indirizzo? E se ci fosse stata la mia anima ripiegata là dentro?

A volte la tua arroganza mi fa davvero impazzire. Sei così rigida, te l'ho già detto? E in modo sgradevole, non femminile. In verità me n'ero già accorto dalle tue prime lettere, ma a quel tempo la serietà, l'attenzione che mostravi per tutto quel che dicevo mi erano piaciute. Ora, invece, è come se le acque si fossero ritirate e fosse affiorato lo scoglio.

E che intransigenza! "Ogni dissidio su quel punto mi fa

male, mi fa male come un tradimento e io devo difendermi..." Tradimento, nientemeno! Viene da pensare che abbiamo sottoscritto un contratto per la vita, non che abbiamo semplicemente deciso di scambiarci delle lettere!

Senti... Non è così semplice quello che hai fatto. E più ci penso, più mi sembra che *tu* abbia tradito me. Per qualche mese ti sei divertita con quell'innocuo pagliaccio che ti faceva delle smorfie, concedendoti qualche piccola eccitazione borghese. Il flirt segreto di una casalinga perbene. Poi, quando ha cominciato a farsi troppo intenso, quando improvvisamente hai sentito dentro di te un fremito autentico e vivo, ti sei spaventata e hai cominciato a gridare "aiuto"! Leggo la letterina spermicida che hai accluso alla mia busta ancora chiusa e stento a crederci: adesso, dopo tre mesi, ti viene in mente di accusarmi dicendo che flirteggio non con te, ma con una "perpetua tentazione d'infedeltà" dentro di me. Un auto-corteggiamento interiore?! A volte usi delle espressioni anacronistiche e puritane che mi fanno morire...

E con quanta sicurezza ti permetti di stabilire che, pur desiderando di liberarmene, è proprio questa tentazione (incontrollata, automatica!) a non volermi abbandonare, così che provo un godimento perverso nell'umiliare e imbruttire tutto quello che è veramente prezioso e puro...

È per ciò che ho scritto in fondo all'altra lettera, vero? Per quell'osservazione a proposito di tuo marito. Me l'immaginavo. È stata quella a farti trasalire. Ho sentito che stavo toccando un punto delicato. OK mi dispiace. Chiedo scusa. Prendi atto di una confessione: non è umiliato, tuo marito, né tradito, depredato o ferito in virtù della legge di compensazione della felicità. Ecco, lo sottoscrivo con la mia impronta da criminale.

Certo, che ne so di lui? E che ne so di voi due insieme? Hai ragione (hai sempre ragione, Myriam), che ne so dei rapporti non solo improntati alle leggi di guerra e di conquista dell'anima altrui? Basati su altro che il gusto di sottomettere o di arrendersi?

Ma cosa ne sai tu di cavalli alati, di sirene e dell'unicorno?

No, lo devo sentire da te: che t'importa di incontrare questo dongiovanni dilettante? Non è una delle "carte mescolate alla rinfusa"? Non ha bisogno di "misericordia" o di "restauro"? A volte penso... che forse avresti dovuto incontrare solo lui. Forse lui sarebbe stato in grado di farti morire dalle risate e dal piacere, di fare a pezzi questa tua *intransigenza*.

O forse fai fatica ad accettare il fatto che non ti ho mai proposto un'avventura secondo lo stereotipo, nemmeno, vorrai scusarmi, una scopata. Forse è stato questo a offendere la bambina-modello, la reginetta buona della classe che non si è mai lasciata andare, impedendo così che la sua fiamma divampasse.

Si è offesa terribilmente perché (come allora?) un "maschio" apparso all'improvviso si interessa a lei solo come "amica" con cui parlare e confidarsi, non per sussurrarle nell'orecchio il suo amore e il suo desiderio... Questo lo fa con qualcun'altra, con la biondina sfrontata della classe. Con la reginetta cattiva.

Cosa ne sai, Myriam? Forse questo maschio, a distanza di oltre vent'anni, comincia a sospettare che tu non sia tanto sincera quando affermi che no, non hai paura della passione, tutt'altro, la passione è il sale della tua vita.

Ma chi vuoi ingannare?

11-12 luglio

È forse l'ultima lettera. Leggi bene: le tre e mezzo di notte. Sono in macchina ed è tutto finito. Non chiedermi cos'ho fatto. Se non aiuterà a sciogliere il tuo duro cuore mi arrenderò, rinuncerò a te; e anche a me, lo so. Peccato, *peccato!!!*

Hai sentito l'urlo? Non hai idea di quanto ti sia vicino ora, vicinissimo. Intendo fisicamente, fuori da casa tua, a venti metri da te. Ci sono stato tutta la notte, avvicinandomi e allontanandomi come la tigre che, nel tuo sogno, ti girava attorno in ampi cerchi. Ma io sono una tigre che impazzisce nell'impossibilità di divorarti. Perché non capisci?

Myriam, questa notte ho corso intorno a te.

Ecco. Sette volte ho fatto il giro di casa tua, lungo la stradina che costeggia l'isolato.

Com'è che riesci a farmi impazzire in questo modo? (Tra poco lo saprai.)

Una sigaretta. Ho la testa come un vespaio. L'aria ristagna, in macchina, il fumo si incolla al parabrezza in mille arabeschi. E pensare che sono così vicino alla stanza da cui mi scrivi, con la lampada al neon tremolante e il gufo di legno a cui appendi la lista delle cose da fare, e che poi subito dimentichi. Vicino al tuo geco, Bruria, che esce a mezzanotte in punto per andare a lavorare.

Sono qui. Il mondo dorme in silenzio. Dormono l'assassino e lo stupratore, solo io sto qui, vicino a te – ci sono stato tutta la notte. Ho paura a raccontarti cos'altro ho fatto. Dimmi solo se cominci a sentire qualcosa. Ti rigiri nel sonno e non sei capace di capire cosa ti stia sommergendo. Sono io. È la mia follia che comincia a fare effetto su di te, che solleva onde schiumose verso di te. Questa notte ho compiuto un autentico rito religioso, ho girato sette volte intorno a Gerico. Come hai potuto non sentirmi ansimare? Erano anni che non correvo così, dal periodo del servizio militare. Questo corpo mingherlino e atrofizzato ha già capito che non otterrà grandi piaceri dal legame con te, e volevo che soffrisse. Senti, ho corso intorno a te, ho visto la tua casa da tutti i lati, e anche il cancello arrugginito, la bicicletta appoggiata all'albero in giardino e il pergolato con la bouganvillea. La vostra casa è molto piccola, sembra un capanno rivestito di pietra. Ed è un po' trascurata. Il giardino è quasi vuoto, Myriam, e c'è una finestra rotta sul retro. È tutto molto diverso dalla descrizione che ne hai fatto, e improvvisamente penso a quello che hai detto: la vostra famigliola probabilmente non aumenterà più.

A un certo punto, in casa si è perfino accesa una luce e sono quasi morto di paura, e di speranza. Ho desiderato che fossi tu, davanti alla finestra, mentre guardavi fuori, nel buio. Chi è là? Chi corre così? Mio Dio, non posso crederci, di certo sto sognando. Di colpo avresti capito. Con uno sguardo avresti visto tutto quello che sono: il dongiovanni, lo sconosciuto, il funambolo e l'uomo confuso che ti scrive.

Avresti guardato dentro di me e avresti detto: "Vieni, rospetto. Venite tutti".

Per fortuna non sei uscita, saresti svenuta nel vedermi così, in questo stato. Avresti pensato che si trattava di un maniaco, il solito, infelice maniaco che paga, rassegnato, il tributo alla burocrazia delle sue ghiandole. Avresti chiamato la polizia o, peggio, tuo marito, che mi avrebbe fatto a pezzi. Lui, di tipi come me, ne mangia tre a colazione.

Temo che non sarai in grado di decifrare la mia grafia. È peggiore del solito. A proposito, ho chiesto a mia madre: avevi ragione. Mi hanno davvero costretto a passare dalla sinistra alla destra. Come facevi a saperlo? Come fai a conoscermi meglio di quanto mi conosca io stesso? Guarda. Sono seduto in macchina e tremo, consapevole di non aver mai fatto per nessuno una cosa come questa, e non so che altro fare perché tu creda che non ho mai proposto a nessuno – a nessuno, capisci? – quello che ho proposto a te. Fin dal primo momento ho saputo di non cercare un'avventura con te, ma una vera storia. Forse tu sai come viene definito in psicologia questo desiderio, o questa strana perversione – il bisogno che un uomo sente di raccontare le proprie vicende a una determinata persona e solo a lei. Io lo sento così forte nei tuoi confronti. Un punto della mia mente è ritornato in vita grazie a te. A sinistra, dietro l'orecchio. Si tende e si schiude quando penso a te, Myriam, ed è il punto delle visioni e dei sogni che avevo da bambino. Lì ho passato la maggior parte della mia infanzia, sotto il ghiaccio. E per anni non ci sono tornato, avevo perfino dimenticato la strada per arrivarci. Come hai detto tu? "Il tritarifiuti della memoria"? Proprio così. Ricordo solo una cosa: che in quel punto era vietato l'ingresso agli estranei e che nessuno doveva conoscerne l'esistenza. Non dimenticare che sono nato da genitori normali e che fino a diciott'anni ho vissuto in famiglia. La famiglia come fondamento e campo di sterminio...

Sto divagando. Non volevo parlare di questo.

Ho freddo. Anche se è luglio, ho freddo. Mentre correvo mi è venuta la pelle d'oca. A proposito, è stato completamente diverso dalla danza nel bosco sul monte Carmelo. Là tutto era luce e calore, mentre qui sentivo di sprofondare in un'oscurità totale, e la pelle non riusciva a contenere tutto quello che mi si agitava dentro. Ho sentito che questa notte stavo superando ogni limite. So cosa ti sta passando per la testa: oltre quel limite c'è il buio. È vero, cominciamo ad avere un nostro lessico privato. È bello. Vedi come il sentimento che provo nei tuoi confronti mi porta a lasciarmi andare? L'opposto di quello che mi succede con Maya. Ma che bisogno ne ho, dopotutto?

Mi sono lasciato andare soprattutto negli ultimi tre giri, quando ho capito all'improvviso quello che dovevo fare e per quale motivo mi trovavo lì. Non pensare che non abbia avuto un attimo di esitazione. Ma non più di un attimo, perché subito mi sono detto: al diavolo, cosa vali se non lo fai per lei? In fondo hai deciso di darle tutto quello che si crea in te per merito suo. Ho provato a discutere per salvarmi la faccia – cosa succede se passa qualcuno e mi vede così? Chiamerà la polizia, mi arresteranno. Poi sono scoppiato a ridere – sono prigioniero da una vita e devo cominciare ad avere paura proprio ora? Così, seduto in macchina, mi sono svestito, togliendo anche le scarpe e i calzini. A quel punto ero già un altro uomo. È successo in pochi secondi. Un confine talmente labile. Un attimo prima sei vestito e un attimo dopo sei carne, animale. Meno di un animale. Come se la pelle ti si levasse di dosso insieme ai vestiti. Proprio l'epidermide, con tutti i suoi strati. Sono sceso dall'auto e ho sentito, di colpo, che la notte mi veniva incontro. Mi fiutava dall'estremità della valle come una preda, che non occorre nemmeno scuoiare. Mi avvolgeva completamente, si attaccava con prepotenza a ogni mia cellula. Non ho mai provato una sensazione simile in vita mia. Una specie di paura mista a piacere. E ho provato anche un po' di imbarazzo, perché la notte impudica s'intrufolava in ogni mio orifizio, mi mordeva e mi strappava brandelli di carne. Poi si è allontanata, nel buio. All'improvviso sono apparsi dei cani. Tre, enormi. Sembravano usciti da una ballata popolare scozzese. Pensavo che mi sarebbe venuto un infarto. Tre cani come quelli per i ciechi,

credo, che abbaiavano ferocemente, come se mi rimprove-
rassero. E io mi sono vergognato, figurati un po'. Mi sono
vergognato non come uomo ma come animale, come un cane inferiore a loro. Riesci a capire? Come si può raccontare a
qualcuno una cosa del genere? Poi, quando ho cominciato a
correre, hanno smesso di abbaiare. No, peggio ancora: hanno
cominciato a indietreggiare latrando piano e sono spariti nel
buio. Sono rimasto solo, solo con me stesso, e non era una
bella compagnia. Ero più solo di quanto lo fossi mai stato in
vita mia. Sai cos'ho fatto allora? Mi sono annusato l'ascella e
ho ritrovato l'odore che ho quando ti scrivo. Allora ho pensato che forse stavo facendo l'errore giusto e ho cominciato a
correre.

Ecco, scrivo, racconto tutto. Ho corso piano, in modo che
chiunque potesse raggiungermi. Ma sentivo, in qualche modo, di essere ormai imprendibile: se qualcuno fosse riuscito
ad afferrare il mio corpo, sarei rimasto libero. Ho corso così,
intorno a te, per tre volte. Ho scoperto che, quando si corre
nudi, i punti più sensibili al freddo sono dietro le orecchie,
sul collo, lungo i fianchi e dietro le ginocchia. Mentre correvo
pensavo in cuor mio: eccomi qui davanti a te, Myriam, eccomi qui. Forse hai sentito qualcosa in sogno – la mia nudità
che gridava, il mio corpo che strillava spaventato per come
lo stavo maltrattando. Se tu fossi uscita, avresti visto che me
lo stavo tirando dietro. Avresti visto che l'anima, improvvisamente proiettata al di fuori, se lo trascinava dietro. E lo
portava davanti alla tua finestra, mostrandoti come sia ridicolo, inutile e senza importanza nella nostra storia. Quanto
sia volgare, e come io non voglia usarlo per insudiciarti.

Già ai primi passi ho sentito cosa stava accadendo. Di colpo
mi liberavo, ero solo un'anima che si librava, leggera e illuminata. E ho visto il mio corpo, sgraziato, goffo, estraneo, che
correva dietro di me. Correva e cadeva, sbuffando per la rabbia, e ogni tanto si allungava per afferrarmi e riportarmi dentro. Ma questa notte ero davvero irraggiungibile, e a ogni passo mi si chiariva chi sono io e chi è lui: solo uno schiavo, uno
scimmione, una zolla di terra, niente di più. Una zolla di terra,
pallida e informe, che si è raddrizzata sulle gambe con un

grugnito. L'ho umiliato davanti alla tua finestra, l'ho mortificato. Questo ho fatto. L'ho mortificato per tutte le volte che ha mentito e per il fango di cui talvolta imbratto anche te: quell'onda torbida che erompe ogni volta. Ho un sacchetto pieno di un liquido amaro in fondo alla gola e ogni volta che ti mostri buona con me si lacera, non so perché. Vorrei tanto che non ci fossero più altre lettere come quella, ma non posso ancora prometterlo. Già quando l'ho scritta sapevo che non era una buona lettera, che avrebbe ferito la tua parte sensibile. Per fortuna non l'hai aperta, per fortuna hai un sesto senso nei miei confronti. Ma sappi che l'ho scritta di proposito in quel modo. Per farti male, per ferirti, per sguazzare nella mia meschinità sotto i tuoi occhi e provarti – è questo il punto, Myriam, è questo il nocciolo amaro e disgustoso – per provarti, ad esempio, che sono ancora libero da te. Sì, che sono in grado, in ogni momento, di tornare a essere quello che ero prima di conoscerti, prima che una tua goccia si fosse diluita in me. Per vendicarmi un po' di te, per il mio tradimento.

E anche per questa sensazione folle che tu, in qualche modo, mi sei più fedele di quanto lo sia io verso me stesso.

Comincia a schiarire. Sono vicino a casa (non preoccuparti, sono vestito) e resto in macchina a scrivere. Non riesco a smettere. Fra un attimo entrerò in casa e preparerò per tutti una colazione grandiosa con frittata, cornflakes e insalata che taglierò dai resti della mia coscienza. Non hai idea di che storia abbia dovuto inventare per rimanere fuori tutta la notte.

Non riesco a credere di averlo fatto...

Spero di non dare l'impressione di esultare o di esserne orgoglioso. Non so cosa sento. So solo che in questo momento la cosa migliore è non sapere. Non pensare di avere corso in quel modo. Di avere corso così, di essere io quello che correva, di notte, laggiù, quella macchia.

Yair

Un'ultima cosa. Ieri, prima di uscire, ho letto a Yidò un racconto da un libro intitolato *La valle degli animali bizzarri*. Non so se lo conosci. Ho letto il brano in cui Momintrol, una delle creature, si nasconde sotto un grande cappello che lo trasfigura. Tutti i compagni fuggono spaventati, ma a quel punto entra nella stanza la mamma di Momintrol, che lo guarda e domanda: "Chi sei?". Lui la fissa con sguardo supplichevole, perché lo riconosca. Se lei non lo riconosce, come potrà continuare a vivere? La mamma guarda questa creatura che non assomiglia neppure al suo bambino e dice tranquillamente: "Sei il mio Momintrol". Ed ecco il miracolo: Momintrol muta d'aspetto, lo sconosciuto sparisce e lui torna a essere se stesso.

Ora è davvero tutto nelle tue mani.

16 luglio

Myriam,

all'inizio non ho capito cosa stessi leggendo: cercavo, ovviamente, una reazione alla mia corsa notturna (segni di punteggiatura dopo parole come "basta", "pazzo", "esci dalla mia vita"), ma gli occhi hanno cominciato a impigliarsi in asole, bottoni, uncinetti, ricami, orli e altri accessori di riti femminili di cui, in parte, non conoscevo nemmeno l'esistenza (cos'è l'organza? Cos'è un volant?). E subito ho cominciato a mormorare dopo di te, con rassegnazione: pullover di cashmere, camicia viola con campanelline, camicia bianca con bottoni di legno quadrati...

Ti puoi immaginare cos'ho pensato mentre leggevo: non è possibile. Una donna non farebbe mai una cosa del genere, nessuna che io conosca. Ma questo lo sai, vero?

Gli abiti semplici e quelli eleganti, quelli che nascondono e quelli che rivelano (mi sto semplicemente infervorando, rumino di piacere). Quello classico con la schiena scoperta, quello da *femme fatale*, quello viola con il colletto tondo – mi sembra di capire che il viola è il tuo colore. Apparentemente di seta, vaporoso, attillato sul petto mentre il resto ricade morbidamente (non disturbare, sto facendo progressi!). E l'altro viola, con la scollatura a barchetta da una spalla all'altra, che scivola sui fianchi e sul sedere...

Leggo e rido. Per me gli abiti non sono che il modo più pratico per nascondersi mentre per te, mi sembra di capire, rappresentano uno strato vivo. Anche se non sei capace di evitare un tono frivolo, un po' artificiale, mi pare. Sembra che ci siano ancora delle convenzioni da rispettare: i sospiri un po' affettati per i "cosciottoni", la ricerca dell'abito perfetto che metta in risalto il seno e nasconda i fianchi (non ho la più pallida idea di cosa si stia lamentando, signora mia. Il suo sedere mi sembra splendido, due mezze lune morbide e luminose. Fammi un favore, lascia queste faccende agli esperti).

Posso continuare ancora un po' con queste smancerie?

Per un attimo ho pensato che tu mi stessi prendendo in giro, è una possibilità che considero sempre. Ma questa volta mi sono lasciato irretire e sono tornato a immergermi nella magia di quell'elenco. Chi ti ha svelato che la pignoleria mi smonta? Stralunato, con un sorriso da imbecille, mi sono lasciato avvolgere nelle ragnatele che ti fasciano la pelle: la seta, il cotone, la lana, i merletti, i ricami, il satin, la mussola. Oppure quell'abito confezionato per la festa di fine anno al liceo, quello con l'orlo traslucido cucito con filo D.M.Z. (come fai a ricordare una cosa simile? Io non ricordo cosa indossavo ieri!). Non è possibile, te lo ripeto. Tutto questo contraddice le leggi. Nessuna donna normale rivelerebbe così, in una fase ancora embrionale, i suoi piccoli segreti. Non mostrerebbe, con divertita naturalezza, i suoi reggiseni (metti da parte per me, per la mia prossima vita, gli ultimi due, quelli con il pizzo in alto che, detto fra noi, hanno risvegliato il mio interesse proprio per la loro semplicità, un po' anacronistica rispetto alle moderne lusinghe del mercato). Una ragazza con il viso anni Cinquanta, ecco quello che sei.

La cosa che mi è piaciuta di più è stato il sorriso che avevi scrivendo, l'hai notato? Un sorriso nuovo fra noi, il sorriso di una donna intenta a un'occupazione femminile, privata e intima, che non le procura una particolare emozione ma le anticipa il piacere che proverà con il suo uomo grazie a questo piccolo sforzo. Una sorta di rito privato.

Mi coglie all'improvviso l'idea che tu mi abbia scritto questa lettera mentre eri completamente nuda.

Yair

"Eccomi qui, davanti a te" hai scritto.

Sì.

Sai, a volte sono un po' lento nel capire. A una prima lettura ho pensato che mi stessi offrendo i tuoi abiti per nascondere la mia nudità. Ma un'idea del genere non ti si addice, al contrario. Poi mi è sembrato un gesto di seduzione, originale, bizzarro, un po' ridicolo, e goffo: uno strip-tease verbale. E a poco a poco il tono della tua voce è cambiato.

Ecco una nudità, dici (o perlomeno, così lo interpreto ora), che non è come un coltello e non è come una ferita. Una nudità svelata e vulnerabile, un po' imbarazzata e pietosa. Esattamente come la tua. Una nudità non perfetta, di una donna della mia età. Guarda, dici, è un po' timorosa e cerca di celare i suoi difetti con tanti piccoli trucchi, a cui però è disposta a rinunciare, per chi vorrà guardarla con occhi indulgenti.

E fa uso di abiti (dici così?), di camicie, vestiti, reggiseni, cinture, così come gli esseri umani usano le parole, le "loro". Ma tu vieni, tocca, senti; è una nudità che può anche guarire. Myriam, venti volte al giorno mi ripeto: lei vuole aiutarti, davvero. Ed è meraviglioso ai miei occhi, perché ancora non capisco cosa trovi in me e mi riesce difficile credere che mi stia accadendo una cosa simile. Dimmi, per una volta, cosa posso darti io? E cosa ti do? E cosa ti attira verso di me? A volte mi rimprovero: cerca di darle una mano, rivelati per quel che sei, senza nasconderti. Cosa temi ancora? Leggi quello che scrive, è talmente ovvio...

Ma c'è dell'altro. Oggi, se penso a quel punto della mia mente senza di te, immediatamente sparisce subito, si congela, si *atrofizza*. È esattamente quello che è successo quando ho ricevuto la lettera respinta senza che tu l'avessi letta. Sono rimasto congelato. Ho pensato: ecco, sei finito. Qualche tempo fa hai scritto che, se qualcuno rifiuta di riconoscere un tuo sentimento particolarmente intenso, ti senti come se quella persona ti stritolasse, ti uccidesse. Quando l'ho letto mi è sembrato un po' eccessivo e arrogante, ma nel momento in cui mi hai rimandato la lettera e ho pensato che non mi volessi più, che tu rifiutassi il sentimento-che-provo-per-te, ho capito esattamente cosa intendevi con "stritolare". Ho vagato per ore nel vuoto della mia testa, senza ritrovare quel punto, né la strada per arrivarci. Sapevo che tra poco avrebbe ricominciato a morire e ho avuto paura, perché senza di te non potrò mai più ritrovarlo.

Lo so che sto farfugliando, ma sono certo che tu mi capisci. Chi, se non tu? Hai raccontato un po' dei tuoi anni bui, anni di Siberia interiore, il tuo primo matrimonio. Non so cosa sia avvenuto esattamente, ma quando hai descritto quella tua "cosa particolare" che inaridiva perché nessuno al mondo la voleva e nessuno sapeva che era possibile chiedertela... Tre, quattro frasi come questa e poi, di colpo, mi hai chiamato per nome. Hai chiamato per nome la materia prima che mi compone. A un tuo semplice tocco ha subito un rapido processo di mutazione, cambiando colore, temperatura, consistenza, modificando la struttura molecolare delle sue componenti nobili rispetto a quelle più vili. Cos'altro posso dire?

Hai scritto che, se non fossi certa che alla fine verrò da te, allo scoperto e con coraggio, mi avresti già lasciato perdere. Lo so. Ma dentro di me nutro anche il timore che non riuscirai nel tuo intento. Vorrei aiutarti, lo vorrei davvero, ma ne sono assolutamente incapace. Cerca di capire. Lo sono per legge, la mia legge insensata. C'è qualcosa di inanimato laggiù, nel punto bianco e vuoto al centro dell'essere. Qualcuno è steso là, morto. Io posso solo guardare i tuoi eroici sforzi di rianimazione come uno spettatore impotente, niente di più. E pregare che non ti dia per vinta.

17 luglio

Solo un biglietto scritto sul tavolino di un bar. Soprattutto per il piacere di mandarti qualcosa da Tel Aviv. Avevo una faccenda da sbrigare qui, oggi, nei dintorni di Beit-Lessin. Ho finito presto e invece di tornare subito a casa sono andato un po' in giro, pensando che sarebbe stato bello se tu fossi stata con me.

Niente di particolarmente audace, solo camminare con te, mano nella mano. Sedere insieme in un bar. Ho persino ordinato due caffè.

È bello stare così con te, serenamente. A volte ti lamenti, dici che io ti sprono, come se ci fosse una "meta" che mi sono prefisso di raggiungere con te ("Sei teso, rincorri sempre qualcosa").

Torta di mele? Con panna – e al diavolo la dieta? Bene, un piattino e due forchette. La cameriera sorride e la gente guarda. Che guardino pure. Metti la mano sulla mia e parliamo di frivolezze. Sollevi un po' il vestito e mi mostri, sotto il tavolo, le scarpe, domandandomi se sia il caso di comprarne un altro paio così, sportive, ma arancioni. Mi va di fare follie con le scarpe, dici. Io divoro con gli occhi le tue gambe lunghe e bianche e dico, perché no? Ti starebbero bene, permetti che te le compri io? Mi sorridi, chiedendomi se disapprovo ancora i tuoi occhiali e io li osservo con attenzione. Un momento...

(Il cuore mi si è semplicemente carbonizzato ora, rendendomi conto del trabocchetto che mi attende sul tuo viso, tra quegli occhiali e quelle labbra. In ogni caso sono troppo grandi e severi...) Tu mi lasci dire, accarezzandomi la mano. Ti faccio una domanda e tu rispondi di no, la ripeto e tu dici di avermelo già raccontato due volte. Raccontato cosa? chiedo con finta ingenuità, e tu sospiri, ripetendo per l'ennesima volta come sei riuscita a rintracciare la ragazza cinese che avevi conosciuto anni prima all'università, e come lei ti ha poi aiutato a trovare l'indirizzo del giornale di Shangai. Io ti osservo e bevo ogni parola pronunciata dalle tue belle labbra. Come mai non è venuta in mente a me un'idea del genere? Io avrei dovuto pensare a una cosa simile!

Mi è piaciuta così tanto l'idea, spieghi, che solo noi, tra un miliardo di israeliani, riceveremo quel giornale una volta alla settimana. E io ripeto quello che hai detto senza voce, muovendo solo le labbra: anche l'affermazione "quattro miliardi di cinesi" merita di essere verificata, e ridiamo entrambi, di te e di me. My-riam e Ya-ir.

Senti, una bambina, qui, ha chiesto a suo padre, un momento fa, di farle sentire il suo tono di voce più basso. Lui ha emesso una specie di "muhhhh" forte, da bue, e immediatamente, da ogni angolo del bar, si sono alzate voci molto simili: tutti gli uomini hanno tentato di fare lo stesso...

Anch'io, cosa credi?

Sai come si chiamano quegli alberi con i fiori rossi? Dimmi, Yair, perché Beit-Lessin si chiama così? Racconta prima tu di quando suonavi con Ana, da ragazza. Ma anche questo te l'ho già raccontato. Che importa? Raccontamelo di nuovo. A dire il vero non ricordo se ti ho parlato dei nostri viaggi a Haifa, al negozio di spartiti Bayer in via Hertzl, a Beit HaKranot. (Me ne hai parlato ma taccio.) Però ti ho scritto di quello spartito che abbiamo comprato laggiù, con l'*Impromptu* di Chopin e la marcia militare di Schubert. Non ricordo se poi ho suonato la melodia o l'accompagnamento. Ma basta, basta. Ti ho già raccontato tutto questo! È vero, ma mai a Tel Aviv, e mai con questo abito viola (che ha il corpetto quasi trasparente e un volant, aiuto!, sulla gonna).

Magari a un certo punto passerà Ana, con uno dei suoi cappelli di paglia che fanno girare la testa, e la inviteremo a sedere con noi. Lei si accomoderà, con le gambe che arrivano a malapena al pavimento, poi ci guarderà con il suo sguardo malizioso e capirà tutto. Non dirà una parola ma saprà tutto quello che c'è da sapere, e io mi sentirò come se venissi ammesso in un club riservato ed esclusivo. Forse non avrò nemmeno paura che qualcuno sappia il nostro segreto perché di Ana – come ripeti continuamente – ci si può fidare (però aspetta a raccontarglielo).

Ti invidio un'amica così, un'amica del cuore.

Io? Un amico come Ana? Magari! Ho solo una serie di surrogati: nell'esercito, al lavoro. A metterli tutti insieme, forse ne verrebbe fuori qualcosa.

Una volta l'avevo. È finita. Peccato.

(Che sole, Myriam, un sole stupendo. Chiudo gli occhi, cerco di vederti.)

Ancora nessuna lettera. Ho fatto di nuovo un salto alla casella, di ritorno a casa, ma non c'era nulla. Provo una sensazione strana, oggi. Da questa mattina mi sento inquieto. Come se una parte di me, un mio organo interno, si aggirasse solo per il mondo e io non avessi la più pallida idea di cosa gli stia succedendo.

È notte fonda e sono sveglio. Già da qualche settimana soffro di una leggera insonnia. Maya mi ha comprato dei sonniferi e io li butto nel water, dicendo a tutti che non mi fanno niente. Voglio dormire. Non voglio dormire. Come hai detto tu, una volta? La notte è il momento in cui siamo insieme.

(Tutti mi chiedono perché resto sveglio di notte. E cosa scrivo di continuo. Ho una spiegazione che forse non è lontana dalla verità. Dico che provo, per la prima volta, a scrivere una storia.)

L'altro ieri, in quel bar di Tel Aviv, sotto un sole splendente, ha preso forma nella mia mente un'idea oscura, appena abbozzata, che mi frullava in testa già da tempo: che io sia una sorta di "gemello nero". Voglio dire (capisci? Hai bisogno di spiegazioni?) un bambino che nell'utero ha ucciso il suo gemello. So che questa idea non ti diverte, ma mi accompagna da sempre, come un'ombra, fin dalla prima infanzia. Mi vedo come un relitto umano, rimasto irrimediabilmente ferito e contuso nel corso della lotta sostenuta contro il gemello nell'utero. Chi era costui? Non so. Perché avrei dovuto ucciderlo? Non so nemmeno questo. Anche l'idea è rimasta a uno stadio embrionale. Era un esserino piccolo e luminoso. Lo vedo circondato da un alone giallo, o dorato. Un essere uterino celestiale e raggiante. Emanava una luce calma, costante, non discontinua, radiosa. E io l'ho ucciso.

Adesso, mentre lo scrivo, la cosa mi intristisce.

A volte mi dispiace di non averti incontrata in un altro modo, più semplice. Di non avere cominciato con te una relazione appassionata e solo dopo, a poco a poco, essere arrivato a scoprire tutto il resto. Immagina un po'.

Come vorrei poter stare con te, ora, in un luogo qualsiasi,

non importa dove. Un posto dove la gente si incontra così, per caso. Ai giardini pubblici, in ufficio, per strada, dove vuoi tu. Dove la tua anima si sente appagata solo per il fatto di trovarsi lì. Senza dire nemmeno una parola. Magari anche in un negozio di verdura, come ho detto una volta e tu ne hai riso.

Sai cosa faccio ogni tanto? Stringo forte i pugni contro gli occhi e vedo una miriade di puntini luminosi. Mi hai raccontato che tu ti consolavi così, da bambina, quando cadevi nel tuo pozzo di Giuseppe. Sprigionavi luce da te stessa. Be', ora io non mi sento abbandonato, per niente. Ma sento la mancanza di qualcosa.

Ecco il negozio. Lo vedi? Un negozietto di frutta e verdura, come quelli di una volta. Scatole di cartone e cassette di legno. Bilance antiche e stadere di ferro. Ed eccoti, è bello vederti qui. Mi volti le spalle, con la testa un po' reclinata, e io vedo la tua nuca chiara, la treccia delle vertebre, lunga e sottile. Sei in piedi accanto a una cassetta di patate. La cosa più semplice e banale, no? Tieni qualcosa fra le mani. Cos'è? Una patata molto grossa con un po' di terra incrostata. La guardi come ipnotizzata. Cosa accadrà ora? Non ne ho la più pallida idea. Quello che la penna scriverà. Passo dietro di te. Una volta e un'altra ancora. Mi avvicino e mi allontano. Mi avvicino di nuovo. Sono attratto da te. Non capisco cosa trovi di tanto emozionante in una patata.

Sei al centro del negozio, non vedi gli altri clienti, non senti gli autobus che passano in strada, sbuffando fumo nero. Sei sola, completamente immersa in te stessa. Cos'hai là dentro? Portami con te per favore, nascondi anche me laggiù. Non lasciarmi qui fuori, a invidiare quella patata. Sbircio con impudenza fra le tue mani e vedo che la patata somiglia a un volto.

Cosa accadrà ora? Non so. Fluttuo verso di te.

Tu noti il mio sguardo e sorridi imbarazzata, con quel tuo sorriso triste. È così anche quando parli. Sempre. Come se ogni volta dovessi riaprirti un varco nella tristezza.

Sorridi e alzi le spalle, a mo' di scusa, con l'espressione di chi è stato colto in flagrante, dimenticando che tutto quello che è al di fuori di te è flagranza. Con un gesto della mano mostri le altre patate nella cassetta, come per invitarmi a sceglierne una. Mi chino e mi ritrovo davanti un mucchio di facce strane, brutte, deformi, che senza motivo mi spezzano il cuore.

Improvvisamente tutte le croste di sporcizia cominciano a staccarmisi di dosso. Croste spesse e raggrumate. Che bestia sono diventato, Myriam. Come mi sono insudiciato.

Rimaniamo in silenzio, non ci siamo ancora detti una parola. Intorno a noi la gente preme, stiamo bloccando il passaggio. Si arrabbiano. Non importa, ne abbiamo il diritto. L'hai detto tu, fin da principio: tutto quello che c'è tra noi ha il diritto di esistere. Mi ha veramente commosso il fatto che tu conceda a te stessa piena libertà di sentimenti nei miei confronti.

Mi guardi. Sei stupita che io non mi affretti a scegliere una patata dal mucchio. Io ti osservo. E allora, come se avessi improvvisamente riconosciuto qualcosa nel mio sguardo, qualcosa che io stesso non vedo, mi tendi la patata che tieni in mano. Io la sfioro appena, niente di più. È calda, tenendola in mano le hai trasmesso un po' del tuo calore. È calda come un essere umano. Fisso il suo viso d'angelo mongoloide, con le guance larghe e macchiate, gli occhi scuri, immersi in un sogno cieco. È angosciante.

Perché hai scelto quella? Perché me la porgi? Voglio svegliarmi ma non separarmi da te. E se mi sveglierò, non sarò con te come lo sono ora. Guardo diritto nel palmo della tua mano. Vedo.

È strano, Myriam, ma questo la mia penna ha scritto per te. Non mi è chiaro da dove salti fuori né perché, improvvisamente, mi senta tanto triste. Come se avessi ricevuto una cattiva notizia. È del tutto illogico. Penso a come avrei voluto farti ridere e, alla fine, guarda cosa mi succede.

Non sono sicuro che ti piacerà questa legge dei vasi comunicanti.

Cominciamo a scriverci?

Mia cara,

solo per dirti che sono qui, con il tuo foglio, nel silenzio più assoluto. Ti ascolto, non mi sei mai di peso, non mi infastidisci. E non oltrepassi la misura.

Sono già dentro di te, Myriam, finalmente dentro la tua storia.

Fin dal primo momento hai avuto più ragione di me: quella è la tua vita, sono i fatti e le piccole cose quotidiane, non "un'accozzaglia sudata".

Non faccio che pensare a quello che hai detto allora: per tutta la vita hai cercato di trasformare quello che io chiamo "accozzaglia sudata" in qualcosa di più. Perché se tu dovessi rinunciare, anche solo per un'ora, a questa battaglia, tu stessa ti trasformeresti subito in "un'accozzaglia".

Come ci riesci?

Ho la netta sensazione che anche tu sia sveglia, ora. Forse i tuoi cani ti girano intorno, nervosi, chiedendosi: "Perché è sveglia? Le donne perbene dormono a quest'ora, non si aggirano in piena notte tra la cucina e la veranda".

Gli hai davvero annusato il pelo per cercare i resti del mio odore? Te l'ho detto. Mi hanno fatto quasi morire di paura.

Non fare caso a me. Farfuglio, mi assopisco sulla tua spalla, trasognato. Dopo quei giorni folli ho diritto a un borbottio sconclusionato.

Chiudo gli occhi e vedo una donna intenta a scrivere. È notte. La lampada al neon della cucina emette un ronzio. Lei la spegne e accende un piccolo lume. Il suo viso è immerso in quella luce. Vedo solo la linea netta della mandibola, la bocca fragile e vivace; la bocca che desidero. E i capelli ribelli che cerca di domare con elastici, pettinini e forcine mentre loro non ne vogliono sapere. Sul tavolo c'è una lettera aperta. Lei le lancia un'occhiata di tanto in tanto, poi torna a scrivere velocemente, commossa. La commozione sembra proprio vibrare intorno a lei, aumenta d'intensità e per un attimo sembra spaventarla. E lei cerca di scherzare, di salvare la sua anima – senti, dove pensi di trovare al giorno d'oggi una donna che abbia il tempo di fermarsi a rimirare una patata in un negozio di verdura!?

Ma le sue labbra cominciano a tremare. Scrive qualcosa e lo cancella con violenza. Non ha mai cancellato in maniera tanto energica. Si alza, si risiede, dice di sentire il bisogno di uscire a fare quattro passi, ma non si muove. Cerca di accumulare ancora un po' di rabbia per staccarsi dal foglio, vuole fomentare la propria collera – "e sappi, è molto importante che tu lo sappia: una donna in un negozio di verdura, almeno *questa* donna, prova sempre un pizzico di rabbia!".

Mentre scrive queste parole, sgorgano le lacrime e bagnano il foglio. Mi scrive la sua storia, quindici pagine, quasi senza staccare la penna dal foglio, e solo alla fine può tornare a respirare, e persino a ridere un po', evidenziando con un tratto di penna la macchia lasciata da una lacrima: "Guarda, come in un romanzo dell'Ottocento...".

Ehi, Myriam, ricordi che già all'inizio, in un momento di esasperazione, hai chiesto: "Ma tu sei sempre così? Fiamma di spada guizzante?[10] Anche nella vita quotidiana? Con tutti?". E hai chiesto com'è possibile vivere in questo modo in famiglia, e se anche Maya abbia dei ritmi del genere o se, piuttosto, io abbia bisogno di qualcuno che sia l'esatto opposto di me, che mi calmi.

È quello che vorrei domandarti io, adesso. Ma tu sei sempre così? E come fa un'esuberanza del genere a trovare posto nella vostra casetta? E come hai potuto trattenerti fino a oggi?

Penso alla donna che ho visto quella sera nel cortile del liceo e a quella che mi strapazza ormai da quattro mesi, e posso solo ridere di me e della mia stupidità.

Non ho niente da aggiungere adesso. Volevo solo farti sapere che ho ricevuto la tua lettera e che provo qualcosa che non credevo esistesse: piacere e dolore a un tempo, proprio nello stesso punto, come avevi promesso. Mi chiedi cosa veda in te, ora. Ora che so. Dovrei scrivere dieci lettere per

[10] Citazione biblica: *Genesi* 3,24. [*N.d.T.*]

spiegare tutto quello che vedo. Probabilmente le scriverò, nel tempo, ma ora, cioè alle due meno sedici minuti, vedo solo una donna che, dopo avere scritto per una notte intera, posa la fronte sulla mia, esausta. Una spossatezza di anni, probabilmente, e guardandomi negli occhi dice che con quella patata ho toccato il punto esatto in cui lei è muta.

Anch'io tacerò adesso. Buonanotte.

Yair

25 luglio

Continuo a ripetermi: che fortuna non avere mai fatto domande a nessuno sul tuo conto!

Perché, quando all'inizio hai chiesto che prestassi orecchio solo a quello che tu avevi da raccontare, così che nessuna storia si trasformasse in "pettegolezzo", ho riso un po' in cuor mio (ma che turpi storie avrà mai da nascondere, questa qui?).

E non mi pento di averti convinto a non incontrarci faccia a faccia e *ashes to ashes*. Perché non ho dubbi che, se ci fossimo incontrati di persona, non saremmo riusciti a conoscerci *nel modo in cui ci conosciamo*. Io mi sarei subito sentito obbligato a sedurti, a scoprirti in quel mio modo rozzo, come se tu fossi merce in vendita. Pensa cosa ci saremmo persi, quante cose non avremmo mai saputo.

Non parlo dei fatti. Quelli, i fatti reali e quotidiani, li avrei scoperti anche con una breve-ma-intensa relazione. Me li avresti raccontati, avresti dovuto farlo, come succede in tutti i tradimenti. Ma allora non avrei conosciuto la tristezza che già da qualche giorno mi tengo stretta (con una sorta d'incomprensibile nostalgia).

E non solo la tristezza. Tutto quello che è legato a te, ogni sentimento che susciti in me e che mi rimane aggrappato giorno e notte, senza stancarsi. Mi preme addosso il viso e il seno.

Quando ti ho detto del lessico privato che volevo creare con Yidò, hai scritto che a te sarebbe sempre piaciuto che ogni granello di sabbia, ogni goccia di mare o favilla di candela avesse un nome proprio. In quel momento mi sei piaciuta moltissimo. Forse perché, per la prima volta, ho capito che sapevi lasciarti trasportare dall'immaginazione: a un certo punto ti sei messa a fantasticare di un luogo in cui gli uomini saranno occupati a dare un nome a tutto ciò che appartiene al mondo animale-vegetale-minerale, sarà quello il loro scopo primario. Mi hai trascinato per mano nel tuo giardino, passando da un filo d'erba a un granello di terra, da una goccia d'acqua a una coccinella, chiamando ogni cosa con un nome buffo. Ma allora non capivo cosa intendessi dirmi con questo (cosa capivo, allora?). Solo ora, sapendo qualcosa degli anni in cui pregavi che ogni albero si chiamasse solo: "albero", e ogni fiore: "fiore", anni in cui "sentire" era per te "vivere al di là delle tue capacità", solo ora comincio a capire che, in fondo, intendevi dirmi di avere finalmente iniziato a guarire.

Non so cosa io abbia a che fare con tutto questo, se abbia contribuito in qualche modo alla tua guarigione. Però mi commuove il pensiero di esserti vicino in questo momento, perché mi sembra che da tempo, da molto tempo, non sia successa a qualcuno una cosa tanto bella mentre io sono nei paraggi.

Y.

Ho dimenticato la cosa più importante. In nome di tutti quelli su cui mi hai fatto giurare (con la solennità che si trova, credo, solo negli accordi fra Stati, o nei patti-tra-bambini); in nome delle scarpe arancioni che hai poi acquistato; in nome di *Ti manderò una cerbiatta* di Amir Gilboa, che ti sei comprata come regalo da parte mia; e soprattutto in nome del fatto che hai ordinato una nuova montatura di occhiali – giuro di proteggerti come un amico.

26 luglio

Ho pensato che...
No, il tono è troppo ufficiale.
Questa mattina, dal meccanico, pensavo che... Forse perché tu usi spesso questa parola, comunque mi è venuto in

mente che in ebraico "maternità" suona esattamente come "mancanza di essenza". Non poche madri, immagino, hanno la sensazione che il figlio le svuoti, prosciughi la loro linfa vitale. Ma tra te e Yochai...

Ehi... è la prima volta che scrivo il suo nome. Mi si scioglie in bocca e nella mente come miele (ma anche con una punta di amaro, sì).

Potevo proprio vederlo. Tu eri con lui. Che meraviglia! È così pieno di gioia di vivere, e ovunque vada la gente gli si affeziona.

Leggo quello che racconti e posso sentire nel mio corpo la *tua* maternità come una sorgente tiepida che sgorga dentro di me e scorre verso di lui. Una sorgente lattiginosa e abbondante. Sento come lo circondi e lo avvolgi d'infinito amore. Sul serio, ho cercato con la lente d'ingrandimento ma non ho trovato dentro di te nemmeno una goccia di amarezza o di rabbia nei suoi confronti per quello che è successo.

Quando giocavamo a quel ping-pong di sveltine hai chiesto a un certo punto se è possibile che qualcuno possa ricominciare ogni volta la propria vita solo per rispondere al richiamo di un altro. E l'altro ieri, leggendo la tua lettera, ho capito questa domanda. Non solo "ho capito": qualcosa nel mio corpo si è un po' agitato, in profondità, ha palpitato per te (e allora, naturalmente, mi sono ricordato di quello che ha detto Ana: che durante la gravidanza il suo cuore batteva nell'utero).

Aspetto una tua lettera.

Yair

30 luglio

Sì. È quello che ho scritto. Scusa, non stavo riflettendo (ma se dovessi spiegare, potrei farti molto più male).

Prima di tutto, hai ragione. E stupisce veramente pensare che quella frase mi sia sfuggita, come qualcosa che non deve essere verificato, o spiegato. Come fosse una legge della natura: "rabbia nei suoi confronti".

Forse perché io posso facilmente immaginare dei genitori

106

capaci di prendersela con i figli anche in casi molto meno gravi. Con chi prendersela, altrimenti? Chi potrebbero incolpare? (No, non potrei nemmeno biasimarli.)

Scrivi che più di ogni altra cosa ti è difficile vedere un bambino in quello stato, un bambino che non sa quello a cui dovrà rinunciare, che non avrà mai una famiglia sua, che non amerà, non darà amore. Io, però, lo so, in un angolo del mio cuore, avrei provato anche risentimento nei suoi confronti.

Oppure no? Esiste forse in me un lato nobile che si rivelerà solo nel momento del bisogno? Temo di no. E allora? Non so. Come si fa a saperlo? Tu stessa hai detto che non avresti mai immaginato quanto potesse essere difficile assistere impotenti al suo estraniamento, senza nessuna speranza; e quanta forza hai trovato dentro di te, che non sapevi di avere.

Quello che dico ti ferisce e probabilmente mi disprezzerai. Parafulmine... Ma abbiamo un accordo, vero? Tutto. Altrimenti a che serve? Alla fine, forse, capirò qualcosa. E forse, finalmente, potrò respirare...

Poco fa ho fatto un piccolo esperimento con la tua lettera. L'ho copiata, sostituendo i pronomi femminili con pronomi maschili. Capisci? Come se la tua storia fosse la mia. Ho provato a raccontarti di mio figlio, Yochai.

Dopo un foglio e mezzo non ce l'ho più fatta. Per via dei suoi accessi di rabbia. A quel punto sono crollato. Quando diventa un altro e fa paura, quando d'un tratto si scatena in lui il bambino folle e selvaggio, capace di rompere e distruggere tutto quello che c'è in casa. So che non ce l'avrei fatta a sopportare il suo distacco, quando è impossibile arrivare a lui. Quando è solo furia cieca. C'è anche bisogno di una gran forza fisica per afferrarlo e calmarlo quando è in questo stato, vero? Dove nascondi i muscoli necessari?

Se potessi, ti comprerei una casa grande, enorme, capace di contenere la tua anima, e la riempirei con tutti i tuoi sogni, grandi e piccoli. Tappeti, quadri, libri e tantissimi soprammobili di ogni dimensione. Te li porterei da tutto il mondo: statuette di uccelli, grosse anfore di Hebron, barattoli enormi per i cetrioli sottaceto, specchi decorati e lampade cinesi, pizzi e merletti. E costruirei la casa con un sacco di finestre, ampie, luminose, senza grate, con vetrate multicolori.

Perché è terribile pensare a te in quella casa vuota.

Lentamente ripenso a tutto quello che hai raccontato. Dalla prima lettera. Ci metterò un po' a capire tutta la storia. Senti, ti ho letto troppo in fretta, con precipitazione, in segreto. Ho paura di aver perso troppe cose per strada. Mi riferisco alle allusioni esplicite a cui io, ottuso, indifferente, superficiale, non ho nemmeno fatto caso. Alla "realtà" che si infiltrava in ogni tua cellula, realtà che non potevi sfuggire, nemmeno con la fantasia, nemmeno nei sogni, la notte...

Niente fantasie, niente sogni. E se qualche volta ti sei lasciata andare, è stato solo per mezzo di opere d'arte, pittura, canto, musica naturalmente. Ma sempre giungeva la "realtà" a sollecitarti. Come si fa con uno schiavo che cerca di fuggire (o col fuoco rubato?). Allora, cosa ti è rimasto? Dove hai vissuto?

Yair

Ha già contato fino a tre?

Una torta di panna con l'uvetta ogni due, un massaggio rilassante ogni tre?

(Quando lecchi senza sosta il suo polso, finché si calma... Come hai scoperto che lo tranquillizza? Anche questo si scopre in modo naturale?)

Salutami i tuoi tre labrador tristi. Salutami la palma. Il gelsomino. La bouganvillea. Il grande cipresso al quale è appoggiata la bicicletta di tuo marito, Amos. Salutami tutti i nomi propri.

1° agosto

A dire la verità, una volta ho incontrato Yochai. Adesso ricordo. All'incirca un anno fa. Accompagnavo i bambini dell'asilo di Yidò in gita al kibbutz Tzuba. Abbiamo visitato il pollaio e mentre camminavamo tra file di polli, per caso, una gallina ha deposto un uovo senza guscio. La responsabile del pollaio l'ha raccolto e – non so proprio per quale motivo – l'ha messo in mano a me. Proprio a me.

Non so se tu abbia mai tenuto in mano un uovo come quello. Era ancora caldo e morbido, pieno di movimento nella membrana che lo avvolgeva. Non osavo fiatare. Stavo lì, con il braccio teso e la mano socchiusa, come se mi fosse stato appena rivelato il segreto della vita. E non sapevo che quello fosse un riferimento a Yochai.

C'è una cosa che mi tormenta. Non ti ho ancora scritto quel che ho provato quando, la settimana scorsa, ho capito il significato della lettera in cui, per la prima volta, hai descritto la tua casa traboccante – che ora, di colpo, hai cancellato.

Io non conservo le lettere, ma ricordo bene quella casa. Non puoi immaginare quante volte ti ci ho vista, e ho camminato con te. Quelle, per me, non erano solo parole (improvvisamente mi sembra che tu non abbia capito una cosa importante) – là, quasi ogni parola scritta aveva corpo, colore, odore e suono. Io prendo molto sul serio ciò che scrivi. Pensavi forse che per me fosse solo una specie di divertimento? Un gioco di parole?

Dico sul serio, non è un caso che il quadro della donna con la mucca di Abraham Ofek sia improvvisamente sparito dalla parete vicino alla libreria. Perché, dal momento in cui me ne hai parlato, quel quadro è entrato a far parte della *mia vita* (non sto scherzando). L'ho cercato, l'ho trovato in un libro, mi ci sono immerso, ho lasciato che mi assorbisse e non mi sono dato per vinto finché non ho capito il motivo per cui l'avevi appeso di fronte a *Tristezza* di David Hirsch. Non sono un grande esperto d'arte figurativa ma c'è una corrispondenza tra quei due quadri che mi pareva di aver cominciato a capire. E adesso entrambi sono spariti. E sono spariti anche il piccolo *Anello rosso* di Kandinskij e la *Finestra aperta* di Matisse, di cui eri così entusiasta. Immagino che anche le fotografie in corridoio abbiano fatto la stessa fine, perché erano ricoperte da un vetro. Il ritratto di Virginia Woolf, per esempio. E cosa ne è stato dell'uomo di Stieglitz che scopa la strada sotto la pioggia? (Tempo fa ho trovato anche quello nel catalogo di una mostra di Parigi.) O della fotografia della mezza barba di Man Ray? Hai inventato tutto? Anche il pianoforte che suoni ogni sera?

Almeno in cucina hai lasciato le piastrelle decorate.

Vedi, forse sono ridicolo ai tuoi occhi: tu vivi in una casa difficile e arida e io mi lamento perché ti sei ripresa delle parole che mi avevi donato. Sono solo parole, dopotutto, e io sto qui a elemosinarle, come un mendicante.

Ma c'è dell'altro.

Penso alla sinfonia di colori che hai composto. Tu, che per anni non hai osato disegnare, e tantomeno dipingere, l'hai fatto per me con colori che, prima di conoscerti, non ero sicuro che esistessero. Hai parlato di indaco, di ocra e di blu cobalto, e le parole assumevano mille tonalità. Hai scritto di tende di bisso e di lana d'angora, hai detto proprio lana d'astrakan. Ecco, quando l'hai scritto, per un attimo ho pensato che mi stessi prendendo in giro; che stessi disegnando un palazzo immaginario. Non sono capace di resistere a una donna che sa dire "lana d'astrakan". Non so nemmeno come sia fatta una lana del genere, ma non hai idea di cosa abbiano suscitato in me quelle parole... E non solo quelle... Ogni tua frase mi stimolava, era come un viaggio di studio in cui imparavo con il tatto e l'olfatto. Ridi pure, ma questo è il mio modo, stupido e limitato, di sentire il tuo entusiasmo, la smania che traspare in te e che allora non comprendevo. Pensavo che si trattasse di esaltazione, mi sono perfino compiaciuto di questa parziale somiglianza fra noi...

Ma c'è dell'altro, qualcosa di molto diverso che mi amareggia, qualcosa fra me e te.

Ho provato una fitta di dolore e di delusione, proprio così, quando ho capito che dentro di te esiste anche la capacità di fingere.

Capisci? La sorprendente disinvoltura con cui ti destreggi tra realtà e invenzione... A ripensarci, mi fa effetto scoprire che sei capace di immaginare qualcosa con tanta forza di au-

110

toconvincimento (che è fatta del materiale di cui sono fatte le menzogne).

Ma non mi sento ingannato (è assurdo che tu mi abbia chiesto scusa). Non hai fatto niente di proibito, al contrario. Era la storia che volevi raccontarmi in quel momento, e probabilmente volevi anche crederci, vederla scritta, viva nelle parole. Magari ti piaceva l'idea che esistesse anche nei miei pensieri, che a modo suo fosse presente in questo mondo. E io ci ho creduto perché è il primo articolo della nostra costituzione, ricordi?

A volte provochi in me dolori simili a quelli che si provano durante la crescita – nelle articolazioni dell'anima, però. È una sensazione strana. In ogni tua lettera imparo su di te qualcosa di nuovo e d'inatteso, ma mi separo anche da qualcos'altro che pensavo o immaginavo di te. Certi giorni sento che sono ancora molto lontano dal conoscerti come vorrei. Ed è già agosto.

Yair

In ogni caso, devi sapere che anche ciò che hai descritto in quella lettera piena di cose è rimasto vivo e presente per me. Non mi è chiaro come, ma il pianoforte, i libri che tappezzano le pareti, l'anfora panciuta, i campanelli che hai portato da Venezia... Devo solo chiudere gli occhi per vedere contemporaneamente quello che c'è e quello che non c'è.

A proposito, hai portato davvero le sculture degli uccelli dal Kalahari o hai solo desiderato farlo quando ti trovavi là? Sei veramente stata nel Kalahari? Voglio dire, ci sei andata davvero con Ana, vent'anni fa, nel vostro primo viaggio all'estero (prima ancora di aver visto *La Gioconda*, la Tour Eiffel e il Big Ben) per osservare le "grandi piante di velvetia" di cui avevate letto nell'enciclopedia per ragazzi?

E Ana esiste?

5 agosto

Senza preamboli, una richiesta urgentissima: prosegui senza indugi, né pietà...

Non immagini nemmeno cos'hai fatto scrivendogli. Ignorandomi e rivolgendoti direttamente a *lui*. Nessuno mai gli aveva parlato così. Non è solo quello che hai scritto, ma il modo in cui l'hai fatto. Perché questo bambino è stato oggetto di attenzioni, ha avuto anche cure materne e tenerezza in grande quantità, talvolta in modo perfino esagerato. Ma solo di rado ha provato questo piacere: essere capito.

Che sollievo. Il sollievo dell'armatura che scopre dentro di sé un cavaliere ancora vivo.

Sì, hai visto giusto: un bambino piccolo e magrissimo, con il volto amareggiato. Un bambino sempre teso, insofferente come un vecchio, e irrequieto, terribilmente agitato. Come se dovesse sempre dimostrare qualcosa e lottare per la vita. Come facevi a saperlo? Come può una persona conoscerne un'altra? Un cospiratore, hai scritto. Ma uno di quelli che agiscono in casa, in famiglia. Sì, sì! Persino la cosa tremenda che hai detto a proposito della sua solitudine, diversa da quella degli altri bambini. Ogni tua parola è caduta esattamente dove era attesa da anni. Non la solitudine di un bambino, ma quella che prova una persona affetta da una malattia *infamante* (come mai non hai avuto paura di pronunciare questa parola?). È vero, è vero, un bambino che sta attento a non indebolirsi, a non cullarsi nell'illusione che sia possibile concedersi, che esiste, da qualche parte, la possibilità di lasciarsi andare...

È stato come se tu avessi messo un cartellino con il mio nome sul golem che sono. Ero come un recipiente fragile, una piccola cornamusa che chiunque poteva suonare. Mi basta scrivere queste parole per sentire la voglia di spaccare la faccia a qualcuno. Il mondo mi sommergeva come un oceano e si ritirava, a ondate, per poi tornare a sommergermi. Era *questa* la sensazione dell'essere bambino: un moto ondulatorio, morbido, infinito. E burrascoso. Hai mai provato un tale tumulto dentro di te? Forse quando eri incinta, forse durante il parto, mentre io sono sempre stato così – un maremoto.

Rido ora (una risata da iena): com'è terribile che tutto questo sia finito. E com'è terribile che possa anche rallegrarmene... Perché la vita è molto più sopportabile ora. È più facile oggi passare da un momento all'altro. E col tempo si dimentica perfino la paura di calpestare le righe fra le piastrelle. Non ci sono più coccodrilli in agguato.

Capisci, vero? Sai interpretare questo borbottio interiore? Sei tu ad aver scritto "bimbo-incandescente", sei tu ad aver intravisto la fiamma che avvampava sotto la pelle trasparente. E sai anche molto bene, forse per esperienza quotidiana, come una "fiamma strana e clandestina" possa essere di peso a un bambino.

Sì, pesa e si fa beffe di lui. Lo fa impazzire e risveglia un istinto omicida che lo spinge a soffiarci sopra, per spegnerla definitivamente. Ma non come hai fatto tu nelle ultime righe... tu ci soffi sopra con cautela, e quasi con speranza, per vedere cosa succederà se, per una volta, le sarà permesso di trasformarsi in fuoco.

Non fermarti proprio ora, in piena rianimazione.

Yair

6 agosto

Guarda questa fotografia. Ci ho messo un giorno intero per trovarla (l'ho cercata per via di qualcosa che era scritto nella tua lettera). L'ho scattata a Londra cinque anni fa e racchiude una piccola storia: mi trovavo lì per lavoro e una sera, mentre tornavo in albergo, ho visto un corvo piccolissimo che sembrava molto malato (un corvo piccolo e con le penne rizzate). Stava sul marciapiede, all'interno di una linea tracciata con il gesso, ormai sbiadita, probabilmente quello che restava di un gioco di bambini. Apriva e chiudeva il becco, come se parlasse. Non solo, avresti dovuto vederlo... pareva quasi perorare una causa con grande foga, come offeso, o sostenere un'accusa davanti a un giudice invisibile...

Avrebbe anche potuto sembrare divertente. Io però mi sono allontanato dal viavai dei passanti e, appoggiato a un muro in disparte, mi sono messo a guardarlo, incapace di proseguire. Ero stanco e mi girava un po' la testa, forse per la fame, ma non riuscivo a staccarmi da lui. Ho pensato di comprare del pane, per nutrirlo, ma temevo di suscitare la curiosità della gente. Mi sono allontanato di qualche passo ma ho sentito che mi chiamava, colpendomi alla schiena, e sono tornato. Mi sono detto che era pericoloso guardarlo, perché a poco a poco mi avrebbe aspirato dentro di sé e sarei rimasto lì prigioniero. Avrei cessato di esistere. Non ho idea di quanto tempo sia passato, forse solo qualche attimo. Se ne stava tra i passanti, in mezzo al marciapiede, gonfiando le piume contro il freddo, con l'aria triste e il capino – lo vedi? – piegato di lato, in segno di protesta... La gente lo scansava indifferente, con quel passo inglese misurato. Molti non lo guardavano neppure, e io, appoggiato al muro, intuivo, con una strana rassegnazione, che di lì a poco sarei crollato. Mi sarei seduto per terra e sarei rimasto così.

Ho dimenticato di dire che ero reduce da un incontro importante, avevo appena concluso un grosso affare, roba da molti soldi, uomo di mondo – bum bum, e indossavo il mio abito elegante. Niente avrebbe potuto venire in mio soccorso perché ciò che in quel momento mi aveva sopraffatto era molto più forte e più adatto a me, al gemello nero. Alla fine, con le poche forze rimaste (questa volta non esagero), ho infilato una mano nella borsa, ho estratto la macchina fotografica e ho scattato. È stato proprio un impulso istintivo che ancora oggi non mi spiego, ma che probabilmente mi ha salvato, senza che io sapessi come. È stato come ricevere una scarica elettrica nel punto in cui, all'improvviso, questo mio "io" traditore aveva scoperto una fenditura attraverso cui volatilizzarsi.

Non ne ho una copia. È tua.

8 agosto

Vuoi ridere? Ieri, dopo aver finito di leggere (per la quinta volta, forse) la tua lettera, ho chiuso a chiave la porta di casa per la notte e in quel momento mi è parso che in una delle siepi del giardino fosse nascosto qualcosa o qualcuno. Piccolo e nitido, anche al buio. In un primo momento mi sono spaventato, pensavo fosse Yidò. Cosa faceva lì, invece di essere a letto? Ho avuto un attimo di sbandamento, ma un istante dopo mi sono sentito come un baccello che qualcuno, con gesto rapido, apre in tutta la sua lunghezza. Perché sapevo che era *lui*, capisci? Il bambino che hai visto nella tua fantasia. Il bambino-incandescente...

Il bambino che una volta... Non te l'ho raccontato, vieni, mettiti comoda. Il bambino che a otto anni cercò di uccidersi in cantina – suicidarsi, lo chiamano – con la cinghia sottile e "multiuso" di suo padre. Siccome nessuno gli aveva spiegato come si fa a morire, si strinse la cinghia con forza intorno al cuore, ah, ah, si stese sul pavimento e attese la morte, in silenzio. Tutto questo perché aveva visto un vicino, un certo Surkis, che in canottiera, con la schiena pelosa e una sigaretta in bocca, affogava due gattini in un secchio di latta. Così, tanto per fare. E mentre parlava con il padre del bambino, le bolle salivano. Dopo essere rimasto a lungo sdraiato sul pavimento della cantina, un tempo infinito come non gli era mai successo, vedendo che non era morto, il bambino si alzò e fece ritorno a casa. Si sedette in silenzio, stremato, a cenare con sua sorella e i genitori. Li sentì conversare, fece tutti i gesti di un bambino di otto anni e capì – vagamente, ma capì – che, anche se fosse morto, loro non l'avrebbero mai scoperto.

È lo stesso bambino che a dieci anni lesse *Zorba il greco* perché un'insegnante che amava aveva parlato del libro con entusiasmo e con le lacrime agli occhi. Lui non aveva mai visto lacrime come quelle, né in un bambino né, tantomeno, in un adulto. Erano lacrime di struggimento, una parola che non conosceva e che non avrebbe mai osato scrivere se non l'avessi scritta prima tu. A casa sua non c'erano libri. I libri sono un ricettacolo di polvere, sono sporcizia. Il loro posto è nella biblioteca della scuola. Allora rubò dei soldi dal portafoglio di suo padre, il portafoglio sacro, e per la prima volta in vita sua andò a comprarsi un libro. Lo lesse e non capì molto. Non capì nulla, a dire il vero, se non che era più bello di quello che conteneva, perché *ruggiva* di vita e lo chiamava per nome. Nel suo grande entusiasmo lo divorò per intero. Ci mise quasi un anno, lo terminò esattamente il giorno del suo undicesimo compleanno, come segreto regalo a se stesso.

Non è piacevole, sai. Di nascosto, a prezzo di tremendi

mal di pancia che nessuna medicina poteva sconfiggere, finiva una pagina e la tagliava in pezzi piccoli e uguali, che masticava con pazienza e poi ingoiava. Una pagina al giorno, con intervalli di tre ore tra un pezzo e l'altro. Un rito preciso e meticoloso. Ricordi il libro pubblicato da Am Oved e venduto con lo sconto ai dipendenti civili dell'esercito? Quello con la copertina color senape e i bordi rossi? Un po' amara? Trecento e più pagine si masticò, per soddisfare il suo bisogno carnale di parole. Ti dirò, Myriam, ho sempre avuto anche qualche leggero sospetto su di lui. Perché già allora le sue azioni nascondevano altri motivi e dietro ogni nobile idea si intravedeva la coda di un toporagno. Quindi, forse, mangiò *Zorba* perché le autorità preposte alla sicurezza domestica non scoprissero, nelle loro perquisizioni in fondo al cassetto, un libro nuovo che non aveva alcuna ragione di trovarsi lì. Un libro privo del timbro della biblioteca scolastica.

Cioè: provai a falsificarne uno, certo che ci provai (non mi sottovaluterai fino a questo punto!). Sulla pagina bianca in fondo al libro disegnai un grosso timbro, ma si vedeva che era una falsificazione mal riuscita. Strappai la pagina, ma non potevo gettarla nell'immondizia, e tantomeno nel water. Com'è possibile gettare una pagina di *Zorba* nel water? Così, quasi senza pensarci, la misi in bocca e cominciai a masticare (lo ricordo benissimo, ora: un sapore strano, sgradevole, di polvere. Carta piuttosto scadente). Tentai anche di scrivere la dedica di un amico, ma non riuscii a contraffare una scrittura sconosciuta e allora ingoiai anche quella pagina. Così, senza volerlo, prese il via quell'idea poeto-gastronomica...

(Ho cercato per un momento di leggere con i tuoi occhi quello che ho scritto.)

Quante energie investii in quello sforzo, e quanta paura, mentre leggevo, che scoprissero la bugia e il furto dal portafoglio. In fondo è sciocco pensare che avrebbero avuto il tempo di andare a fondo di quella questione, ma la consapevolezza che sarebbe stato possibile, che non era una cosa estranea al repertorio familiare...

Per nessun motivo ti racconterò dei miei genitori. Non ho

genitori. Anche tu non hai quasi mai nominato i tuoi, e a ragione: cosa c'entrano con noi? Già da tempo ci siamo liberati di loro. Io, perlomeno, me ne sono liberato (be', per quanti anni ci si può trascinare dietro quelle guerre?). A parte questo... non c'è quasi nulla da raccontare. I miei genitori sono la coppia di persone più normali e forse più cordiali che tu possa immaginare. Sono il riflesso della realtà. Il signor cintura marrone e la signora guanti di gomma. Non c'è in loro alcun mistero, le loro azioni e i loro pensieri sono assolutamente trasparenti. E poi, non hanno più alcuna importanza per me, te l'ho detto. Mio padre è ricoverato da due anni in una serra-per-quelli-come-lui a Ra'anana, e mia madre si prende cura di lui con energia. Lo va a trovare in autobus, con pentole piene di cibo, e ogni giorno passa con lui otto ore nel più assoluto silenzio. Lo lava senza sosta, gli fa la barba e gli taglia i capelli, lo massaggia e non smette di palparlo. E lì lei rifiorisce (forse anche lui, non ne ho la minima idea, non lo vedo da un anno e mezzo. Che motivo avrei di andarlo a trovare?).

Con un sorriso timido e cospiratore, questa settimana mi ha annunciato che ha deciso di fargli crescere i baffi.

Naturalmente ti chiederai perché decisi di non affrontarli, gridando che avevo il diritto di possedere uno *Zorba* tutto mio visto che ne avevo bisogno come, che so?, dell'aria che si respira, o di una medicina. Ma cosa dici? Che pretese. Io? Agivo furtivamente, in ampi cerchi, mi avvicinavo e mi allontanavo con un piacere nuovo, che proprio allora ho cominciato a provare. Il piacere dell'ambiguità, ecco un'arguta definizione (come se fosse il nome di un nuovo tipo di tè, ricavato dal succo di mandorle della mia bile, non ti pare?). Parlo di quel dolore piacevole, dolce-amaro, che si infiltra nelle viscere mentre tu, e tutto quello che sei, ti contorci e ti aggrovigli, come una piaga nell'intestino che ti risucchia, provocando fitte di dolore e d'umiliazione. Fitte che diventano familiari e che sai presto ritrovare dentro di te, e poi anche *riprodurre*. È ciò che di più misero possiedi, ma anche di più intimo, una sensazione a cui fai continuamente ritorno. E come potresti altrimenti? È sapore di casa, odore di casa, eccolo di nuovo, pungente, disponibile. Sentilo, fai la sua conoscenza: sono io, sono il mio corpo e la mia anima che si riconoscono. Posso sentire il sussurro della loro parola d'ordine (srsrsrsrsr...). Forse è meglio che indossi dei guanti quando tieni in mano le mie lettere.

È così facile trasmettere questa infezione. Io ne sono rimasto subito contagiato. Conosci il rito di scomunica che si nasconde dietro le parole "un giorno proverai cosa significa avere dei figli come te"? Sì, lo conosci. Come dici tu? Certi sguardi, certe espressioni, certi silenzi che ti riducono in polvere e cenere. Ci vuole davvero poco a rovinare un essere umano per sempre...

Mi sembra che tu lo conosca quanto me: "Myriam (ti chiamava con l'accento sulla prima sillaba?),[11] cerca solo di essere diversa da quello che si racconta di te...".

In fondo non mi sorprende. A volte penso che forse, all'inizio, è stata questa tua ferita ad attrarmi. Quel sorriso da "campagna elettorale". In quell'attimo, non te l'ho mai scritto, gli angoli della tua bocca sembravano due uccellini affamati che fremono nell'intravedere le ali della madre, appena ne indovinano l'ombra. Ma tu, non so come, ti sei salvata da tutto questo. In qualche modo ne sei venuta fuori, o ti sei reinventata e la cosa ti è riuscita. Per questo, forse, hai una paura folle di tornare laggiù anche solo per un momento, persino per una lettera, e persino per me.

8-9 agosto

Troppo a lungo mi sono concesso di non arrabbiarmi per come vennero di notte a strapparmi il cervello e a impiantare il loro meccanismo di controllo. Immaginati cosa significhi leggere *Zorba* nell'ansia e come si possa credere che un'ansia meschina come quella sia in grado di offuscare l'occhio di sole di Zorba. Ricordi di aver ballato il sirtaki con me e con Anthony Quinn in salotto? Ma dov'eri quand'ero bambino?

---

[11] In ebraico il nome Myriam (e la maggior parte dei nomi propri) hanno l'accento sull'ultima sillaba. [*N.d.T.*]

Non c'era nessuno.

Leggevo soltanto quando loro non erano in casa (è definitivo: non ti racconterò di loro; ho avuto un padre e una madre ma il bambino che ero non aveva genitori. Hai indovinato: sono nato orfano).

Mi sorprende un po' quanto siano ancora vivi quei ricordi, ogni volta che mi riavvicino a essi. Sigaretta?

No, no, mi ricordo. Ma ho riso leggendo che, all'inizio, senza nemmeno pensarci, hai collegato l'odore di fumo che emana dai miei fogli alla fiamma che brucia in me.

A volte rimango stupefatto nel vedere come sei disposta a credere nella fantasia che io sono.

E se invece di queste cose opprimenti parlassimo un po' della fantasia che sei tu?

Quando mi racconti qualche particolare nuovo su di te – che prima di Amos sei stata sposata con quel genio sadico per cinque anni (siberiani); che arrossisci sempre sulla guancia sinistra; che da anni ti rifiuti di guidare; che Amos ha un figlio da un altro matrimonio. Tutte cose che non sapevo, e non potevo immaginare – sento la mia anima fare un piccolo sforzo. Come se dovessi "spingere" questo particolare dentro la tua immagine, nel modo in cui si infila un libro in uno scaffale già zeppo. Ma nell'attimo in cui lo faccio, tutto ciò che so di te si ridispone intorno a quel particolare.

E già che parliamo di cose nuove e sorprendenti, permettimi di levare in tuo onore il mio berretto da jolly. Non c'è nulla da dire, questa volta è stato un KO mortale ed elegante: non mi ero proprio immaginato che quello al tuo fianco, il sublime stronzo del maglione, non fosse tuo marito (ma allora chi è? Perché lui ti proteggeva come fosse la tua guardia del corpo. Come fanno i mariti).

Mi hai completamente disorientato. La tranquillità con cui descrivi, uno dopo l'altro, tutti gli uomini della tua vita: quello con cui vai a nuotare, il pittore di Beit-Zeit che ho l'impressione sia perdutamente innamorato di te, e il ragazzo cieco con cui intrattieni una corrispondenza in alfabeto Braille (l'hai imparato apposta per lui?). Ma come fai a trovare il tempo per tutti con una settimana così intensa? E ti sei dimenticata di nominare i tre ragazzi della *yeshiva*[12] che studiano con te i testi sacri una volta la settimana, in segreto... Comunque, mandami almeno una descrizione fisica di tuo marito, così saprò da quale ombra con il coltello tra i denti dovrò guardarmi.

Va bene, va bene, non innervosirti. Solo una punzecchiatura per il fatto che il mio errore ti ha concesso "un istante di godimento teatrale e stuzzicante", al punto che non avevi neanche voglia di correggerlo...

Hai chiesto di nuovo se mi sento ingannato e ho cercato di capire cosa sento veramente nei tuoi confronti, con tutti questi colpi di scena e rivolgimenti. Non è una domanda semplice, Myriam, e la risposta cambia, si capovolge dentro di me. Non si è ancora cristallizzata in un'idea...

Però, visto che me lo chiedi, ho pensato che invece di aspettare una risposta, potresti guardare in *Family of Man* (che piace molto anche a me). Ci sono un paio di foto su due pagine, una a fronte dell'altra, che amo molto: da una parte si vedono degli studenti intenti ad ascoltare un professore che non appare nella foto. Il loro sguardo è focalizzato su di lui e si ha l'impressione che l'argomento di cui parla li interessi veramente. Nella pagina a fronte, invece, si vedono alcuni membri di una tribù africana intenti ad ascoltare un vecchio che racconta una storia. Fra loro ci sono adulti e bambini. Sono nudi, come lui. Le mani del vecchio si agitano di fronte a loro e tutti hanno la stessa espressione: sono *ammaliati*.

(Non esiste un'ora simile)
Voglio fare un patto con te.

È un patto strano, mi imbarazza persino parlarne, ma sei l'unica persona a cui posso dire una cosa del genere.

Riguarda Yochai e l'intervento chirurgico che dovrà subire a gennaio. Vorrei darti metà della mia fortuna in quell'occasione. Non ridere, non dire nulla! Lo so che sembra idiota e assurdo – per quel che mi riguarda, consideralo come un amuleto, una forma di superstizione – ma ti prego, ti prego,

[12] Accademia ebraica di studi religiosi. [*N.d.T.*]

non rifiutare la mia offerta (se non proprio del bene, male comunque non può farne).

Non che io sia eccezionalmente fortunato; però la mia vita scorre più o meno senza intoppi e, con tutto quello che mi succede nel lavoro (irritante, ma tant'è), mi sembra che negli ultimi anni la dea bendata mi osservi con un ghigno indulgente. Devo anche ammettere di aver già stretto questo "patto" un paio di volte in passato: la prima con una signora in procinto di subire un delicato intervento chirurgico, questione di vita o di morte; e la seconda con una ragazza che non riusciva a rimanere incinta. In entrambi i casi tutto si è risolto per il meglio. A proposito, quelle due donne non sapevano che io avessi stretto questo patto con loro. Mi erano molto vicine, in un certo senso, ma non abbastanza perché potessi rivelargli il mio segreto.

Questa transazione comporta una prassi particolare: devo conoscere in anticipo la data esatta in cui avrai bisogno della mia fortuna. Allora comincerò a incanalarla verso di te (o meglio, verso Yochai). Il giorno dell'intervento mi terrò libero da impegni e mi "spoglierò" della mia fortuna per "indirizzarla" intensamente verso di lui (devi solo scrivermi per quanto tempo, dopo l'operazione, avrà bisogno di questo mio sforzo).

Non ti devi preoccupare per me in quel periodo. È vero che nel giorno in cui mi "spoglio" della fortuna, e nei due o tre giorni successivi, mi capitano alcuni inconvenienti (è incredibile come vengano calamitati da tutte le parti). Finora, però, la cosa si è risolta in uno pneumatico bucato o in un'ispezione improvvisa della guardia di finanza, e dopo pochissimo tempo la fortuna è tornata (lo giuro!). Anzi, a mio avviso, il fatto che ogni tanto le dia una spuntatina giova molto alla sua crescita.

Non rispondere. Non dire né sì né no. Questo volevo dirti e tu ne hai preso atto.

10 agosto

Solo per dirti che, probabilmente, il bambino è tornato per restare.

A causa dei miei incubi, forse, o della nostra corrispondenza, oppure per quella notte passata correndo intorno a casa tua. Comunque da allora qualcosa in me non riesce a placarsi. Ero persino in dubbio se raccontartelo, per non concedergli il diritto di esistere sulla carta. Ma quasi ogni notte mi sento invadere da una sensazione cupa, come se un telo squarciato sventolasse nell'oscurità. Ora lui è di nuovo qui, anche in questo momento. È già la terza notte, o la quarta, che si ostina a rimanere tra i cespugli, tremando. Vedo proprio la sagoma di un bambino nel buio, laggiù. Ora ti racconterò una cosa. Non ti ho ancora scritto niente di così folle: abbiamo un rito, io e lui, prima di andare a letto (anche se, dopo la sua prima apparizione, come un censore sovietico ho potato la siepe in cui si era nascosto quella sera). Tuttavia, notte dopo notte, lui torna e si accuccia vicino alla porta. Peccato che tu non sia qui, te lo vorrei mostrare.

Un bimbo mingherlino e leggermente curvo, con la testa china, un po' timido e un po' ruffiano. Sono io l'unico a sapere quanto sia vulnerabile e come si tormenti in continuazione, senza pietà per se stesso. È ansioso di darsi, vorrebbe lasciarsi andare se solo, come hai detto tu, riuscisse a credere che è possibile: che c'è qualcuno a cui concedersi.

Diciamolo francamente: è un bambino anche un po' effeminato e smidollato, chiacchierone e sbruffoncello. Lo guardo e ricordo immediatamente la sensazione di essere come lui. Quel continuo brusio, una sequenza veloce di pulsazioni e di palpiti. Hai ragione: si può vedere sotto la pelle scorticata il suo fragile cuore che batte.

Mi suscita ribrezzo (ti stupisci?) e provo l'impulso fortissimo di consegnarlo ai responsabili dell'esclusivo istituto in cui ho studiato. Lo sai, vero, che ho avuto degli insegnanti privati bravissimi? Insegnanti che mi hanno spiegato come avere un portamento corretto e una giusta dizione, cosa è educato dire e cosa è bene non dire affinché nessuno ti prenda in giro. Come tenere sempre le spalle dritte per sembrare più imponente, e la bocca chiusa per non fare la figura dell'imbecille. Sono stato educato come il figlio di un re da due dei migliori pedagoghi: i miei genitori – sia benedetta la *mia* memoria – al cui occhio vigile non sfuggiva alcun difetto.

Con infinita dedizione sono riusciti a migliorarmi e a plasmarmi affinché potessi comparire in società senza causare troppo imbarazzo – un evento che oggi non comporta quasi nessuno sforzo particolare da parte mia. So imitare abbastanza bene la maggior parte dei gesti di un maschio adulto e normale, e come tutti porto con disinvoltura la maschera di morte.

Finché, improvvisamente, proprio vicino alla porta di casa mia, una parte difettosa del mio organismo sembra essersi liberata, scatenandosi in una danza sfrenata, la danza del somarello.

E c'è un momento...

(perché no? mi sono già spinto abbastanza in là)

c'è un momento in cui si avventa su di me, senza preavviso, e io mi costringo ad avere paura. Ti prego, non dirmi che è una fantasia infantile. Lo so già. È la fantasia della mia infanzia che mi eccita e mi congela al tempo stesso, e mi fa scorrere il sangue velocissimo per qualche secondo. Io non posso combattere contro questa fantasia. Devo vederlo, immaginarlo che esce dal buio e si avvicina. E poi, di colpo, farlo correre verso di me, verso la porta di casa mia...

Un gioco così, privato.

Cosa faresti al mio posto? Be', tu sei molto più generosa di me. Hai accettato persino di farmi entrare dentro di te. Io non ho un animo così nobile, temo. Io gli sbatto la porta in faccia, ogni sera, la sbatto con tutte le mie forze. La chiudo a chiave e vado in fretta in camera da letto. E spero solo di trovarci Maya, per guardarla un attimo, per accertarmi, ancora una volta, della realtà del suo corpo, dell'esistenza inconfutabile dei suoi piccolissimi piedi. Li fisso e mi calmo, ma subito un pensiero mi atterrisce: così piccoli, come fanno a sostenere due adulti e un bambino?

Be', bisogna andare a dormire. Non devi reagire all'idiozia che ho appena scritto. A proposito, ho letto un giornalino di Yidò che da voi, a Beit-Zeit, c'è un'impronta di dinosauro. Lo sapevi? Milioni di anni fa è passato da voi un dinosauro e ha lasciato un'impronta gigantesca. Interessante, no? Ho anche provato la tua ricetta alla mosca tse-tse prima di dormire, ma temo di avere messo troppo liquore (e poi mi basta ricevere una tua lettera il pomeriggio per non dormire più). Basta, buonanotte!

Y.

(Bene, sono rimasto coricato un'ora per delicatezza, ma temo di non essermi spiegato.) Anzi, sai cosa? Vorrei che una volta entrasse in casa, nella mia casa. Allora lo prenderei, lo trascinerei dentro a forza, lo porterei in giro tenendolo per l'orecchio, per mostrargli tutto senza pietà: ecco il frigorifero, la lavastoviglie, il salotto con le poltrone. Ecco la camera da letto, il letto matrimoniale. Ecco una donna intensa e morbida, con i seni rotondi e belli, che adesso si sta spogliando per me. A quel punto, mentre gli bruciano gli occhi per le lacrime trattenute, per la solitudine e il senso di estraneità, gli darei il colpo di grazia. Lo trascinerei per l'orecchio nella stanzetta in fondo al corridoio e griderei: guarda cosa c'è qui! Sorpresa! *Un bambino!* L'ho messo al mondo io! Guarda bene e cerca di capire che la battaglia è persa, mio caro: ho un figlio! Sono riuscito a liberarmi di te e ho fatto qualcosa di vivo e reale! Controlla, c'è il mio marchio di fabbrica, è impresso nella forma delle dita, negli occhi, nei capelli! E tutto il resto... Non lo conosci! Non ti appartiene! Avrei voglia di ficcargli la testa dentro il letto di Yidò, come si affoga un gattino nell'acqua: guarda bene, puoi persino toccare, avanti! Tocca e senti: un bambino, fatto anche dei materiali di un'altra persona che non è né me né te! Perché io, grazie alle mie capacità, sono riuscito a sfuggire al destino che avevi programmato per me e a fondermi con un sistema di cromosomi diverso, libero da me stesso, e soprattutto da te. Ho creato qualcosa con materiali buoni, sani e forti, e con una garanzia che resiste ormai da quasi cinque anni! Capisci, dolcezza?

Ma che cazzate sto dicendo?

Come se Yidò fosse la prova inequivocabile di qualcosa di mio.

Non ho pace. L'aria è calda e soffocante, come se stesse bruciando della gomma.

... e questa mattina, proprio mentre stavo andando a spedirti la lettera, ho ricevuto il biglietto che mi hai scritto nella biblioteca dell'università. Ti immagino, seduta nella sala di lettura del reparto sull'ebraismo, mentre scrivi quelle frasi entusiaste e impudenti, e appena un'insegnante ti passa vicino, con uno slalom vezzoso torni, come niente fosse, a copiare un brano dalla *Storia del popolo ebraico nell'antichità*. Ho pensato per la millesima volta a quanto sia bello esserci trovati in questo gigantesco mucchio di piselli, e che fortuna abbiamo a essere entrambi nati nello stesso paese, a parlare la stessa lingua e a essere cresciuti sugli stessi libri di testo... A proposito: per quanto riguarda la citazione che non sei riuscita a ricordare (quando ho tentato di "immedesimarmi" in te nella lettera in cui hai raccontato di Yochai)...

Ci ho messo un po' di tempo, lo ammetto, ma già domattina all'alba sguinzaglierò i miei segugi perché spulcino in tutti i libri e nel giro di sette giorni (non più di ventiquattr'ore d'orologio) la citazione completa sarà nelle mie mani con il riferimento preciso. Promesso.

Ieri, mentre scrivevo, ho di nuovo pensato quanto sono strane le lettere. Quando tu ricevi una mia lettera io sono già altrove. Quando io ne leggo una tua, mi trovo di fatto in un tuo momento passato. Sono con te in un tempo in cui ormai non sei più. Il risultato è che ognuno di noi vive momenti da cui l'altro è già uscito... Cosa ne pensi? Forse è questa l'origine della tristezza che quasi ogni tua lettera suscita in me, indipendentemente dal suo contenuto. Persino un biglietto piuttosto buffo come quello che mi hai scritto dall'università. La vita scorre.

Rimprovera subito i tuoi tre compagni di studi religiosi per la loro ignoranza: Rabbi Nachman di Brazlev è all'origine della citazione dimenticata.

Negli scritti di Rabbi Nachman – esattamente nei capitoli

dedicati alle "Donne sterili" – si parla di "uomini che trascorrono i loro giorni dormendo" in quanto dediti a vili occupazioni, a passioni meschine o a cattive azioni, oppure perché nutriti di cibi spirituali che sprofondano la loro mente nel sonno...

Occorre dunque rianimare il cuore di quei dormienti, ma con cautela, come si desta un sonnambulo. Pertanto, quando uno di loro si risveglia, occorre "ricomporre il suo viso che si era allontanato durante il sonno". E come, secondo te, Rabbi Nachman suggerisce di far questo? "... come si cura un cieco. Occorre rinchiuderlo, affinché la luce non lo colpisca improvvisamente, e occorre che la luce sia tenue, affinché ciò che vedrà non gli procuri danno. Allo stesso modo, quando si vuole mostrare a colui che è rimasto per lungo tempo immerso nel sonno e nel buio il proprio viso, è necessario ricomporlo con un racconto..."

Sai che ore sono? E chi si alza domani alle sei e mezzo? Chi trascorrerà dodici ore filate immerso nel sonno di una vile occupazione?

Yair

Hai visto? Proprio mentre chiudevo la busta una stella cadente ha attraversato il cielo!

Allora in fretta, in fretta, cosa chiedere? (Non ho nessun desiderio pronto, hai qualche idea?)

Come hai scritto? "Per aiutarci l'un l'altro a essere tutto quello e tutti coloro che siamo."

13 agosto

Ops... sono così impegnato e teso – e stanco – in questi giorni, che ho quasi dimenticato il nostro appuntamento!

Me ne sono ricordato proprio un minuto fa (è oggi, vero? Mercoledì, hai detto, alle quattro e mezzo). Allora, scusa per le condizioni non proprio conformi al tuo programma – c'è da dire che, almeno, sono arrivato in tempo. Ho parcheggiato la macchina con una brusca frenata lungo la strada che da Tel Aviv porta a Gerusalemme (sì, nel punto in cui, a destra,

si vede la foresta con tutte le sfumature di verde possibili).
Le macchine sfrecciano accanto a me e fanno sussultare la
mia, per questo la grafia è un po' traballante. Invece di un
caffè e di una buona fetta di torta berrò una Coca-Cola calda
dalla lattina e mangerò qualche briciola di patatine raccolta
dal sedile posteriore. Che vuoi farci? Sono uno di quei tipi
terribili, sai, che a dispetto di tutto ascoltano da un vecchio
mangianastri il *Requiem* di Verdi che la loro amica del cuore
gli ha mandato (grazie!).

Vieni, vieni, rubiamoci qualche attimo. Hai fatto un'osservazione interessante alla fine della lettera...

Mi riferisco a "ora mi travestirò un po' da donna" – il breve
corso di trucco che mi hai tenuto, prima di uscire per la confe-
renza alla Casa del Popolo. La tua indecisione tra il rossetto rosa e quello, più provocante, con una sfumatura di marrone (si
abbinava con l'angora?). Non avevo mai pensato che ti truc-
cassi. Chissà perché pensavo che... non importa. Mi sono divertito, un po' come con i tuoi vestiti. Hai un fascino particolare e ironico quando ti servi delle parole di altre donne; donne
sconosciute, parole sconosciute... L'ombretto, la matita per gli
occhi, e io, disteso sul letto alle tue spalle, ti guardo con le braccia incrociate sotto la testa, nella tipica posizione del maschio
arrogante (sì, sì, l'ho letto: l'uomo sicuro che sua moglie si sta
spogliando solo ed esclusivamente *per lui*)...

Le mie pupille si dilatano quando dico "uomo"? Da quando l'hai notato ci faccio sempre caso (fino a quel momento
non mi ero nemmeno accorto che preferisco usare il termine
"persona"). Ma perché ho l'impressione sempre più netta
che la parola "donna" ti riesca difficile?

E perché te lo chiedo?

Perché so esattamente che tipo di *madre* sei tu. Te l'ho detto,
la tua maternità emana come vapore caldo ogni volta che no-
mini Yochai. O qualsiasi altro bambino. Ma quando, a volte, ti
capita di dire – spesso, in verità – "la donna che sono", quasi
sempre le mie orecchie da pipistrello captano una risonanza
lievissima, un minuscolo spazio vuoto tra te e la parola...

Basta, sto già esagerando per un incontro a metà giornata.
Noi non saremo mai bravi nei *quickies* (solo nelle sveltine).

Sai cosa mi piace veramente nelle tue lettere? Proprio le piccole cose. La macchia di caffè, per esempio, che hai deciso di lasciare. Una macchia della realtà, hai scritto. E così ho anche avuto la fortuna di sentirti raccontare il tuo rito del caffè, a cui non rinunci mai...

Bevi, bevi.

Pensare che in questo momento anche tu sei con me, seduta da qualche parte. Dove hai scelto di sederti?

E l'odore dei tuoi fogli, ancora non te ne ho parlato... Un sottile profumo di menta, sempre lo stesso. O la fotografia di Ana ripresa di spalle con quell'enorme cappello di paglia. Sento un pizzico di nostalgia (strano, per una donna che non conosco!) e continuo a girare la foto sull'altro lato per cercare il suo viso da uccello smaliziato, il guizzo negli occhi ridenti. Ogni tanto bacio persino, con delicatezza, le sue labbra da coniglietto.

Vedi, in ogni caso ce l'hai fatta (a condurmi nella tua realtà senza rompere l'illusione). Ma il momento più difficile, quello in cui a stento sono riuscito a trattenermi dal correre da te è stato quando hai chiesto: "Questo significa che non assaggerai mai la mia minestra?".

14 agosto

Allora, cosa ne dici? Quello che più mi sconvolge è che non me n'ero proprio accorto. Pensavo fosse solo il disegno sbiadito di un gioco di bambini inglesi...

Non so perché mi intristisca così. Forse mi avvilisce la mia scarsa capacità di osservazione. Dopotutto ero là, vero? Io ero là, non tu. Eppure ho sempre la sensazione di trascurare la cosa più importante. E ora, mentre scrivo, mi torna in mente la tua domanda, quella suscitata dall'immagine dello scimmione: perché mi accontento di raccogliere le briciole sotto il tavolo di un banchetto? ("Ti riservi il semplice ruolo di valletto d'un grande amore".) Ecco, adesso anche questo mi si è legato intorno all'anima.

E pensare che tu hai semplicemente guardato, come guardi ogni cosa. Hai guardato e hai visto.

Non hai scritto se l'avevi notato nella foto originale o se

l'hai visto solo dopo, nell'ingrandimento. Voglio dire, se quello che hai notato ti ha indotto a far ingrandire la foto.

A volte, dopo aver ricevuto una tua lettera, mi dico che d'ora in avanti comincerò una nuova vita: rallenterò il ritmo. Leggerò più lentamente, ascolterò con attenzione le cose che mi dicono, così da ricordarmele anche fra un anno; mi soffermerò. Non c'è bisogno di dirti quanto tempo resisterà questo proposito.

Ora devo raccontare a me stesso tutta la storia dall'inizio, vero? Scrivere come sono crollato laggiù, vicino al muro, senza riuscire a muovermi, uomo di mondo bum-bum. Ero impietrito. Ma non solo per il corvo, bensì anche per quella linea di gesso che oggi, solo oggi – con un ritardo di cinque anni – riconosco come un disegno eseguito dalla polizia. Una sagoma d'uomo, probabilmente un bambino (è un bambino, vero? Ho paura di saperlo) con un braccio alzato e l'altro di fianco, tranquillo.

Be', i conti con me stesso per questa criminale disattenzione li farò a parte. Decisamente sussistono gli estremi per una commissione d'inchiesta. Ma ora vorrei darti qualcosa, un regalo di pari valore, per ricompensarti di questa scoperta. Ti sei lamentata che sono un corteggiatore avaro, che non si profonde in regali. Non te ne farò. Scusami, lo sai che, se potessi, ti darei tutto. Almeno una volta al giorno mi trattengo dal comprarti qualcosa. In ogni caso, chiedi pure. Cosa potrei fare per te? Cosa potrei darti?

16 agosto

Posso disturbare?

Vorrei parlare.

Prima sono uscito (sono quasi le tre del mattino, tra un po' comincerò a planare in silenzio e a cacciare piccoli roditori). Fumavo. Lui non c'era più, forse si è stancato di me. Ho cercato di riprodurlo ma dentro di me si rincorrevano solo parole. Stritolato dalle parole con le quali l'ho descritto. Come hai detto a proposito di quella scelta crudele? Mantenere il silenzio vivo e vitale o trasformarlo in parole?

Non dipende più da me, temo.

Pensavo a cosa sarebbe successo se, per qualche miracolo, il bambino avesse potuto conoscere Yidò. Mi sono anche chiesto se Yidò avrebbe potuto essergli amico e, con mia grande sorpresa, mi sono risposto di sì. Sarebbero stati adatti l'uno all'altro, forse non è possibile trovarne due così adatti, come Yidò e il bambino-che-ero (perché, allora, oggi siamo così poco compatibili?).

Ehi, vuoi che parliamo di bambini? Iniziare una rubrica sull'educazione dei figli? L'angolo del bambino di dongiovanni?

Sappi solo che io sono il miglior padre del mondo, davvero. Tutti quelli che mi conoscono la pensano così e fino all'anno scorso, prima che gli affari cominciassero ad andare così bene, passavo un sacco di tempo con Yidò, ogni momento libero. Ancora oggi mi occupo di lui con devozione materna: lo nutro, lo vesto, lo pulisco, e persino in questo momento mi vengono le lacrime agli occhi pensando a quanto bene gli voglio, a quanto sia bello e a come io lo distrugga in continuazione. Cosa ne sarà di lui, Myriam? La linea delicata e fragile del suo mento, la sua solitudine in un gruppo di bambini. Il sorriso incerto, insicuro, che io ho creato per infierirvi contro, senza pietà. Cosa ne sarà di lui, davvero? Una volta potevo indovinare quasi ogni suo pensiero e avevamo il nostro lessico privato. Naturalmente usavamo le *loro* parole, ma erano nostre, perché le avevo scelte per lui dentro di me. Quasi tutte le parole che ha imparato fino a tre anni gliele ho insegnate io. Gli dicevo: "Ecco un uccello. Ripeti: *uccello*". E lui mi guardava affascinato, dicendo: "uccello". Solo dopo averla ripetuta la parola diventava *sua*. Come se io l'avessi masticata e gliela avessi messa in bocca. Era questo il nostro rituale per ogni nuova parola. C'erano persino delle lettere che volevo pronunciasse in un certo modo – una "esse" piena e non leggermente sibilante come la mia, o una "erre" gutturale e virile (come quella di Moshe Dayan, ricordi?)... Non ridere di queste stupidaggini. Mi sentivo come se gli stessi porgendo i primi mattoncini di Lego per costruire il suo mondo, e così facendo penetravo ulteriormente in lui, gli lasciavo un'impronta, esistevo in lui come, forse, non esisto in nessun altro luogo della terra. Capisci? Improvvisamente avevo affondato le radici.

Cosa non ho fatto per esistere dentro di lui! Stavo chino sul suo letto quando dormiva, gli passavo una mano sul viso e gli disegnavo i sogni con le dita. Gli sussurravo parole allegre nell'orecchio perché giungessero fino alla fabbrica dei sogni e, all'occorrenza, li rendessero più dorati. Avrei fatto qualunque cosa per divertirlo. E lui rideva con me...

Ma ecco, è finita. Va' a combattere l'ignobile prepotenza della vita! Non mi lamento, è una cosa naturale, *yes, sir!* Anche se ultimamente si è irrigidito e si è chiuso nei miei confronti. Se avevo affondato in lui delle radici, sono state sradicate, come ci si toglie un pungiglione. Ora il mondo intero riversa in lui parole e nomi. Ha pensieri che non conosco ma non me ne cruccio: così vanno le cose e dovrei essere contento che tutto proceda secondo la norma. La mia mano, però, non si trattiene più sul suo viso la notte, e io sono di nuovo solo con me stesso. Ti dispiace che ti racconti tutto questo? Volevi la realtà, no? Eccotela, sono fatti. Lotta contro di me per ogni cosa. Mi viene quasi da pensare che sia questa guerra a dare gusto alla sua vita. E per cosa combatte? Per come vestirsi al mattino e per cosa mangiare a mezzogiorno, per stabilire a che ora andare a dormire e che programma televisivo guardare. Qualsiasi cosa io proponga, lui vuole il contrario, e non hai idea di quanto sia ostinato (pensare che, fino a circa sei anni fa, non esisteva ancora, suddiviso fra me e sua madre).

E più lui si intestardisce, più io divento irremovibile. Mi fa diventar matto il fatto che un bambino così piccolo stabilisca improvvisamente di sapere già tutto meglio dei suoi genitori, e allora mi scateno, grido e lo offendo. Come un rinoceronte impazzito mi avvento su questo bambino per sopraffarlo, calpestarlo, umiliarlo. Terribile, vero? Poi spiego a me stesso, con una logica di ferro, che dopotutto, con questo atto di sopraffazione/umiliazione, lo educo a riconoscere il principio fondamentale della vita bla bla, rendendolo consapevole dell'essenza dell'educazione: che alla fine devi arrenderti davanti alla forza, alla stupidità, all'arbitrio. Perché così va il mondo ed è importante che lui lo capisca fin dalla più tenera età, per evitare che questo mondo lo distrugga quando la cosa potrebbe fargli molto più male...

(Come dici tu? "Ora parli dal sacchetto pieno di liquido amaro che hai in fondo alla gola".)

Io vorrei insegnargli il contrario, istruirlo a volare alto, a spiegare le ali sopra di me, a infischiarsene delle ansie e della vergogna, a essere se stesso, a fare esattamente quello che il cuore gli comanda. Ma ho sempre una mano armata che mi punta alla gola, e mi trattiene: la mano di mia madre, il pugno di mio padre, il braccio armato della mia famiglia. Io stesso non credo a quello che dico in quei momenti. Cose che, da bambino, ho giurato di non ripetere. Ma non sono capace di trattenermi e recito, con tono gelido, quei copioni familiari. Potrei spaccarmi la faccia in quei momenti... Perché lotto contro mio figlio? Senti, perché non lasciare che un bambino, erede di questa spregevole dinastia, cresca così com'è, così come ero io, come ero quasi riuscito a essere: fragile, delicato, sognatore, senza pelle, poliedrico? Per quale motivo l'ho sgridato quella volta che piangeva perché avevamo buttato via la vecchia poltrona? Per quale motivo lo costringo a mangiare la carne, che gli fa schifo? Per quale motivo mi fa uscire dai gangheri il fatto che non accetti il suo ruolo nella catena alimentare? E gli ficco in bocca il pollo con le dita, proprio come mio padre faceva con me. Di' "uccello": "uccello"!
Forse è meglio che continui domani.

No, domani cadrà la pioggia e cancellerà tutto, mentre ora questa cosa sale e mi sommerge. Ti risparmio la maggior parte di quello che mi accade nel quotidiano, la mia scorza in qualche modo funziona – questa è una buona definizione. Ma il bambino che ho visto nelle ultime notti aveva un'aureola di calore che emanava dalla sua pelle sottile e mi atterrisce capire, adesso, che lui esisteva veramente, che non aveva scelta (l'hai detto tu: come una tazza di porcellana in una gabbia di elefanti) e che c'è ancora in lui il bisogno di aggrapparsi a qualcuno, di fondere la sua anima con quella di un altro, senza nascondere nulla. Di permettere a tutto ciò che balena laggiù, nel buio delle sue fantasie, di fluire, evitando così che i sentimenti più delicati finiscano nella fossa dei luoghi comuni. Non sai quante incomprensioni, quanta rabbia, quante infrazioni all'ordine pubblico causino atteggiamenti come quelli, violazioni della legge tribale...

Come sono stati meravigliosi i suoi primi anni (sto parlando di Yidò). Gli ho dato tutto me stesso. Ero un vulcano d'invenzioni, di storie e gioia di vivere. Mi svegliavo la notte e sentivo il mio cuore colmo d'amore per lui. Chi ricordava più quanto amore c'è laggiù, sotto l'involucro impermeabile della pelle? Chi ricordava più questa sensazione, quando l'anima si riempie e trabocca fino a raggiungere gli argini del corpo? Perché io ero un bambino pieno d'amore – che strano, non ci ho mai pensato con tanta semplicità. Non l'ho mai ammesso così, come un dono. Mi sono sempre considerato un bambino difficile, complicato e cattivo, come tutti dicevano con un sospiro profondo, affermando una verità incresciosa con la quale occorreva, in qualche modo, convivere. Un bambino un po' anomalo, certo non quello che i suoi genitori avevano sperato. Un bambino che ogni giorno doveva mostrarsi comprensivo con loro, costretti a crescere una creatura tanto strana di cui vergognarsi...

Basta.

Senti, anche questa lettera mi porta... voglio dire, non avrei mai pensato che saremmo arrivati a questo. Avrei voluto invece scrivere di te. Indovinarti, come tu hai indovinato me. Indovinarti donna, e più ancora: bambina (comincia a sembrare un incontro tra pedofili). Ma forse non ne sono ancora capace. Non ne sono capace!

17 agosto

Solo per riferire che questa mattina ho mantenuto il patto e ho letto il racconto, in un posto bello, come desideravi.

Sono andato alla diga e ho trovato la tua sedia abituale, il vecchio sedile di una macchina. Ho riconosciuto il biancospino (o il corbezzolo?), l'ho chiamato per nome, ci siamo abbracciati con sentimento, ho sminuzzato la salvia, ho sussurrato cisto, o ginestra o cisestra.

Spero che non ti arrabbierai per questa incursione nel tuo territorio. Mi hai "portato" qui tanto spesso, hai letto le mie lettere a voce alta, ti sei confidata con la diga e la valle deserta lì davanti... E siccome hai deciso di presentarmi "ufficialmente" a questi tuoi parenti, ho pensato che fosse venuto il momento di farmi vedere.

D'inverno questo posto è bellissimo, sembra un fiordo norvegese tra le colline di Gerusalemme. È un po' difficile immaginarlo ora. La diga taglia la valle come una cicatrice dopo un intervento chirurgico. Ora, con questa siccità, i tuoi parenti hanno un aspetto piuttosto desolato (come hai detto una volta: si *realizzano* con la pioggia, in inverno).

Senti, ho letto tutto il racconto, addirittura a voce alta. Non mi stupisce che da anni tu non riesca a rileggerlo. L'unica consolazione che posso darti è che oggi ha fatto male anche a me, inaspettatamente.

Hai chiesto che ti riferisca tutto nei dettagli, senza commiserazione.

Ricordi il momento in cui la madre di Gregor lo vede per la prima volta (dopo che lui si è trasformato in insetto?). Si guardano, lei grida "Dio mio!" e indietreggia, finché inciampa nel tavolo e si siede (confusa, quasi svenendo).

La parte più difficile ai miei occhi è sempre stata la lunga agonia di Gregor. Ma questa mattina, quando sono giunto al ribrezzo della madre e al "Mamma, mamma, bisbigliò Gregor, alzando lo sguardo verso di lei"... Tu pensi che se lei non avesse provato un tale ribrezzo avrebbe potuto salvarlo dalla tragedia?

Be', io so che se l'avesse "riconosciuto" (o, per usare un tuo termine, "accettato") non sarebbe più stato un racconto di Kafka ma una storia per bambini. Come quella di Momintrol, per esempio.

Un abbraccio. Ti ho lasciato un biglietto da qualche parte (qui intorno), nella zona della diga. Vedremo se riuscirai a trovarlo.

M.

Nella tua ultima lettera non hai sorriso nemmeno una volta. Mi è sembrato addirittura che ce l'avessi un po' con me. Forse perché, a causa mia, quella tua vecchia ferita, la ferita ancora aperta della tua infanzia, ha ripreso con prepotenza a farti male.

Non so. Oppure è a causa di quello che hai detto una volta, all'inizio: che in me c'è qualcosa che tu sei sempre stata costretta a nascondere.

(Ma non hai detto cos'è.)

20 agosto

Perché ti ostini? Vuoi incontrarmi "nella mia interezza"? Un incontro come si deve? Senza decidere in anticipo cosa accadrà? Senza scartare a priori alcuna possibilità? "Nella mia interezza" – vuoi dire la mia anima e il mio corpo? Uaohhh! Un magnaccia turco dallo sguardo languido e con i baffi pendenti sguscia via come una donnola e fa balenare ai tuoi occhi un mazzetto di fotografie che mi ritraggono nudo, in pose provocanti. Ma non credergli, è solo un fotomontaggio ed è meglio controllare la merce. Forse è arrivato il momento che io metta in tavola le carte (mescolate alla rinfusa) affinché tu possa riconsiderare la tua proposta. Perché io ho un corpo e una faccia che *non mi appartengono*. Probabilmente c'è stato un errore – tremendo, ridicolo – nella beffarda lotteria della vita. Mi hanno trapiantato un corpo e una faccia, ma la mia anima li rifiuta già da anni...

Su, Myriam, allontanati e copriti le orecchie con le mani perché, per una volta, devo dirlo dal sacchetto in fondo alla gola: quand'ero bambino avevo l'anima di un vulcano – fuoco, lava e pietre incandescenti che si fondono. Picasso, il re Davide, Maciste e Zorba, tutti insieme. E avevo un corpo e una faccia. Be', tu sai già cosa penso di loro. E dentro di me, le mie nove anime guizzavano come lingue di fuoco, e questo solo contava. Laggiù era la felicità, perché ancora non sapevo che aspetto avessi, capisci? Non ero stato *formulato* e

135

definito da ogni angolazione possibile (perché non obbligano la gente a ottenere una licenza per l'uso di determinate parole, così come è richiesto il porto d'armi?). Allora non c'era niente che potesse ostacolarmi e la questione era solo cosa scegliere: spionaggio, arte, corpi speciali, viaggi, crimine, amore. Certo, l'amore: è in me da che sono nato. Non puoi immaginare che figure abbia fatto fare ai miei genitori quando andavo ancora all'asilo. Un pupattolo di quattro anni che già allora riversava tutto il suo affetto su chiunque non fosse fuggito abbastanza in fretta. Ma non fraintendere: la maggior parte dei miei amori non si accorgeva nemmeno della mia esistenza. A tutt'oggi sono costretto a irrompere con prepotenza nel campo visivo di una donna se voglio che mi rivolga uno sguardo – come tu sai bene. Nei pensieri e nelle fantasie, però, non conoscevo limiti. E ho sempre avuto la certezza, immotivata, che tutto ciò che mi accadeva nel frattempo era solo un prologo, un esame in attesa del momento in cui la vita sarebbe finalmente cominciata, e allora sarei balzato fuori dal bozzolo, mi sarei liberato del piccolo giudeo pallido del ghetto e sarei stato Tarzan e leone a un tempo, avrei fatto brillare il fuoco che bruciava dentro di me... Ah, quelle visioni. Potrei urlare per la nostalgia che ne provo, lingue di fuoco grandi, rosse e gialle, che guizzavano, stuzzicandosi l'una con l'altra...

Nel frattempo, tuttavia, occorreva abbassare la testa e soffrire in silenzio. Ad esempio, quando papà, per mesi, si rivolgeva a me al femminile, Yaira vai e Yaira vieni. Perché? Così. Perché mi aveva visto fare a botte con un bambino del quartiere, sul marciapiede davanti a casa. A dire la verità, l'avevo atterrato subito; era successo un miracolo, il cielo aveva avuto pietà di me e mi aveva mandato un ragazzo più debole. Dopo averlo buttato a terra, mi ero subito rialzato e me n'ero andato, lasciandolo là steso a piagnucolare senza rompergli le ossa, come avrebbe fatto un vero uomo, senza strappargli le palle e senza fare tutte le altre cose che mio padre, intento a osservarci da una finestra, avrebbe voluto che facessi. Ricordo che, durante la lotta, alzai un momento la testa e vidi il suo viso, il viso di mio padre, oltre il vetro, che si contorceva, illividiva e s'increspava, come divorato dal fuoco. Senza rendersene conto si ficcò i pugni in bocca e io lo vidi affondarci i denti, con un misto di sete di sangue e di angoscia, l'angoscia del cucciolo abbandonato. Il mio povero papà.

Quando tornai a casa, mi aspettava reggendo la cintura marrone e sottile che sfilava dai passanti con un secco strappo, e mi frustò ciecamente. "La marrone fece gli straordinari quel giorno" – così ci divertiamo, in famiglia, a definire ancora oggi casi simili. Non importa. Mi frustò, e quando non gli bastò più, mi si scagliò addosso con i pugni che aveva morso fino a farli sanguinare, mentre il suo corpo, piccolo e debole, fremeva, si dimenava e si scatenava, e gli occhi erano iniettati di sangue... Un uomo che, in vita mia, non ho mai visto fare a botte con nessuno. Anzi, un uomo sempre accondiscendente, comprensivo e ossequioso se qualcuno si intrufolava davanti a noi nella fila fuori dal cinema, o se gli bloccavano la macchina parcheggiata. Avresti dovuto vedere come era umile con il suo capo, il brigadiere generale, e con il *figlio* di costui. Una volta, quando uno stronzo nostro vicino, quell'assassino di Surkis, mi diede una sberla in mezzo alla strada perché l'avevo disturbato durante le ore di riposo pomeridiano, mio padre si affrettò a rientrare dal balcone, facendo finta di non avere visto. Ma io, *lui*, l'avevo visto. Non importa. Mi picchiò e io mi rannicchiai, continuando a ripetere che era giusto così, che deve essere così, i padri picchiano i figli, che cosa pretendevo? Che fosse il contrario? Dopotutto, questa cosa faceva solo parte dell'esame. Così pensavo mentre mi colpiva.

Ma di cosa stavamo parlando?

Di te che vuoi incontrarmi "nella mia interezza", e che hai chiesto di incontrare il bambino che ero per riconciliarmi con lui, perché io lo veda diversamente da come lo vedevano in casa dei miei genitori. Ricordo ogni parola di quella lettera. Su un lato hai annotato a matita che, in ogni caso, non ci incontreremo come due pedofili. "Sono di nuovo le loro parole, Yair, noi ci incontreremo come due bambini." Vedi, mi ricordo. Non puoi sapere quante tue parole io ricordo a memoria, parole e melodia. "Non ce la faccio più così – la lontananza da te, questa astrazione – perché non riesco a contenere tutto quello che sta succedendo: ho veramente bisogno di un contatto diretto. Di un contatto diretto con te. Basta, vieni con il tuo corpo, nella tua interezza, nella tua concretezza, completa o parziale, divisa o moltiplicata. Ma vieni a braccia aperte. E se per te è difficile, ripeti a te stesso che Myriam vuole incontrare il bambino che eri, vuole lodarlo, a dispetto delle tue calunnie. Sono sicura che è un bel bambino..."

Ancora una volta, Myriam, mi apri con chiavi segrete. Come fai a conoscermi così bene? Ascolta una storia.

(No. Dev'essere in un'altra lettera. In una busta diversa. Perché è una storia diversa.)

20 agosto

Una volta, una sera, quando aveva all'incirca dodici anni, quel bambino rientrò dopo aver visto un film con Shay – il suo migliore amico, fino a quando si arruolò. Si separarono vicino alla casa di Shay e il bambino proseguì da solo. A casa lo aspettavano, tu già sai chi. C'è da stupirsi che camminasse adagio?

Guardalo. Cammina da solo in una via secondaria, cercando di conservare la dolcezza del film che, sull'autobus, gli scherni e le risatine di tre teppistelli hanno un po' vanificato. Se la sono presa solo con lui, mentre Shay è rimasto seduto con le gambe che tremavano. E lì, come una bolla di chewingum che scoppia all'improvviso e ti si spiaccica in faccia, in un lampo è svanita la loro celebre arguzia, la prontezza con cui rispondevano ai compagni o agli insegnanti.

Il bambino camminava per la strada deserta sforzandosi di dimenticare la sensazione provata quando Shay si era girato dall'altra parte, cercando di non farsi notare. Sapeva che avrebbe fatto lo stesso al posto suo. E pianse, maledicendo la sua debolezza, facendo voto che, da quel giorno, non avrebbe più rubato i soldi dal portafoglio sacro per comprare dei libri. Da allora in poi avrebbe rubato per comprare un estensore, si sarebbe esercitato giorno e notte come una bestia per

138

gonfiare i muscoli. Ma sapeva che anche questo non l'avrebbe aiutato, perché non aveva dentro di sé l'elemento che connette i sogni con i muscoli, trasformando il Tarzan interiore, che ti ruggisce in cuore, nel pugno in grado di spaccare la mandibola di un gradasso sull'autobus. Quel misterioso elemento che fa la differenza tra un individuo e un uomo. Anche se gli capiterà di picchiare qualcuno, sentirà subito che non gli è naturale. Mentre era immerso in queste riflessioni, vide due donne venirgli incontro, una giovane e una vecchia. Non proprio vecchia, anziana. Camminavano tranquillamente a braccetto, conversando tra loro sottovoce e irradiando un certo calore che lui sapeva subito percepire.

Quando passò accanto a loro (con i pantaloni di terital delle grandi occasioni che suo padre l'aveva obbligato a indossare, e ben pettinato con la riga di lato) gli parve che una, non riuscì a vedere quale, mormorasse all'altra: "Che bel bambino".

Be', ho cominciato, allora non ho scelta, vero?

Il bambino fece ancora qualche passo prima di realizzare cos'avevano detto, poi si fermò. Ma siccome si vergognava di rimanere impalato in mezzo alla via, si trascinò fino a un portone e rimase là, al buio, tremando e assaporando quelle tre parole...

Naturalmente, dopo un secondo, cominciò a torturarlo il dubbio di non aver sentito bene – chissà se una delle signore aveva realmente pronunciato quella frase. Magari l'avesse detta la giovane! Sapeva che le donne anziane sono più indulgenti con i bambini, e se fosse stata la giovane, la bella, la moderna, allora, forse, la sua situazione non era disperata, perché lei era obiettiva. Non lo conosceva e non l'aveva mai visto. Eppure aveva sentito il bisogno di dire quella frase, senza nemmeno pensarci, e quindi ciò che aveva detto assumeva un valore quasi scientifico.

Ma l'aveva detto davvero? Il bambino non ne era affatto sicuro. Forse stavano parlando di un film che avevano visto e avevano fatto un commento in proposito. Oppure avevano solo detto: "Che bel giardino" o "Chissà se c'è un medico vicino". Forse stavano parlando di un *altro* bambino.

È un po' stupido dilungarsi su questo episodio, vero? Ma questo è il punto, capisci: quelle parole non avevano mai visto la luce. Solo buio e ancora buio, in proiezioni ininterrotte.

Cosa fece allora il bambino? Rimase in quell'androne scuro, tremando. Stava male e si sentiva confuso, indeciso se rincorrere le due donne e dire loro, con voce pacata e adulta: "Scusatemi, ma prima, quando vi sono passato vicino, una di voi ha fatto un'osservazione riguardo a un certo bambino. Un'osservazione casuale, è vero, ma per una rara coincidenza ha una suprema importanza. Rappresenta una questione di vita o di morte che è difficile spiegare in questo momento. Qualcosa che ha a che vedere con la sicurezza. Allora, per favore, anche se vi sembra un po' strano, potreste ripetere quello che vi è sfuggito mentre vi passavo accanto?".

Si mise a seguirle, adagio, e poi, di colpo, cominciò a correre. Si fermò, poi riprese la corsa, confuso e ansimante, per poi voltarsi di scatto e tornare velocemente nell'androne, immobile davanti al muro, fremendo come una preda che è appena scampata alla morte. Non gli importava più che qualcuno passasse e lo vedesse: quelle tre parole – che forse aveva sentito, che sperava di aver sentito – aleggiavano intorno a lui con folle gaiezza, come tre uccelli in un giardino ghiacciato...

Cosa avresti fatto al suo posto?

Lui sapeva che, se avesse ritrovato le due donne, non avrebbe osato chiedere nulla, perché chi chiede apertamente una cosa del genere si condanna al disonore per l'eternità. Se poi entrambe (anche la giovane) gli avessero detto che il bambino, il bel bambino, era proprio lui, non avrebbe comunque potuto crederlo, perché le donne avrebbero avuto il tempo di guardarlo e di capire tutto. Era impossibile guardarlo senza capire, e a quel punto gli avrebbero mentito, per pietà. Credi che oggi non le rincorrerei, supplicandole di dirmelo? Le rincorro ancora, non è trascorso nemmeno un giorno da allora.

Ehi, sei ancora lì, vero?

Di colpo mi sento tanto debole.

Mi rallegra il fatto che ti piaccia il mio nome. Non l'ho mai pensato come un nome rivolto al futuro o come "una vera promessa".[13] E mi sento ancor più sollevato dal fatto che hai smesso di chiederti se Wind è il mio vero cognome. L'importante è che il mio nome ti illumini...

Mi ci sono voluti mesi per scoprire i fili invisibili del tuo umorismo. Un umorismo particolare, che si intrufola nelle tue lettere come fischiettando e con le mani in tasca...

Senti, ti sei accorta che da quasi un minuto cerco di nascondere una felicità improvvisa e assurda? Le lacrime hanno lo stesso sapore, ma è come se sgorgassero da punti diversi... Uno sbocco di felicità che non ha giustificazione nelle cose che ti ho raccontato – semmai nel fatto incredibile che te le ho raccontate. All'erta! Tutti i reparti, allarme generale! Fuga di felicità! Cercherò di individuare subito il guasto!

No invece, no. Niente allarme generale. Voglio che questa felicità fluisca e voglio farmi trasportare da lei. Non importa che alle mie spalle i cani digrignino i denti e che sulle recinzioni di filo spinato appaia la scritta "la famiglia rende liberi". Senti, forse, nonostante tutto, tenterò la fuga. Non so se ci riuscirò, ma questa volta ho un aiuto dall'esterno. Qualcuno mi aspetta dalla parte illuminata. Ecco i tuoi regali, non ho paura di nulla, sono disposto a gridare con tutte le mie forze che lo voglio, è possibile, io e te ci verremo incontro e ci troveremo a metà strada, è una cosa meravigliosa che può anche succedere.

Ho bisogno di rimanere solo con me stesso.

Shalom, Myriam.

Yair

(Adesso, veloce, da' un'occhiata all'interno e guarda un po' com'è dentro, quando il veleno del sacchetto si riversa nel sangue. Una ripresa in diretta del momento in cui si compie il crimine: è una stanza bianca, quattro muri senza finestre, non un quadro. Su ogni parete c'è un occhio piccolo e vigile: quattro occhi spalancati, privi di palpebre e di ciglia. Niente pause, le palpebre non si chiudono nemmeno per un istante,

---

[13] Il nome Yair in ebraico significa, letteralmente, "illuminerà". [*N.d.T.*]

gli occhi hanno tutti lo stesso sguardo, fisso, immobile, congelato. Sul pavimento si aggira un toporagno cieco.)

21 agosto

Non spaventarti, non è un'altra epopea, solo il bacio della buonanotte.

Una volta hai riso dicendo che le mie lettere sono come una matassa. Lo so, sono talmente aggrovigliato che ora, forse, non è più possibile districarmi. Non cerco nemmeno di convincerti a provare, ti chiedo solo di tenere in mano quella matassa per un attimo, un altro mese, quanto potrai. È una richiesta non da poco, lo so. Ma ora ti trovi alla giusta distanza tra la mia infamia e il mio orgoglio (non sei più estranea, a questo punto), e non puoi sottrarmelo. Come potrei guardare Maya negli occhi se ti facessi entrare nella stanza del toporagno cieco? Lei è la mia donna, io sono il suo uomo. Quando sono con lei, non mi si dilatano le pupille nel dire "uomo".

Yair

23 agosto

Grazie per avere risposto così in fretta. Hai certamente inteso come mi sono sentito dopo quella lettera. Oggi voglio solo accarezzarti, consolarti, consolarmi... Hai messo molto di te in ciò che hai scritto, mi hai raccontato di quando eri bambina, di tua madre, di tuo padre – finalmente qualcuno di tenero e affettuoso (mi ero proprio sbagliato sul suo conto. Me l'ero immaginato stizzoso, ficcanaso e acido, forse perché di lui conoscevo solo quella frase: "Perché non sei felice, Myriam?"). Non pensi che fosse solo troppo debole rispetto al compito che doveva assolvere, cioè proteggerti da lei?

Comunque, è meraviglioso: da me era molto diverso che da te, eppure entrambi "ci siamo sentiti a nostro agio" in casa dell'altro. E quando hai parlato della solitudine in mezzo alla gente, e di come dovevi lottare per un po' di intimità, ho pensato: che bello, dei milioni di persone che vivono in Israele, solo noi due sappiamo che aspetto avesse la vincitrice della gara di mungitura nello Chang-She...

Perché solo chi non è cresciuto in una casa simile può pensare che c'è una netta distinzione fra "solitudine" e "lotta per l'intimità", non credi? Mentre chi vi è cresciuto sa bene che sono collegate, perché vive quella contraddizione sulla sua le, ne subisce le lacerazioni.

Annuisci soltanto.

Come hai fatto a resistere? (In verità vorrei gridare: cos'hai in comune con quella donna? E com'è possibile che tu, proprio tu, sia figlia sua?) Chissà che sforzi avrai fatto in quegli anni per cercare di avvicinarti a lei, per farti amare. È davvero sorprendente che tu, così giovane, cercassi di rassicurarla, di farle capire che non doveva preoccuparsi per te... E la "restaurazione"? La restaurazione di cui parli sempre? Non c'è stata, in questo caso?

Capisco anche la sensazione di tradimento che provi quando mi parli di lei. Ohi, Myriam, ohi. *The ohiness of life*. Fai sempre le domande più difficili, sapendo già che non saprò risponderti. Posso solo sederti accanto e piangere con te, mentre ci domandiamo per l'ennesima volta: perché è così? Perché non riusciamo a produrre dentro di noi la materia prima di cui abbiamo maggiormente bisogno?

Mi chiedo, però: com'è che sai dare, e così bene, ciò che non hai mai ricevuto?

Tra poco devo uscire (una riunione di genitori all'asilo, in preparazione dell'ultimo anno). Ci sono ancora un sacco di cose da dire. Forse hai ragione tu nel sostenere che un incontro "a metà strada", come ho proposto, non basta più, che il vero incontro avverrà solo se ciascuno di noi compirà tutto il cammino verso l'altro. Come vorrei poterlo dire con la stessa convinzione. Lo vorrei più di ogni altra cosa, ma credo di non avere mai percorso un tragitto così lungo.

Adagio, adagio, va bene?

Leggo quello che scrivi e mi accorgo che la mia storia è più semplice e banale della tua (magari io racconto la mia in maniera un po' più drammatica...). Poi noto che al fondo, nel suo nocciolo amaro e disgustoso, somiglia un po' alla tua. Allora mi viene in mente che decine, forse centinaia di volte in vita mia, ho smerciato la mia storia, con le sue vicende commoventi, per far colpo su qualcuno (soprattutto su qualcuna). Negli ultimi anni ho persino smesso di provare nausea per questo. Ma non ho smesso di sentire che a quelle donne racconto la mia storia come una lucertola rinuncia alla coda, per salvare l'anima. Mentre a te vorrei darla, perché è il contratto che abbiamo stipulato: anima per anima. Forse un giorno, quando sarò cresciuto, potrò farti il dono che ti aspetti e ricomporrò il tuo viso con questa storia.

26 agosto

Scusa, scusa, scusa, hai ragione, non ho niente da dire a mia discolpa. Giornate frenetiche. Lavoro e sono impegnato dalla mattina alla sera. Non ho quasi il tempo di mangiare. Mi ricordo di noi e sono ancora con te (non preoccuparti). Tra poco scriverò una lettera come si deve. Ma in questo momento proprio non esisto. Reggi il ponte dalla tua sponda (ne sei molto più capace di me) e permettimi solo di ricordarti – poiché rimango un egocentrico anche nei momenti di maggiore modestia – che hai promesso di raccontarmi come ci siamo incontrati, tu, tua madre e io, mentre tornavo a casa dal cinema quella notte, ricordi?

Y.

A proposito, per quanto riguarda la tua domanda alla fine, in caratteri cubitali (come mai ti è venuto in mente di chiederlo proprio adesso?), ho diverse risposte.

La prima (destinata al grande pubblico): ho cominciato così, senza motivo, solo perché mi era comoda, un inverno in cui ero riservista, e da allora è rimasta.

La seconda (che merita di essere pubblicata su "L'Eco del Pedagogo"): vedi, Myriam, è ovvio che da un punto di vista lo-gi-co io capisca perfettamente lo scopo del tuo discorso – breve, appassionato e pieno di buoni propositi. Vorrei davvero potermi riappacificare con me stesso, osservarmi con occhi indulgenti: dopotutto anch'io, come te, ho "una persona che mi osserva dall'esterno" con occhi amorevoli, che mi vedono persino bello. Sono anni che ci prova, con tutte le sue forze e con tutto l'amore di cui il suo sguardo è capace. Eppure non ce la fa, è un dato di fatto. Neanche per un attimo riesce a far sì che io mi guardi con occhi diversi, facendomi vedere quello che lei (probabilmente) vede.

Terza risposta (riservata a te): ma tu capisci, vero? Perché tu sei la bambina e la ragazza che "ridistribuiva le bruttezze" dentro di sé, spostandole dalla punta del naso alle cosce... Mi hai pure scritto di quel disagio fisico, che sembrava "gocciolare" da te in modo visibile a tutti. Anche quella è una sensazione che conosco – intendo la sensazione che dentro di te si annidi un'*onta*, come io la definisco. E quell'onta ha piena libertà di movimento. È qualcosa di mio ma anche di estraneo. È stata trapiantata in me e il trapianto è inaspettatamente riuscito. E proprio nel punto in cui sceglie di trovarsi in un determinato momento avviene l'incontro di cui ti ho parlato una volta – là il mio corpo e la mia anima si incontrano, sussurrando una loro parola d'ordine...

Pensi anche tu che in quel momento il resto del corpo non esista? Che di colpo i nervi si tendono e il sangue fluisce tutto verso il luogo di quell'incontro? (Come quando, da ragazza, ti sentivi troppo alta e ogni volta che entravi in una stanza piena di gente ti incurvavi un po' per sembrare più piccola.)

Bene, questo vale come risposta alla tua domanda (formulata con voce nasale, un po' censoria): "Come mai ti fai crescere la barba?"

Y

1° settembre

Ma ti sei resa conto di cosa hai fatto?

Le hai già telefonato?

Com'è potuta succedere una cosa del genere? La tensione per l'inizio dell'anno scolastico o cos'altro?

Ho persino paura di chiedere cosa contenesse la lettera destinata a me (le è già arrivata...?).

Da un lato, sai, è l'avverarsi di tutte le mie paure; dall'altro, in qualche modo, è persino divertente: in fondo, se abbiamo scelto di tornare indietro di cent'anni intrattenendo un rapporto epistolare, dovevamo anche aspettarci un errore come questo, tipicamente ottocentesco.

Però, considerando la cosa da un terzo punto di vista.. chissà perché mi fa anche piacere. Come se all'improvviso potessimo esistere anche in un luogo "oggettivo", con una testimone esterna, viva e reale.

Muoio dalla curiosità di sapere cos'ha detto, come ha reagito. Manterrà il segreto, vero? Di Ana ci si può fidare, lo so.

Ma com'è che non mi hai detto che è partita? Solo pochi giorni fa hai citato la lunga conversazione che avete avuto a proposito del folle amore tra quelle due (Vita Sackville-West e Violette). Mi hai detto anche di averle letto interi brani del libro, e Ana ha confessato di cercare da sempre la forza dell'*amour fou*, parlando del coraggio di essere onesti fino in fondo, nei sentimenti. Ma nella lettera non hai nemmeno accennato al fatto che questa conversazione si è svolta nel corso di una telefonata intercontinentale. Sembrava anzi che vi trovaste nella stessa stanza!

E in che parte del mondo sta veleggiando? E quanto starà via? A giudicare dai tuoi sospiri, si direbbe che è partita per qualche anno! Mi chiedo come fa una donna sola a partire così, all'improvviso, per un lungo viaggio, e con un bambino piccolo oltretutto.

Che sorpresa comunque all'inizio, vedendo che mi parli al femminile, e chiedi se non mi sento sola laggiù, se non provo nostalgia per te, come tu la provi per me... Ho davvero tremato in quel momento, come se avessi toccato una corda proibita.

Naturalmente mi ha divertito notare le differenze tra quello che racconti a me (a proposito di Yochai, per esempio) e quello che confidi a lei. A me non hai mai scritto quanto pesa, quanto è alto, il tipo di scarpe che gli hai comprato per l'inverno.

A me non hai mai mandato una sua fotografia (ti dispiace se la tengo?).

Mi sembra di capire che è anche molto legata ad Amos – un'amica del cuore, si direbbe. La tua lettera lascia intendere che lo conoscete allo stesso modo, con lo stesso grado di intimità, e che entrambe vi aggrappate a lui, letteralmente (l'hai notato?). Rileggiti la minuta e vedrai.

È strano spiare così, in modo del tutto lecito, e scoprire che condividi una certa intimità anche con altri. E godere furtivamente del vostro umorismo privato. Credevo che fosse una tua prerogativa: arguta, un po' triste, poi salta fuori che hai una complice – e si sente che risale all'infanzia, a quando tornavate insieme dall'asilo. Myriam grande e Ana piccolina... Siete accordate sulla stessa nota (di certo tu non te ne rendi più conto). La tua ultima visita ai suoi genitori, per esempio: suo padre che suonava il pianoforte e Yochai che è scoppiato a piangere. Mi sono ricordato di quando hai pianto durante un concerto di Rachmaninov eseguito da Bronfmann, tanti anni fa, seduta accanto ad Ana. E adesso leggo che, quando Ana ha partorito suo figlio, Amos le ha fatto ascoltare proprio quel concerto, e tutti hanno pianto – non ho capito perché: i medici, la puerpera, il bambino, tu e Amos. Pianto, riso e musica vanno di pari passo, per voi?

Dimmi, sono geloso?

(Perché ho pensato che questa, in fondo, è la prima lettera d'amore che ricevo da te.)

Yair

3 settembre

Per quanto riguarda Emma Kirkby e il fatto che la sua voce risveglia in te un "misto di felicità e di tristezza profondi, pieni", "la sofferenza che rende felici" alla quale hai accennato...

Ecco, quando ho sentito come dialoghi con Ana... cioè, quando sono riuscito a isolare qualcosa nella tua voce scritta, ho pensato...

... che a volte, udendo la tua voce nelle parole, avverto dentro di me una specie di gemito che sale. È un suono interiore, che non conoscevo prima di incontrarti.

È la sofferenza che rende felici? Non so. A me sembra noci-vo. Non è felice, è una sorta di lamento, un po' folle. Come il latrato di un cane che sente un flauto e impazzisce. È un suo-no che mi viene strappato, quasi contro la mia volontà (come l'occhio viene attirato dalla tragedia), fino a diventare mole-sto e opprimente. Allora, talvolta, provo persino rabbia nei tuoi confronti. Come quando hai scritto al bambino che ero.

Aggiungi anche questo all'"accordo degli strumenti".

8 settembre

No, non so come mi sento ora. Mi irrita il tuo tono di com-miserazione, preoccupato (e ipocrita), dopo un colpo del ge-nere.

Un po' come mi sono sentito quando hai descritto vera-mente la tua casa, cancellando d'un tratto tutto quello che mi avevi donato. Ma non c'è paragone, com'è ovvio.

Faccio fatica persino a scriverti, ora. Non ti capisco, My-riam, e in questo momento non voglio nemmeno farlo. Senti, perché mi sferri un pugno così, senza preavviso?

È la prima volta che sento di non voler avere niente a che fare con te. Non per ciò che hai raccontato, quello mi sembra un brutto sogno. Può darsi che non ti scriverò per qualche giorno. Ho bisogno di un po' di tempo.

Anche tu, per favore, non scrivere.

9 settembre

Non posso tenermi tutto dentro.

Una volta, in caserma, durante un turno di guardia, lessi di nascosto, col terrore che mi sorprendessero, *Al faro*. Ricor-do di avere gridato, un vero grido da ustionato, contrario a tutte le norme di prudenza che mi ero prefisso, quando arri-vai all'inizio della seconda parte del libro. Per il dolore, natu-ralmente, ma anche per la rabbia nei confronti di Virginia Woolf che così, tra parentesi, mi annunciava che la splendida signora Ramsey, la mia amata, "era morta improvvisamente la notte prima".

Niente in confronto a quello che ho provato quando mi sono ritrovato la tua lettera fra le mani. Per fortuna ero solo, in macchina, in un parcheggio, quando l'ho letta.

Che vuoi che ti dica? Che mi hai lasciato, ancora una volta, a bocca aperta? Che mi sentivo furioso, perché sono cose che non si fanno (almeno non in faccende come questa)? Non so. D'altra parte, più passa il tempo e più mi accorgo che anche in questo caso sei stata più fedele di me al nostro folle patto, raccontandomi, in tutti questi mesi, il tuo sogno e credendoci, vivendolo intensamente, con lealtà e dedizione. Molto più di quanto ritenessi possibile, e lecito. Molto più di quanto io abbia osato fare giocando con gli irrigatori.

Ma fa male. Fa male come un pugno nello stomaco, e il dolore non passa. Ogni volta che leggo la lettera scambiata, apparentemente per errore...

Cos'altro mi racconterai con un mezzuccio simile?

10 settembre

Non faccio che pensare a come tu continui a conversare con lei, intimamente. L'hai nominata persino nella prima lettera che mi hai mandato. E ti accompagnava in quasi tutte le tue gite. È morta da dieci anni e tu la fai rivivere ogni giorno.

Quanti anni avete passato insieme? Intendo da quel giorno in cui ti ha avvicinato all'asilo, promettendo che sareste state amiche per sempre – finché quel suo "per sempre" si è compiuto. Venti? Venticinque?

E cosa ne è stato del bambino... È nato? Lui, perlomeno, è uscito vivo dal parto (c'è anche un padre in questa storia?).

Non capisco la mia reazione, il mio sconcerto. La conosco solo dai tuoi racconti, niente più che una sequenza di parole. Una donna piccola, sagace e divertente, coraggiosa e sincera (e con un enorme cappello di paglia, le labbra da coniglietto, tutta fuoco e fiamme). La paragoni quasi sempre a un uccello.

Adesso capisco quanto tu sia sola. Sì. Malgrado tutti quei tuoi amici e la scia di uomini al tuo seguito, le amiche nel *moshav* e a scuola. E Amos. Ma un'amicizia come quella che avevi con Ana, un'affinità simile, è un privilegio che capita forse una volta nella vita.

Sarebbe stupido, ora, cercare di consolarti. In verità, è come se fossi io ad aver bisogno di conforto, avendolo saputo solo ieri. Non mi sentivo così da anni. Come se fosse morta una persona molto cara. Ti abbraccio.

Yair

10-11 settembre

Forse non ti capisco, forse sei completamente diversa da come ti immagino. Dopotutto io ti spio attraverso delle fessure e mi invento una storia che magari è soltanto immaginaria. (Sai cosa non è immaginario? Quello che il mio corpo ti sta dicendo in questo momento.)

Eppure ho la sensazione che ogni cosa che mi racconterai – persino ciò che a un primo sguardo potrà sembrarmi contraddittorio, e mi colpirà con inconsueta durezza – so già che in seguito la capirò. Capirò quanto sia giusta per te e radicata in te, nel tuo profondo, tanto da divenire legge.

Sono anch'io così per te? (Credo di no.)

Non allontanarti. Ho bisogno di te. Abbiamo ancora molto di cui parlare, siamo solo agli inizi. Lettera dopo lettera capisco che abbiamo appena cominciato. Non solo: anche se parleremo per trent'anni, mi sentirò sempre come se avessimo appena cominciato. A proposito, mi sono stupito che tu mi abbia invitato al caffè Ta'amon il giovedì sera per vedere Amos giocare a scacchi. Naturalmente non verrò. Mi accontenterò dei tuoi resoconti. A volte vedo per strada qualcuno che gli somiglia, né giovane né vecchio, né alto né basso, con un principio di pancetta, la barba, i capelli grigi e un po' radi scomposti sotto il berretto.

Ma non sono mai sicuro che sia lui. Perché non indossa la giacca grigia con le toppe sui gomiti (anche d'estate?), o perché non ha il berretto, o quegli occhi inconfondibili – i più azzurri e puri che adulto abbia mai avuto.

Parli così bene di lui. Con calore, tenerezza e amore. Ma sento anche una nota di malinconia nelle tue parole. Come fai a dire, con tanta sicurezza, che mi sembrereste una coppia un po' strana, che persino alcuni vostri amici non sempre capiscono come possiate stare insieme? Mentre tu godi del fatto che solo voi due lo sapete.

Mi fa molta tristezza quando scrivi che probabilmente il suo periodo più felice è stato trent'anni fa, quando si guadagnava da vivere cantando ballate nei pub scozzesi.

Se gli anni più felici di Maya non fossero quelli passati con me proverei un grande senso di fallimento, mi parrebbe un'autentica disfatta.

Ma ecco, Maya non è felice in questo periodo. È così da alcuni mesi. Dice che forse è per il lavoro, perché non si può essere ottimisti quando si eseguono ricerche sul sistema immunitario. Entrambi però sappiamo che non si tratta solo di questo. È svagata, fluttua in una sfera di malinconia e io, in questo momento, non sono in grado di aiutarla. Non mi capisco. Abbi ancora un po' di pazienza, Maya.

Cos'è balenato all'improvviso, mentre...?

Ho otto anni, sono sull'autobus delle sette che mi porta a scuola. Alla radio stanno intervistando Arthur Rubinstein in occasione del suo compleanno (fino a quel giorno non avevo mai sentito parlare di lui, non sapevo chi fosse). Qualcuno gli chiede come giudica la sua vita e lui risponde: "Sono l'uomo più felice che io abbia mai conosciuto". Ricordo di essermi guardato intorno allibito, quasi spaventato. Tu sai che aspetto ha la gente sull'autobus delle sette. E quella parola, pronunciata con tanta libertà...

Era quasi Rosh-ha-Shana e in quel periodo annunciano sempre il numero dei residenti in Israele. Ricordo di aver pensato: fra questi tre milioni deve esserci almeno una persona felice e voglio essere io! (Una settimana dopo ero disteso in cantina con una cinghia intorno al cuore...)

Sono andato a rileggermi *Al faro*. Un impulso confuso per tentare di fugare il nervosismo e, forse, consolarmi un po'. Non mi rincuora. Tutt'altro. La cosa più difficile è che non ho nessuno con cui condividere quello che provo. Ho comprato il concerto n. 2 di Rachmaninov e lo ascolto in continuazione. La musica mi fa bene.

"Se avessero gridato forte, la signora Ramsay sarebbe tornata. 'Signora Ramsay!' disse forte, 'signora Ramsay'. Le lacrime le scorrevano sul volto".

Y.

Ancora un momento, OK?

Anni fa pensavo di sottoporre ogni donna attraente a un particolare esame per stabilire se sarebbe stata la "donna della mia vita". Pensavo che l'avrei guardata profondamente negli occhi, avvicinandole il viso. Più vicino, sempre più vicino, finché il mio occhio avrebbe toccato il suo. Proprio toccato. Non solo le ciglia o le palpebre, ma i globi oculari, l'iride e i dotti lacrimali. Naturalmente sarebbero subito sgorgate le lacrime. Il corpo è fatto così. Ma noi non avremmo ceduto, non ci saremmo arresi ai riflessi condizionati e alla burocrazia del corpo finché non fossero emerse le immagini più offuscate e remote delle nostre anime. Questo voglio ora. Vedere l'oscurità che c'è nell'altro. Perché accontentarsi, Myriam? Perché non chiedere, per una volta, di poter piangere con le lacrime di un altro?

14 settembre

Ciao, un semplice saluto.

Non è bene che io mi metta a scriverti solo quando sono morto di stanchezza (che vita, chi mai l'avrà scritta, dannazione?). Questo continuo correre e darsi da fare comincia a stancarmi. E non solo me. Anche Maya e quasi tutti quelli con cui ho a che fare. Soprattutto gente della nostra età. Il lavoro, i figli. Non c'è tempo per niente. Persino tu, sì, tu, la grande temporeggiatrice... Qualche settimana fa mi sono annotato le tue abitudini, quel che fai ogni giorno, il lavoro e le riunioni pomeridiane, le ore che passi con Yochai o in visita da tua madre, le lezioni del metodo Alexander, il tempo che dedichi a preparare la cena, a lavare i piatti e a tutto il resto. Sono rimasto stupefatto nel constatare quanto poco tempo libero ti resti. Solo qualche momento nell'arco di una giornata. Almeno le notti sono libere.

Ho pensato che questa frenesia non ti si addice. È qualcosa di estraneo impresso nella tua tenerezza (se mi è consentito citare quello che hai detto a proposito del mio senso dell'umorismo).

No, sul serio, cosa ne pensa di noi il tuo marziano?

Quanto a quello che volevi ti raccontassi... È un po' tardi per cominciare una storia del genere (hai mai sentito parlare del saggio cinese che disse: "Non ho il tempo di scrivere una lettera breve, perciò ne scriverò una lunga"?). Forse è un bene che io sia stanco.

La verità è che non amo ricordare la mia amicizia con lui. Più ne provo nostalgia, più mi sento a disagio. Eravamo due ragazzini intelligenti, un po' deboli e non molto popolari. Gli altri bambini ci prendevano in giro e ci emarginavano. A dire il vero, ci escludevamo anche un po' da soli. Credo che godessimo nel sentirci speciali e dannati. Inventammo, per esempio, un nostro linguaggio privato fatto di segni manuali. Eravamo velocissimi, potevamo comunicare durante le lezioni, e anche per questo ci prendevano in giro. Puoi immaginarti la scena: io, lui e i nostri segnali.

Avevamo soprannomi segreti per i nostri compagni e componevamo poesiole irriverenti su di loro e sugli insegnanti. Non ti sarà difficile indovinare che entrambi conoscevamo, per esperienza diretta e grazie alla buona educazione ricevuta, quel fondamentale articolo della costituzione che stabilisce come in ogni persona ci sia qualcosa che merita di essere disprezzato. Così ci preoccupavamo di divulgarlo...

In questo modo, per anni abbiamo perfezionato la nostra immagine di creatura a due teste con il cervello polilobico, sviluppando uno stile arrogante e caustico. Avevamo un linguaggio molto colorito e organizzavamo pubbliche competizioni di "poesia simultanea" sull'esempio dei poeti dada, divorando, senza capirci niente, Hegel e Marx (sentimmo parlare, con invidia, dei giorni gloriosi del Matzpen[14] a Ge-

[14] Movimento di estrema sinistra. [N.d.T.]

rusalemme, negli anni Sessanta. Non riesco a ricordare se venisse fatto il tuo nome). Avevamo un certo talento e qualcosa che somigliava a uno stile. Senza ammetterlo, ci sentivamo come due inglesi destinati a un college e finiti nella scuola di un quartiere operaio.

Seguendo l'esempio di Swift, a quindici anni scrivemmo la nostra *Modesta proposta*: produrre elettricità da esseri inferiori – invalidi, stupidi, ritardati mentali ecc. (scusa, lo so. Ma sono io. Nella mia interezza, senza sconti). L'anno dopo scrivemmo un *Libro di cucina per famiglie* che consolidò la nostra pessima fama, condannandoci a imperitura ignominia. Era una raccolta di ricette ebraiche, facili da preparare (e anche piuttosto economiche, visto che gli ingredienti erano reperibili in casa). Sarei felice di raccomandare ai miei amici intenditori la zuppa di gargarozzi "à la maman" e i ravioli di bile "à la papa"...

Tengo a precisare, in questo infame resoconto, che più aumentava la nostra forza più guadagnavamo in popolarità, anche tra le ragazze, e questo rappresentò una piacevole novità per entrambi. A sedici anni si era già raccolta intorno a noi una cerchia ristretta, ma entusiasta, di ammiratrici, che obbligavamo a leggere vecchi libri scovati nella biblioteca dell'YMCA, per poi interrogarle e fargli sputare sangue prima di concedere i nostri favori. Per un certo periodo facemmo il filo alle ragazze secondo un programma prestabilito e in base a un codice segreto. Per esempio, le prime lettere del loro nome, che formavano, una volta riunite, il nome della ragazza di cui eravamo veramente innamorati – tale Hamutal, alla quale il nostro amore ci impediva di pensare mentre ci masturbavamo.

Andò avanti così fino al servizio militare. Sei anni. Sei anni di acume, direbbe Shay; sei anni acuminati, gli risponderei senza esitare. Eravamo ossessionati dai giochi di parole. Potevamo distruggere la reputazione di una persona nel giro di cinque minuti solo giocando a ping-pong con il suo nome. (Mentre ti scrivo, penso: forse tutto sarebbe andato diversamente se fossimo riusciti a restare uniti anche da grandi, una volta superate le manie adolescenziali e la crudeltà generata dalla paura. Che bell'amico avrei potuto avere.)

OK, signori, basta con i sentimentalismi. Ci arruolammo lo

154

stesso giorno e, benché inneggiassimo al pacifismo, protestando contro l'occupazione dei territori e tutto il resto, quando arrivò la cartolina precetto fummo felici. Probabilmente sentivamo che c'era qualcosa di velenoso nella nostra amicizia, e il fatto che l'esercito avesse deciso di arruolarci era segno che, malgrado tutto, non eravamo diversi dagli altri.

Insomma, il lungo braccio della naia ci separò. Shay prestò servizio in fanteria e io, sottopeso, nell'intendenza militare. Per la prima volta dopo anni ci trovammo soli di fronte ai nostri coetanei e in un attimo riprendemmo coscienza della realtà – o meglio, ce la fecero riprendere. Tutte le nostre arguzie vennero sepolte nelle profondità dello zaino, imparammo un altro gergo e, soprattutto, imparammo a tacere. A quel punto, durante una gloriosa operazione in Libano, Shay venne ferito gravemente. Sua madre mi telefonò dall'ospedale, ancor prima di avvisare i nonni, e io dissi, naturalmente, che sarei andato a trovarlo alla prima licenza.

Dopo alcune settimane di abiezione morale (non ho altre parole per descrivere cosa provavo mentre i giorni passavano senza che andassi a trovarlo. Rifiutavo persino le licenze pur di evitarlo) la cosa divenne insostenibile e mi trascinai fino all'ospedale Tel-ha-Shomer.

Be', non è un episodio fulgido nella storia della mia vita.

Cosa ricordo? Il lungo corridoio e i vasi di gerani appesi alle pareti, i mutilati che sfrecciavano con perizia sulle sedie a rotelle. Puoi immaginare come mi sentissi, quindi permettimi di sintetizzare. In fondo al corridoio, qualcosa si alzò e mi venne incontro. Un torso magro con una testa rapata e un solo occhio spalancato, senza sopracciglia. C'era anche una bocca tremenda, contratta in un ghigno. Si appoggiava alle stampelle e aveva una gamba amputata sopra il ginocchio.

Mi avvicinai con cautela. Ci guardammo negli occhi, nell'occhio. Pensammo: "Occhio per occhio", "A perdita d'occhio", "Dare nell'occhio". Queste e altre battute aleggiarono sopra di noi, velenose, andando a morire sulle ciglia della palpebra vuota. Shay cominciò a ridere, o a piangere, non so. Quella bocca. Colto da un riso isterico, finsi di scoppiare in lacrime.

Non ho niente da dire in mia difesa: solo che non riuscii a controllarmi, abitudine di anni. Ma bisogna considerare che la nostra amicizia era rimasta esattamente allo stesso punto.

Cara Myriam, dopo la lettera in cui ti ho raccontato del somarello avresti voluto abbracciarmi. Come potresti farlo ora? Non abbracciai Shay. Non fui capace di mentire e dirgli che era un bel bambino. Restammo lì senza guardarci, tremando. Anni e anni di amicizia pieni di momenti davvero belli, anni di confidenza e solidarietà, con la certezza che il nostro incontro, a dodici anni, era stato un dono del destino – tutto questo venne cancellato.

Questa è la storia.

Cos'ho pensato ieri...?

Che è un peccato che tu e io non possiamo essere amici. Semplicemente amici. Un'amicizia sincera, come tra due uomini. Sul serio, perché non sei un uomo? Risolverebbe un sacco di problemi: ci saremmo incontrati ogni tanto in un bar o in qualche tavola calda. Avremmo bevuto della birra, parlato di scopate, lavoro, politica. Il venerdì pomeriggio saremmo andati a vedere una partita di calcio con altri amici. Di sabato, gite con le rispettive famiglie. Facile.

Ricordo che Shay alzò verso il soffitto quel che gli era rimasto del viso, con un'espressione impossibile da descrivere, in qualunque lingua. Come se in quel momento accettasse con rassegnazione, e con straordinaria onestà intellettuale, la sentenza che insieme avevamo pronunciato quando eravamo ancora amici: la colpa di qualsiasi menomazione è soltanto tua. Se sei stato punito è perché te lo meriti, e ciò che sei è un castigo per come sei, niente di più e niente di meno.

Il suo viso tremava davanti a me. Non aveva più i lineamenti per esprimere ciò che provava. Poi si voltò e ci separammo, senza nemmeno salutarci. Sono passati molti anni da allora. So che ha subìto diversi interventi, e oggi ha un aspetto accettabile. Ho anche saputo che si è sposato, ha avuto un figlio e sua moglie ne sta aspettando un altro.

Era davvero un bambino intelligente e insolitamente caustico. Non passa quasi settimana che io non pensi a lui. Eppure, vedi, ho eliminato anche lui dalla mia vita (sono davvero un incrocio tra il metodo della terra bruciata e quello del tagliare a fette, non credi?).

Y.

17 settembre

Vieni in cucina. Vieni nella mia cucina. Io, la tua, già la conosco. È sera e per la prima volta da quando mi hai raccontato di Ana ho avuto una giornata un po' più felice. Ti voglio con me, qui, per un momento. Ce lo possiamo permettere, dopo cinque mesi e diciassette giorni dal nostro incontro (oggi!).

Sono nel nostro giardino, un prato di un metro quadrato, con gli irrigatori e un'aiuola di crisantemi tutt'intorno. Dovrebbe essere una serata d'autunno, ma l'aria è calda e rarefatta. Non hai anche tu la sensazione che quest'anno l'inverno si rifiuti di arrivare? (A dire la verità, non m'interessa.) Con la scusa di scrivere a un cliente furibondo a cui ho venduto per errore un libro sbagliato, mi allungo sulla sdraio e avverto la tua presenza intorno a me. Chissà perché ho l'impressione che oggi non ti opporrai all'invito di addentrarti nei meandri di casa mia, almeno lo spero, perché con te non so mai da che parte arriverà il rimprovero...

(Per esempio: "A volte, dopo aver scritto una cosa terribile e dura, all'improvviso fai un rutto, un rutto da *salame*, e io avrei semplicemente voglia di ucciderti!".)

OK, accetto il rimprovero. Questo mio voltafaccia improvviso, il velo di rozzezza che mi ostino a indossare davanti a te... Me lo sono meritato. E forse merito anche il lanciafiamme che hai puntato sul mio innocente desiderio – l'augurio che tra noi potesse esistere un'amicizia come tra uomini.

Ehi, non prendertela tanto per stupidaggini del genere. Sono solo parole. Ti giuro che non cerco assolutamente di separare "il fatto che tu sia donna" dal nostro legame, e tantomeno voglio che ti castri per "esaudire veramente questo mio desiderio". Dài, basta litigare. Mi piace dirti "dài". Sento subito gorgogliare nel cuore un'ondata di calore. Sai, ti vedo già in tutte le stanze della casa. Non solo in bagno. Come se, nelle ultime settimane, avessi trovato un posto adatto a te senza invadere il territorio di altri. E tu, dove pensi a me?

Guarda, un momento così: è sera, la cucina è affollata, Yidò siede sul suo trono e davanti a lui ha tutti i tesori di Alì Babà e di Alì Mammà – vaschette di yogurt e panna, formaggini, budini, burro, spaghetti e patatine cosparse di cannella, naturalmente. Come fai tu con Yochai (grazie per l'idea!). Accanto al fornello Maya sta cucinando qualcosa, o strina sul fuoco le ali di un pollo per domani. Com'è bella la nostra cucina in questo momento. Così penso, immancabilmente, con la commozione che si prova davanti a un paesaggio incontaminato. A volte me lo dico persino, a mezza voce, perché Maya non senta. Lei mi prende in giro per il mio sentimentalismo, ma io devo dirlo perché in quel momento non ci sono più io, tu lo sai, l'hai detto tu stessa. Me ne sto là fuori, appoggiato al davanzale della vita.

Guardo all'interno e provo già nostalgia per ciò che un giorno verrà distrutto, non esisterà più per noi e si disgregherà, come succede sempre, soprattutto a me. Ch'io sia dannato (ho letto che in cinese antico la parola "famiglia" veniva scritta così: il disegno di una casa con dentro un maiale).

Ma oggi tutto è colorato di rosa. Da' un'occhiata e vedrai come esulta il tavolo per i meravigliosi residui della vita. Croste di pane che taglio via dalle fette di Yidò e macchie d'uovo sulla sua bocca e sulle guance (e sul pavimento intorno). Schizzi di cioccolata sulla tovaglia, noccioli di olive e un cesto pieno di frutta, bella e grande, che dà un tocco di atmosfera tropicale alla nostra casa, situata in un nuovo quartiere di villette a schiera. E le forchette, i cucchiaini, i coltelli, la tazza con il manico rotto, quella scheggiata e quella con la scritta "La migliore mamma del mondo", o quell'altra "La mia migliore amica". E quella gialla e brutta, regalo di nozze, unica sopravvissuta di un servizio da dodici. Rifiuta di rompersi. Io e Maya abbiamo un accordo che ci permette di rompere una tazza come quella nel corso di un litigio, ma questa resiste ormai da tre anni, ha attraversato indenne perfino l'ultimo periodo. Cosa significa?

APPENDO TUTTO A L'OFFATO SEI

PRESENTE A CASA CON ME
RUBATO TUE COSE

La mensola con le spezie colorate e la cassetta del pane un po' aperta, come la bocca di un vecchio sognatore. Magari potessi essere già come lui! E i biglietti, i ritagli di giornale che appiccico al frigorifero per Maya: istruzioni per la respirazione bocca a bocca e brevi cronache di bambini che hanno ingoiato detergenti. Statistiche aggiornate di disgrazie e incidenti, provocati dalla velocità, dall'ingordigia, da eccessi. E Maya d'un tratto mi sorride, col suo volto semplice e bellissimo, col suo corpo amato e familiare, avvolto in una tuta blu – identica alla mia, regalo di nozze dei suoi genitori, anni fa. I suoi genitori che mi amano come un figlio, tanto che, se dovessimo separarci, continueremmo a fingere di stare insieme solo per non spezzargli il cuore. Lei mi passa la pentola a pressione, poi quella grande, la "polacca", e posa sul piano di marmo quella smaltata, arancione, con i resti del riso di ieri. Versa con abilità la minestra dell'altro ieri nella "polacca", dopo aver trasferito il cavolo nella ciotola scheggiata. E versa il contenuto della ciotola scheggiata – i resti del gulasch – nel pentolino Cirino, comprato durante il viaggio di nozze in Italia (da non confondere con il pentolone Cyrano, acquistato durante il viaggio in Francia!). E mentre le pentole si riposano, dopo tutti questi travasi, noi mettiamo ordine nel frigorifero, sistemando i latticini sul fondo. Io mi chino su Maya e lei si contorce per intrufolarsi nel varco sotto le mie braccia. Questa è la danza della cucina, da non confondere con la danza del somarello. In tanti anni insieme ci siamo fusi l'uno nell'altra, e a volte mi sento come se avessimo assunto un terzo sesso, quello del matrimonio, e i nostri corpi, ormai disciolti l'uno nell'altro, fossero diventati *il punto di approdo* della passione, non più il mezzo per soddisfarla. Siamo ormai la stessa carne ed è davvero terribile.

Non hai idea della gioia che ho provato quando, insegnando a Yidò come si allacciano le stringhe, abbiamo scoperto che ognuno di noi le allaccia in modo diverso.

A proposito: grazie per il suggerimento riguardo a Shay, ma ormai non c'è più nulla da fare. È vero che siamo sicuramente maturati da allora, ma la cosa non potrebbe funzionare perché (ti irriterai, ma tant'è) sappiamo entrambi, nella nostra logica contorta, che questa separazione, arbitraria e inutile, è una sorta di punizione che ci meritiamo, pur essendo anche, in modo molto personale, la continuazione del nostro legame. Nessuno può capirlo meglio di Shay.

Torniamo in cucina?

Ora, dopo avere tolto dal frigorifero la tazza scheggiata e averci messo il piccolo Cirino, si è liberato un posto. Maya toglie dal congelatore una teglia di plastica con l'etichetta "burekas[15] alle patate" e la data del congelamento, e la poggia sul ripiano centrale. È quasi vuoto, l'ho riparato io e quindi è proibito metterci cose troppo pesanti – come Maya spiegherà un giorno al suo secondo marito, il lottatore, il fabbro, il tecnico esperto di frigoriferi. A quel punto ci riposiamo un po', soddisfatti e in silenzio. Mi è difficile descrivere a parole l'intensità di quel momento. Entrambi ci gonfiamo, pieni di stupido orgoglio per un modesto talento che affiniamo ogni giorno in vista della perfezione, come distillando l'essenza della nostra coppia. Questa è la situazione, Myriam. E ora, improvvisamente, mentre scrivo, capisco che il legame con Maya è così forte e definito da rendere impossibile introdurre un elemento nuovo e ingombrante (come me, per esempio...).

È così, vero? Due persone, nel bene e nel male. Due persone che si amano pigiate nel barattolo del matrimonio, dove ogni mio respiro le sottrae qualcosa. Inconsapevolmente, si tiene una contabilità meschina con la persona che si ama di più. Alla fine tutto diventa calcolo, bilancio. Credimi (benché ti rifiuti di farlo): non solo ci si rinfaccia chi guadagna e chi lavora di più, in casa o fuori, e chi prende più spesso l'iniziativa a letto. Anche i cromosomi finiti nella cassa comune vengono in qualche modo conteggiati: a chi il bambino somiglia di più, e chi invecchia prima mentre l'altro perde il passo.

Persino... chi interrompe per primo un bacio.

Allora abbracciami ora (ora!), appoggia la testa sulla mia spalla. C'è un punto che sogno di baciare, a parte il neo se-

---

[15] Sfoglie ripiene molto popolari in Israele. [*N.d.T.*]

greto: la conca sulla spalla, vicino al collo. Voglio sentirne il calore, la pelle morbida come velluto e l'arteria pulsante – la pulsazione silenziosa e incessante della vita che palpita in te. Vieni, accucciati sotto la mia ala, non dire nulla ma ammetti in cuor tuo che è possibile immaginare il matrimonio anche così: due individui che si osservano, uno di fronte all'altro, in un rito prolungato, lentissimo – il rito dell'esecuzione di una persona amata.

Mi chiamano per la cena, la frittata è pronta. A proposito, hai scritto una cosa che mi ha lasciato di stucco: non c'è nessuno al mondo, oltre Amos, a cui vorresti confidare cosa provi nel rapporto con me.

Mi spiace, non ti credo. Suona bene, ma è impossibile.

Non solo suona bene, suona meravigliosamente bene detto da te. Rotondo, generoso, da fare invidia: "... sono sicura che Amos capirebbe perfettamente quello che, ogni volta che ci penso, mi commuove: uno sconosciuto ha visto in me qualcosa che lo ha tanto colpito da spingerlo ad affidarmi la sua anima...".

Non che io non riesca a immaginarlo. Che felicità sarebbe vivere in un mondo perfetto, dove dire a Maya: "Aspetta un momento, May, finisco di scrivere una cosa a Myriam". Lei chiederebbe: "Myriam? Chi è Myriam?". E allora io, dopo avere tranquillamente terminato la lettera, entrerei in casa, mi siederei e, tagliando la frittata, direi che Myriam è una donna a cui scrivo ormai da quasi sei mesi, e che mi rende felice. A quel punto Maya sorriderebbe con gioia perché, finalmente, avrei dato un segno di felicità (distruggendo così una reputazione di anni) e, mescolando l'insalata, mi chiederebbe di essere più preciso: in cosa consiste questa felicità, e in cosa si differenzia da quella che mi procura lei. Io rifletterei un po' e alla fine le direi che, quando ti scrivo, sento qualcosa dentro di me che ridiventa vivo. "Capisci, Maya? Persino quando, talvolta, le scrivo delle cose che mi fanno provare disgusto per me stesso... Grazie a Myriam vivo qualcosa che lei sola è riuscita a risvegliare in me e che altrimenti sarebbe morto. Tu non vuoi che qualcosa muoia in me, vero, May?" Così le direi, tagliando fette sottili di pomodoro e formaggio e avvolgendole insieme. Maya chiederebbe allora maggiori spiegazioni e io le racconterei, per esempio, della collezione di teiere che gli amici ti portano da ogni parte del mondo, e che sono ancora tutte imballate in cantina. Maya ci penserebbe un po' su, forse abbiamo qualche teiera particolare da darti... Io continuerei a raccontare e i suoi occhi brillerebbero, guardandomi, d'amore e d'innocenza, come un tempo. Poserebbe la guancia sul palmo della mia mano, come una bambina che ascolta una fiaba, e io andrei avanti e le direi...

Yair

(Ma allora lei mi racconterebbe qualcosa di sé che ancora non sapevo.)

20 settembre

Ehi, Myriam...
Non sai cosa mi hai dato!
Da dove cominciare? Così tante sensazioni fanno a pugni per essere la prima... Quand'ero piccolo, una volta, feci voto di leggere tutti i libri della biblioteca scolastica che nessuno leggeva. Così, per un intero anno, lessi solo libri i cui tesserini erano intonsi (e in questo modo scoprii alcuni tesori nascosti). Oppure avrei voluto imparare a sognare a comando, così la gente si sarebbe rivolta a me per mettersi in contatto con i suoi morti. Oppure mi sarebbe piaciuto addestrare un cane che ogni sera avrebbe accompagnato una persona rimasta sola a fare una passeggiata. Una persona che voleva camminare un po' ma non aveva un pretesto per farlo... Non hai idea di quante stupidaggini mi tengano occupata la mente ancora oggi. Io te le racconto perché quello che hai inventato per me, la bontà che hai dimostrato quella notte, in quella strada, mentre passeggiavi con tua madre in un raro momento di grazia fra voi... all'improvviso, come un'ondata, ha risvegliato in me il desiderio dimenticato di fare del bene, di donare senza limiti, di gettare qualche moneta d'oro dalla mia carrozza. Ma monete fatte di me, della mia carne, del mio sangue e di null'altro, vero? Sentire la mia

anima spandersi, dilagare, e sentire che mi prodigo per gli altri, li allatto, vincendo il principio dell'alienazione e della grettezza, di tutto quello che abbiamo deciso di chiamare "il Cremlino". Ho capito all'improvviso come il legame tra noi mi stimoli a essere *buono*, a darti solo il meglio. Anche quando, a volte, mi rendo spregevole ai tuoi occhi, devi ricordare che fa parte dello strano desiderio che mi arde in petto: mostrarmi buono con te, o fare semplicemente del bene. Ripulire i canali di tutto il fango e del rancore che li ostruiscono. Dài, dài, dài, dài, dài, dài.

21 settembre

E se io non fossi degno di un dono tanto generoso?

E se avessi mentito?

Quelle due donne, e quello che dissero, o non dissero, per strada quella notte... È la verità. Ma se io non fossi tornato dal cinema dopo una serata con Shay? Voglio dire... a casa dicevo di uscire con Shay, sempre e solo con Shay, che mio padre odiava e di cui temeva lo sguardo ironico. Lo chiamava "voygele"[16] e a volte "neon" (il suo viso era di un pallore mortale). Imitava il suo modo di parlare e il vezzo di scostarsi un ricciolo dalla fronte. Shay, Shay (tu già lo conosci ma mi fa piacere scrivere il suo nome, dopo tanti anni).

Devi sapere che in quel periodo frequentavo già le ragazze anche se a casa, naturalmente, non lo raccontavo. Perché? Così. Forse perché già allora sentivo che occorre combattere con tutte le forze per proteggere la propria vita privata, e forse perché cominciavo ad avvertire in loro una certa ansia, impalpabile come un velo, nei miei confronti, per quello che sono *esattamente*. Niente di esplicito, ma nell'aria aleggiava un certo nervosismo, un dubbio che gli raggelava il cuore. Forse conosci la sensazione che si prova quando ogni tua frase viene esaminata in controluce, alla ricerca di eventuali

---

[16] Termine yiddish che significa "uccello" o anche, spregiativamente, "omosessuale", "finocchio". [*N.d.T.*]

tracce. Tracce di cosa? Non so bene. O perlomeno, allora non capivo. Oppure non volevo ammetterlo esplicitamente con me stesso. Anch'io nutrivo dei sospetti nei miei confronti (chi non li nutre a quell'età?), ma cominciai a provare *piacere* nello spaventarli, nel seminare segnali fuorvianti, nel fargli crollare il mondo addosso con vaghe allusioni riguardo, per esempio, a un fantomatico amico, un uomo conosciuto nella biblioteca della Casa del Popolo che si intratteneva con me in lunghe conversazioni sull'arte. Oppure lasciavo intendere che io e Shay avevamo deciso, dopo il congedo, di affittare insieme un appartamento a Tel Aviv... Allora la signora guanti-di-gomma lanciava uno sguardo medievale verso il signor cintura-marrone borbottando che, a giudicare dalle dimensioni, questo Shay era già un ragazzotto piuttosto cresciuto, e com'è che non aveva ancora una ragazza? E perché non potevo, per una volta, fare amicizia con una persona normale invece di stare solo con questo Shay, sempre attaccati l'uno all'altro? Diceva così e poi taceva, inorridita, mentre io belavo con infantile innocenza che le ragazze a me non interessavano proprio, e tantomeno a lui; quello che interessava veramente a entrambi era abbandonare gli studi e andare all'estero per unirci a una filodrammatica. Prova a immaginare, a sentire quelle cose con le *loro* orecchie quando, mai e poi mai, gli avevo detto che già da tempo uscivo con delle ragazze, con femmine *normali*... Con le ragazze avevo iniziato a darmi da fare già in tenera età, piccolo lolito che non sono altro. Ricordo che già a dodici anni abbordavo una ragazza, una qualsiasi (non ero di gusti difficili), e con una sicurezza sconcertante la invitavo, cioè le ordinavo, tremando come una foglia, di venire al cinema con me. Dopo il film la costringevo, con mille suppliche e autoumiliazioni, a pomiciare. Perché? Così. Perché lo volevo, perché dovevo, perché era parte di una contrattazione in cui lei non aveva quasi voce in capitolo, era solo moneta di scambio. O una ricevuta.

Mi stupivo di quante ragazze accettassero di servire come carne da macello per quel tiranno spaventato. Non saprei spiegare perché. Puoi immaginare com'ero, il mio aspetto, eppure c'era sempre una ragazza che accettava di partecipare al mio macabro spettacolo interiore in qualità di comparsa. Forse volevano far pratica con me prima di affrontare la cosa vera, non so. Ancora oggi, a volte, mi interrogo a questo proposito: forse si sentivano attratte dalla stranezza della situazione? Perché, allora, adesso mi intristisce? Sono passati tanti anni e quel bambino è cresciuto, si è salvato. Ma pensare che forse era davvero il mio segreto a scatenare una forza d'attrazione da negromante (perché chi può resistere alla tentazione di sbirciare nell'inferno di un altro?).

Quella sera ero andato a vedere un film. Non con Shay, ma con una ragazza di cui non ricordo il nome. Dopo averla salutata, avevo preso l'autobus per casa, ma invece di scendere in via Giaffa e prendere l'autobus che ferma vicino a casa mia, avevo tagliato per il vicolo Bahari, passando davanti ai negozi chiusi e alle puttane.

Myriam, Myriam, vediamo se sono capace di aprire questa scatola. Avevo appena dodici anni e non avevo mai osato spingermi al di là di carezze furtive e baci rubati sulle labbra, che rimanevano sempre sigillate per me. Tenevo in mano cinquanta lirot arrotolati e sudaticci, sottratti con regolarità dal portafoglio sacro nel corso di qualche mese, perché tutto questo l'avevo lungamente architettato. Sedevo in classe durante le lezioni di grammatica o di religione, e fantasticavo di farlo. Cenavo il venerdì sera con la famiglia e immaginavo solo questo...

Pausa?

Mi hai talmente commosso con la tua storia: l'incubo di una settimana di vacanza con lei a Gerusalemme (quanti anni avevi? Quindici? Sedici?), o l'incontro immaginario che hai inventato per me. E i dettagli che hai raccontato: la vergogna per le tue scarpe così grandi accanto alle sue (minuscole) nella stanza della pensione. E come cercavi di allontanarle mentre lei le avvicinava. Penso all'esuberanza che in te sbocciava allora, che germogliava, finalmente, e che, ne sono certo, non ti sembrava altro che un'ulteriore prova del tuo "vero" carattere, dissoluto...

Ma più di ogni altra cosa, ovviamente, mi ha commosso quello che lei ti ha sussurrato la notte prima di tornare a ca sa. Quella frase mi tormenta, con la sua musica di sconfitta (come se fosse un'elegia funebre): "Quando papà ce lo domanderà, diremo che è stato bello. Quando papà ce lo domanderà, diremo che è stato bello...".

All'improvviso ho capito qualcosa che non avevo mai considerato: quanto i miei genitori siano stati infelici a causa mia, forse non meno di me. Non avevo mai pensato alle umiliazioni che gli ho procurato. Come hai detto tu? Anche crescere un figlio "orfano di te" è una cosa terribile.

Myriam, una volta mi hai parlato di un gioco segreto che mi riguarda: ogni giorno "estrai a sorte" una mia lettera e la leggi per scoprire cos'è cambiato in me, e in te, dall'ultima volta che l'hai letta.

Allora voglio mandarti il seguito in un'altra lettera, ti dispiace?

Y.

21 settembre

Ci sei ancora?

Non so dove trovai il coraggio. Tremavo, e quel coraggio mi sembrava già una sorta di tradimento. Come poteva un bambino pensare di liberarsi dal richiamo di *quella* famiglia per spingersi in un posto come *quello*? Anche se, forse, il vero tradimento fu il fatto che un ragazzino di dodici anni ebbe l'audacia di abbandonarsi a un sentimento così intenso: passione, si chiama passione. Fra noi divampò la passione, un fuoco di passione, fratelli, al fuoco!

Ma che passione, chi la provava in quei momenti? Forse provavo la sola, vera e unica passione che io conosca (quella per il senso di colpa, che cerca sempre un peccato con cui accoppiarsi). Davvero, dovrei scrivere un libro sulle posizioni di quei due, tutte le variazioni possibili, una logica continuazione del libro di cucina per famiglie. Shay, dove sei?!

C'erano uomini, giovani e vecchi, che mi sembravano usciti da un film poliziesco, come i personaggi di cartone sul tetto del cinema Orghil. Camminai tra loro a occhi bassi, con la solenne e gelida angoscia del condannato a morte. Pensai che di sicuro nessuno era ashkenazita e che lì avrei trovato la morte. Qualcuno mi diede una pacca sulla nuca e rise, dicendo che avrebbe informato la mia *yeshiva* a Mea Shearim.[17] Nota bene, Myriam, questo è il bambino che tu volevi graziare con il tuo sguardo, rassicurandolo del fatto che fosse veramente bello... In fondo al vicolo c'era un grande cortile. Degli uomini entravano e uscivano frettolosi, con lo sguardo rivolto a terra. In classe ci abbandonavamo spesso a fantasticare su quello che succedeva laggiù. Eli Ben Zikri era l'unico ad aver osato spingersi fin lì, una volta, lungo il vicolo, e veniva considerato un eroe. Io vi entrai. L'aria puzzava d'urina e di fogna e io mi sentivo contaminare a ogni respiro. Un ragazzo, non molto più grande di me, mi spinse contro un muro, vicino a una donna tarchiata che indossava una minigonna nera e lucida, probabilmente di pelle. Ricordo quel riverbero, le sue cosce scoperte e massicce, ma non il suo viso. Non osai guardarla. Fino alla conclusione della trattativa non osai alzare lo sguardo nemmeno una volta.

Chiesi quanto, lei disse trenta e io, paralizzato, tesi tutte le banconote che tenevo arrotolate in mano, sentendo mio padre fremere di rabbia per quel figlio così poco affarista. Myriam, tu sei libera di saltare il prossimo paragrafo, ma io te lo devo raccontare. Voglio ripulirmi. Tutt'intorno c'erano alti edifici, muri ricoperti di lunghe lingue di bitume, e nel buio del cortile ricordo di avere intravisto cataste di vecchie travi, mucchi di immondizia e, qua e là, il bagliore delle sigarette. Da ogni angolo giungevano mormorii e respiri affannati, o le voci indifferenti delle puttane che chiacchieravano tra loro mentre lo facevano. Ricordo il gesto volgare con cui lei tirò su la gonna e io, che a quel tempo potevo al massimo vantare di saper slacciare un reggiseno con una sola mano – il reggiseno di mia sorella Aviva, che tendevo sulla vecchia poltrona per allenarmi – mi vidi di colpo, davanti agli occhi, la cosa vera. Mi sentii male e rabbrividii. Sentii l'anima contrar-

---

[17] Quartiere ultraortodosso di Gerusalemme. [*N.d.T.*]

si, sentii che la stavo perdendo per sempre e pensai: ecco, è finita, guarda come sono caduto in basso

(No, ero un bambino molto più melodrammatico. Ricordo di aver pensato in cuor mio queste parole: ora, davvero, sei al di fuori della società...)

Lei domandò perché non mi levavo i pantaloni e mi allungò una mano ruvida sul pene, che cercava rifugio tra le pieghe delle mutande, urlando. Lo tirò e lo scrollò con forza, lo strofinò e lo scosse, cercando di gonfiarlo con il palmo di quella sua mano ripugnante e callosa; ma io, tristemente, uscii dal mio corpo e, osservandomi dall'alto, pensai: a questo punto, sarà impossibile redimermi.

Un momento, sigaretta. Devo prendere un po' d'aria. Guarda quante scene faccio per un incontro con una puttana. Cinquanta lirot, in fin dei conti. *Big deal*. Dove eravamo?

Eravamo che lei, insomma, *quella*, si innervosì e chiese, masticando una cicca, quanto tempo credevo che mi avrebbe aspettato. A quel punto, ascolta bene, quel bambino che ero, quel babbeo sfacciato, le chiese con voce rotta se poteva baciarla una volta sul seno... Salta questa parte, Myriam, saltala, perché ti insozzerà. Per quale motivo poi te lo racconto? Perché devo sporcarti così? "Sentiva il bisogno di peccare con una della sua specie, voleva costringere un'altra creatura a peccare con lui e a esultare insieme nel peccato." Ma io non ebbi la fortuna del giovane Stephen Dedalus. Che invidia provai quando lessi: "Sul cervello, come sulla bocca, gli premevano quelle labbra". La mia emise solo un grugnito di disgusto e sollevò un po' il reggiseno. Non vidi nulla, sentii solo della carne morbida e sudata contro il viso. La mia lingua cercava e si affannava su di lei, e ricordo lo stupore quando sfiorai un capezzolo grande e morbido, a cui mi attaccai con tutte le forze. Mi sentii sommerso da un'ondata di calore, perché nel cortile di quella puttana trovai, all'improvviso, una cosa degna d'amore, una cosa che era amore e purezza, alla quale dovevo concedermi senza esitazioni, completamente...

Sì, è davvero buffo. Succhiai con sospiri e gemiti di gratitudine quella morbidezza fantastica che mi riempiva la bocca, e che ricordo ancora. Nel mio stato di totale confusione quel capezzolo mi parve come una piccola donna, pingue e tonda, che non aveva niente a che fare con la puttana. Solo una donna minuscola, tenera e soda. Forse una puttana anche lei, ma una che lo faceva per introdurre ragazzi come me ai misteri del sesso con semplicità e naturalezza. Ricordo lo shock quando, di colpo, quella simpatica matrona si irrigidì, e io sentii in bocca come un pezzo di gomma, uno spuntone vulcanizzato, impenetrabile da qualunque lato (puoi ridere di me). Ricordo il ribrezzo e la disperazione totale, perché se anche *questo* si raggrumava come un corpo estraneo, allora cosa rimaneva in cui credere...? Su di me si rovesciava una scarica di pugni e sberle, e non dimenticherò mai il grido di sorpresa e di dolore che rimbombò in quell'universo chiuso e fetido: "Avete visto questo piccolo maniaco? Mi hai preso forse per tua madre?".

Quando uscii dal vicolo nessuno avrebbe potuto indovinare quello che mi era successo. Se mi avessero fatto il test con la macchina della verità, ne sarebbe uscito: "Bam-bi-no mo-del-lo". Perché qualcuno, forse il magnaccia, mi sferrò un calcio violento, e fu come se un bisturi affilato mi avesse asportato tutto lo schifo. Qualcuno mi aveva afferrato per le spalle scaraventandomi fuori, inseguito dalle risa soffocate che si levavano da ogni angolo del cortile. Scappai via, zoppicando e cadendo: che disonore. Ma cinque minuti dopo già sedevo sull'autobus che mi portava a casa, in mezzo a gente che non immaginava cosa fosse accaduto a così poca distanza e quanto grande fosse il prezzo che avevo pagato. Mi ricomposi e fui di nuovo me stesso, in modo anche esagerato, fino al ridicolo. Cercai di darmi un contegno e strizzai gli occhi come un miope perché la gente mi guardasse e ridesse di me, ristabilendo così il consueto rapporto tra noi. Ero di nuovo il bambino che una settimana fa mi è balenato davanti mentre mi toglievo la barba. Non dire niente. Me la sono tolta per incontrarlo, per una stupida nostalgia che, all'improvviso, hai risvegliato in me. Ho tremato, come offeso dal volto che mi rimandava lo specchio. Nonostante tutto mi costringo a rimanere fedele *a te*, non a me. E prometto di non ricoprirlo più con uno strato di peli.

Quando arrivai nel mio quartiere ero già sprofondato in

pensieri belli e confortanti, che aleggiavano dentro di me. Ricordo, per esempio, di aver pensato che un giorno sarei stato un marinaio e che sarei salpato per approdi lontani, azzurri e verdi, luminosi. Avrei visto solo splendidi panorami, senza esseri umani intorno, con distese d'acqua sconfinate e trasparenti. Mentre ero immerso in quella visione mi passarono accanto due donne, una giovane e una anziana, dicendo qualcosa che non fui certo di capire, forse mormorarono soltanto: "Che bambino abietto", non so.

Non eri tu, Myriam. Non eri tu e non era tua madre. Grazie per l'immane sforzo. Grazie per aver rivissuto per me quella terribile settimana con lei. Tu sola, senza tuo padre che ti proteggesse. So quanto sia stato duro per te tornare laggiù. Ero con te nelle notti interminabili passate nel letto matrimoniale della pensione, mentre tu piangevi da una parte e lei taceva dall'altra, incapace persino di tendere una mano, di accarezzarti.

Anche se non l'hai detto, so che mi hai portato con te l'ultima notte, nell'unico momento, forse, in tutti quegli anni, in cui il cielo si è davvero spalancato su di voi. Mi sorprende ancora come tu abbia potuto essere così generosa, saggia e magnanima, pur essendo tanto giovane. E come tu sia riuscita a capire quanto triste e umiliata si sentisse per quella richiesta: "Quando papà domanderà...". E quanta forza ti occorse per tenderle una mano oltre scure montagne e dirle: "Vieni, mamma".

Continuo a proiettarmi quella scena: tu e lei, nella via vuota, di notte, a braccetto (solo ora capisco – quella mano, la gravidanza, la paralisi, la sua mano destra...), spaventate dall'improvvisa vicinanza, emozionate e mute. Vi stringevate l'una all'altra con sgomento, tremando in tutto il corpo.

La cosa che più mi ha commosso è stato il fatto che, nella tempesta di sentimenti che ti sconvolgeva mentre scrivevi, hai ricordato quanto fosse importante per me che proprio la giovane, la "moderna", mi avesse detto... (quello che forse non ha assolutamente detto).

Ma no. A te sarebbe bastata un'occhiata per capire da dove stavo tornando e che avevo perso ogni speranza. Spiegami soltanto, perché io davvero non capisco, come ho potuto essere un bambino del genere.

Mi sento terribilmente torbido in questo momento.

Y.

22 settembre

Hai per caso guardato la televisione, questa sera?

C'era un programma che pareva fatto apposta per te, uno di quelli che ti piacciono. Mi ha ricordato anche le mie "distese d'acqua sconfinate e trasparenti". Hanno mostrato una tribù che vive su un'isola del Pacifico: nella loro lingua i nomi delle cose non si dividono in maschile e femminile, bensì in "cose che provengono dal cielo" e "cose che provengono dal mare".

(E ho pensato a un'altra isola, sulla quale ci sono "cose che provengono da Yair" e "cose che provengono da Myriam".)

24 settembre

Giri solo un po' il caleidoscopio e l'immagine si trasforma, ma che forza è necessaria per questo piccolo cambiamento!

La tua lettera è arrivata in una giornata difficile e deprimente. Notizie tremende e angoscianti si aggiungevano a un sentimento di opaca malinconia. Avevo l'impressione che chiunque mi passasse accanto volesse provocarmi. A metà giornata ho piantato tutto, sono corso alla casella postale pregando che ci fosse una tua busta bianca e di colpo – come hai detto raccontando di quando ti sei innamorata di Amos? – "il mio sole è guarito".

E allora? Non sei tu ad avermi salvato laggiù, per strada, di notte? Sono io ad avere salvato te? E come? Cosa potevo donarti allora, nella mia infelice situazione?

Come fai a saperlo? Come fai a concedere delle grazie del genere, con gesti così delicati, con parole così discrete? Ogni volta che leggo le tue lettere un'ondata mi assale, e quasi mi distrugge. Perché io probabilmente ho già dimenticato. Nel

171

profondo, mi sono sempre vietato di ricordare che la forza della passione e del desiderio, la forza che si alterò, che venne alterata in me fino a condurmi a quella puttana, non è necessariamente ignobile, e nemmeno infamante. Può essere anche potenza, hai ragione tu; può essere istinto, trasporto, impeto, creatività, vita...

Ti sei calata nel mio pozzo di Giuseppe, l'hai girato come un caleidoscopio, dieci frasi, niente di più. E hai posato una tua onta, piccola e palpitante, sul palmo della mia mano. Hai piegato le mie cinque dita e hai detto: "Abbine cura". Così sei tu, non io, in quella strada, a tradire te stessa. Tu, quando rifiutasti di sapere che proprio quella settimana il bell'Alexander sarebbe arrivato in Israele, lasciando che ti mandassero in fretta e furia fuori città, facendoti allettare dalla prospettiva di una settimana di vacanza a Gerusalemme...

Be', immagino che la tentazione fosse grande: per la prima volta in vita tua un vero albergo, e la tua prima vacanza con tua madre, sola con lei, e con tutto quello che speravi potesse succedere laggiù. Come al solito, sei forse troppo dura con te stessa (cosa sarebbe potuto accadere tra te e lui?). Ma quando hai scritto del disgusto che a poco a poco crebbe in te nel capire a che prezzo avevi venduto la tua passione e con quanto entusiasmo avevi accettato quello scambio, ho pensato che ora, forse, è possibile considerare la "proposta di fidanzamento" tra la ragazza che eri tu e il ragazzo che ero io.

Se dovessi scegliere un solo momento fra quelli descritti nelle tue lettere, opterei per quello che hai annotato là in fondo, il tuo disegno a parole: come ci incrociammo per strada, fratello e sorella, mentre venivamo portati via in due diverse carovane di prigionieri. Come aspirasti da lontano la mia forza – la forza di desiderare ardentemente – perché ti sostenesse lungo il cammino che dovevi ancora percorrere, lungo la tua vita futura. Quella forza che mi faceva apparire ai tuoi occhi un bambino così bello.

Yair

Non spaventarti per la macchia (non è piacevole, ma a volte la felicità può defluire dal corpo in un rivolo di sangue dal naso).

Myriam, ho fatto un sogno...

Un sogno vero, non fragile e fugace ma compiuto e dettagliato. Sono anni, ormai, che non ricordo un sogno!

Vuoi sentirlo? Non hai scelta: tu me ne hai raccontati almeno quattro, minuziosamente. Hai detto che il regalo più bello che puoi farti è un sogno interessante. E hai detto che, da quando è arrivato Yochai, i tuoi sogni si sono interrotti (ma con me sono tornati).

È andata così: mi trovavo in un campo con tre persone, una donna e un uomo molto anziani, e un'altra donna più giovane. Forse i miei genitori e mia sorella, ma i loro volti erano come appannati.

Intorno a noi c'era altra gente che non conoscevo. Indossavano abiti grezzi, da contadino. Venivamo condotti a quelle che sembravano delle terme o delle docce (mentre scrivo mi viene in mente che... voglio dire, non aver paura: non è un sogno sull'Olocausto. So quanto tu sia sensibile a questo argomento).

Inspiegabilmente le "docce" si trovavano in mezzo a una radura. Gli sconosciuti aprivano un rubinetto e l'acqua scorreva da quattro doccioni sopra le nostre teste. Era molto calda, bollente; in un attimo l'intera radura si riempiva di vapore e quelle persone, dopo aver fatto uno strano inchino, scomparivano, lasciandoci soli.

Allora noi ci spogliavamo, ciascuno in un angolo diverso. I nostri movimenti erano lenti e misurati. Non avevamo vergogna (e non cercavamo di sbirciare). Appoggiavamo gli abiti su piccole sedie di legno, come quelle dei bambini dell'asilo, poi ci dirigevamo insieme verso le docce e ci mettevamo sotto i getti d'acqua.

Rimango sempre sconvolto quando leggo che i nazisti costringevano intere famiglie a spogliarsi, ma non penso alla morte, potente e terribile, che sarebbe giunta qualche minuto più tardi; penso piuttosto all'imbarazzo e alla vergogna di quelle persone che dovevano denudarsi tutte insieme: uomini e donne che non si conoscevano, padri di fronte ai figli e adulti davanti ad anziani genitori (oppure penso a quello che hai detto parlando di Kafka e dell'Olocausto. Che fortuna, davvero – un uomo come lui, laggiù. È insopportabile solo pensarlo...).

Ti racconto solo com'è andata a finire: facevamo la doccia tranquillamente, con piacere, indugiando sotto il getto dell'acqua. Ci insaponavamo con ampi gesti, serissimi, come per rispetto verso questo rito.

Il sogno è tutto qui.

Ora, dopo averlo scritto, sono un po' deluso. Probabilmente ne ho dimenticata una buona parte. Non è nulla rispetto ai sogni che fai tu: burrascosi, pittoreschi, complessi. Capisci? Avevo la sensazione di essermi lavato per tutta la notte, e ora mi chiedo quanto tempo può durare un sogno così.

Comunque ne ho nostalgia e vorrei tornare a farne parte. Come se in quel sogno non fossimo esseri umani – non "esseri umani" nel senso consueto del termine. C'era in noi una sorta di nobiltà, come quella di quattro purosangue che si bagnano in un torrente, ognuno intento solo alla propria pulizia.

Spedire questa lettera? Non spedirla?

Y.

Meno male che ho deciso di aspettare. Il raccolto notturno sembra migliore.

Ero con mio padre nella zona di Mamila, a Gerusalemme, di fronte al muro di cemento rimasto in piedi fino al '67. Nel sogno esisteva ancora, ma era anche già possibile superarlo per arrivare alla città vecchia. Be', non è questo il punto. Mio padre e io ci inerpicavamo su per una strada tortuosa fino ad arrivare all'ospedale italiano. Là mio padre diceva che dovevamo dividerci, e sembrava una separazione del tutto normale. Non sapevo se lui fosse malato e stesse per farsi ricoverare in ospedale, o se avesse intenzione di proseguire. Improvvisamente, però, provammo un senso di grave oppressione. Mio padre si allontanava da me e si voltava di scatto, come ricordando qualcosa di importante, tornava indietro e mi tendeva la mano. Mi tendeva proprio la mano, da lontano, in un gesto d'amore e di gioia.

Io mi precipitavo verso di lui e gliela stringevo. Avrei voluto tenerla ancora fra le mie per un momento, ma lui la ritirava di colpo dicendo, quasi in tono di scusa: "Guarda cosa mi ha fatto la tua penna" e si succhiava il sangue dal dito. Io mi sentivo mortificato per avergli fatto del male e mi mettevo a balbettare delle scuse, ma lui si era già allontanato e scompariva.

Mi è parso strano (strano non è la parola giusta...).

È stato commovente incontrare di nuovo mio padre, in sogno. Non lo vedo da moltissimo tempo. La sua andatura, il suo viso. C'era qualcosa di imbarazzato e di impotente nella figura che mi fronteggiava.

27 settembre

Ciao, cara Ana.

Non ci siamo mai incontrati, ma ho la sensazione di potermi rivolgere a te come se ci conoscessimo da tempo.

Quando ho cominciato a scrivere a Myriam, lei mi ha domandato, con un sorriso, se avessi già sentito "tutte le storie sul suo conto". Poi mi ha fatto promettere di ascoltare solo quello che lei mi avrebbe raccontato, perché niente si trasformasse in pettegolezzo.

A quel tempo Myriam mi sembrava così ingenua e innocente (lo è davvero, lo so, è anche così), che il pensiero che ci fossero delle "storie" sul suo conto mi sembrava buffo.

Ma ora è successo qualcosa. Ieri pomeriggio, dopo aver infilato la mia lettera nella cassetta della scuola, sono stato costretto a dare un passaggio a una signora. "Sono stato costretto" perché volevo restare solo, dopo quella lettera, ma non ho avuto scelta. Era una donna piccola, energica e molto decisa, che lavora a scuola e che io conosco appena (i nostri figli frequentano lo stesso asilo). Nel tragitto siamo rimasti bloccati dai soliti ingorghi e lei, chissà perché, aveva una gran voglia di chiacchierare. Per un attimo ho provato anche una strana sensazione, come se volesse portare il discorso in una certa direzione; poi, senza che potessi rendermene conto, ha nominato Myriam, Amos, e alla fine, naturalmente, è venuto a galla anche il tuo nome e tutta la storia.

Più precisamente, sono venuto a sapere che "tutta Gerusalemme parlava di voi" e che "ne era venuto fuori uno scandalo terribile" (accompagnava le parole con gesti delle mani ed espressioni assai eloquenti). Inoltre mi ha messo al corrente del fatto che alcuni genitori, e qualche rappresentante del Ministero dell'Istruzione, arrivarono persino a chiedere che Myriam venisse licenziata per quello "scandalo". Solo grazie alle furiose proteste degli studenti e di altri genitori le fu possibile conservare il suo posto di insegnante.

Puoi immaginare come mi sia sentito. Non riuscivo più a guidare. Ero completamente all'oscuro di tutto. Sono sei mesi che io e Myriam ci scriviamo, e non me l'ha mai raccontato. Forse temeva che non capissi. O che mi spaventassi.

Cara Ana, quand'ero piccolo e i miei genitori se la prendevano con me, avevo un trucco. Mi rinchiudevo in me stesso e mi raccontavo una storia. Sempre la stessa. Protagonista era una creatura di nome Angelo che solo io potevo creare, indirizzando il mio orologio da polso verso il sole (o verso una qualsiasi fonte di luce). Allora lui si manifestava sotto forma di una macchiolina di luce, tonda e guizzante sulla parete. Fuori la bufera imperversava e io, in segreto, conducevo Angelo lungo le pareti, parlandogli. Passeggiavo con lui sui loro volti contratti, sul loro corpo, sulla fronte, mi creavo un rifugio di luce continuando, in cuor mio, a parlargli, con parole belle e nobili che risvegliavano in me una sensazione di levità, nell'attimo in cui il serpente mi addentava.

Ieri Angelo è tornato. Nello sfolgorio di un attimo è venuto in mio soccorso. Ho passeggiato con lui sul tetto dell'automobile, sul vestito della signora, sul suo volto sgraziato. Lei parlava e io, concentrandomi, raccontavo ad Angelo di te, Ana, che vivevi con Amos e lo amavi. E lui amava te. Com'è possibile non amare Ana? ha detto Myriam più d'una volta. Angelo passeggiava in un'aureola di luce. Era forse da vent'anni che non ci incontravamo così. Ho cambiato tanti orologi da allora, ma lui è rimasto esattamente com'era. Gli ho raccontato che un bel giorno, sempre che sia possibile misurare cose del genere in giorni, accadde che il tuo Amos e la tua Myriam s'innamorarono.

Forse accadde quando Myriam andò a Parigi per salvare quel Yehoshua che le stava tanto a cuore. Sai che a volte ama sentirsi un paladino. Ma laggiù scoprì che lui non aveva alcun bisogno di essere salvato, anzi, si era dato decisamente alla bella vita. A quel punto, si lasciò prendere dalla depressione e Amos partì, su tuo ordine, per ricondurla a casa.

O forse accadde quando conoscesti quell'ufficiale olandese dell'Onu, venuto a prendere dei libri alla biblioteca del consolato britannico. Per sei mesi viveste insieme in una baracca vicino al convento Kremizan, mentre Amos rimase solo a Gerusalemme (vedi, sono al corrente di tutto).

Ma io preferisco pensare che accadde in un momento più banale, per esempio durante la spesa dal fruttivendolo. Mentre lei era a casa vostra, come al solito. O nel corso di una cena. Tu preparavi le fragole con la panna mentre loro tagliavano le verdure, e Myriam raccontava una cosa che le era successa in classe, o descriveva con entusiasmo i riflessi di luce sulle foglie dei pioppi. Forse era solo lì, immersa in se stessa. Amos la guardò e sentì il suo cuore allargarsi, poi sciogliersi.

Quando la signora è scesa dalla macchina, ero madido di sudore per lo sforzo di rimanere solo con Angelo.

Il triangolo è una struttura stabile, mi ha detto Myriam una volta, che dà parecchie soddisfazioni e può perfino arricchire. A patto che tutti i lati sappiano di essere lati di un triangolo, ha aggiunto.

Ana, ho bisogno del tuo aiuto. Non ho idea di come fosse davvero, se abitaste tutti e tre insieme, o se Amos vivesse a turno con te e con lei. Mi chiedo cosa tu sapessi realmente di quella storia, cosa provasti quando te la raccontarono, e se non risvegliò in te nemmeno un'ombra di gelosia per la tua migliore amica.

Myriam ha detto che, se non credo nella possibilità di una "geometria poetica" come questa (una definizione mia), non potrò mai andare al fondo dei miei sentimenti. Non ha parlato di un caso specifico; se l'era solo presa per un commento che avevo fatto sulle leggi che governano i rapporti tra uomo e donna.

Mi rendo conto ora di quante cose dovrei spiegare, chiarire e tradurre, anche a una persona vicina come te, per far capire esattamente cosa ci siamo detti io e Myriam.

Allora mi aveva accusato – tu la conosci, a volte fa scintille e faville – di essere coraggioso a parole e pavido nei fatti. Perché il coraggio, secondo lei, è assecondare i desideri della propria anima. E Amos è un uomo molto coraggioso, il più coraggioso e onesto che lei abbia mai incontrato.

È già passato un giorno, e buona parte della notte, da quando l'ho saputo. Il caffè è fluito a fiumi nelle mie vene. Ma devo sapere: cos'hai provato veramente? L'hai visto sbocciare sotto i tuoi occhi nelle due persone che amavi di più. Cosa si fa con la ferita e l'offesa? E come si può continuare ad amare entrambi senza morire cento volte al giorno di dolore e gelosia? So cosa mi avrebbe risposto Myriam: "Al contrario. Accettando l'inevitabile sofferenza, Ana amò entrambi ancora di più".

Ma com'è possibile?

È possibile. (Credi. Credi. Credi.)

Non so se Myriam te l'ha raccontato, ma ho stretto con lei un patto doloroso: per ogni parola che lei mi insegna, devo rinunciare a una parola della mia lingua madre. Vuole raccontarmi una storia, capisci? E le parole sono lì per questo. Dice che quella di cui ho maggior bisogno è la storia di una persona che si dimentica completamente di se stessa per penetrare in un'altra. Cosa ne pensi, Ana, è possibile? Ne sarò capace?

1° ottobre

Ecco, in questo momento sei là, sulla tua veranda di fronte ai boschi di Gerusalemme, all'ombra della bouganvillea. Dietro di te la casa è quasi vuota. Sei seduta, hai davanti a te la bellezza. Osservi il crepuscolo, l'ora del giorno che ami, quella che ti fa più male, ma anche la tua preferita. Tra un po' tornerà Yochai e verrai assorbita da lui. Fino a che le medicine lo addormenteranno. A volte, quando sono a casa solo e metto il pigiama a Yidò, fantastico e mi vedo con te mentre prepariamo i nostri figli per la notte, un'immagine di serenità familiare e di dolce consuetudine.

Penso molto a te e ad Amos. A quello che dovete sopportare ogni giorno, e alla vostra profonda amicizia. Quel luogo solo vostro, dove nessuno, all'infuori di voi, può capire la lingua che si parla. Mi sento estraneo, un po' come un bambino, di fronte alla vostra intimità.

Non c'è molta corrispondenza tra il vostro modo di stare insieme e il nostro, mio e di Maya. A me sembra che tra noi ci sia più vitalità e più passione. Ma chi può dirlo? Forse tra voi c'è qualcosa che io non posso nemmeno intuire.

Ripetutamente, oggi, ho guardato in controluce la pietra blu che mi hai mandato. È davvero fantastica. Con la luce del crepuscolo si scorgono al suo interno due ragazze che suonano il piano davanti a uno spartito di sonate a quattro mani. Le vostre mani volteggiano. Siete piene di vita dentro quella pietra.

In quest'ultima settimana ho preso l'abitudine di interrompere qualunque attività, a quest'ora, per stare un po' con te, nella pace più assoluta (da tempo ho notato che, appena ho un momento libero, tu fai subito capolino nella mente). Dopo la terza lettera che ti ho scritto, mi hai chiesto se riusciremo mai a incontrarci. Non ti riferivi a un posto preciso ma a un determinato momento, perché io sono così irrequieto e impaziente (e precipitoso, hai aggiunto con asprezza) da farti dubitare; e così ti chiedi se sarei capace di soffermarmi veramente, anche solo per un attimo, nel tempo di un'altra persona. Se non soffrirei di claustrofobia.

Vedi, mi esercito.

Scopro, per esempio, che a quest'ora gli odori esplodono tutti insieme. Come se nel resto della giornata fossero costretti a nascondersi, a salvaguardarsi, a rinunciare. O come se prevalesse un solo odore, mentre ora... il prato, la terra, l'asfalto e il profumo dei panni stesi. Riconosco anche il gelsomino e il caprifoglio. Tutti insieme e ciascuno separatamente. Solo a quest'ora.

Quando le foglie hanno almeno due ombre.

E io comincio a scrivere come te...

Hai detto che ogni volta che scrivo "ho deciso" o "so", il timbro della mia voce tradisce una consapevolezza dura ed estranea, che tu senti come qualcosa che mi è stato impresso con forza e violenza. Sono saggio soprattutto riguardo alle cose che non so.

Ecco, in questo momento non so assolutamente che piacere riservi il crepuscolo, mentre ci avvolge.

Ehi, Myriam,

io

2 ottobre

Ed ecco un'ultimissima notizia...

Ho lasciato la mia famiglia.

Non agitarti, solo per una settimana, è stato tutto un po' repentino. Ma volevo informarti del provvisorio cambio di indirizzo per evitare possibili disguidi. Una faccenda un po' complicata che, se non fosse divertente, sarebbe piuttosto tragica (o il contrario). Si tratta, in poche parole, di una questione di vita o di morte. Per essere più precisi: di un'ordinaria questione di vita o di morte. Hai un minuto per me?

La verità è che questa storia mi inquieta un po'. La "faccenda" è cominciata questa mattina, verso le dieci, mentre la tensione, al lavoro, era al culmine e intorno a me c'era un gran viavai, i telefoni squillavano in continuazione e ogni secondo qualcuno mi si avvicinava per domandare, consultarsi, confidarsi e raccontarmi un pezzo della sua vita intima con un groppo alla gola, e talvolta anche una lacrima. In tutta questa confusione arriva una telefonata: la maestra d'asilo di Yidò mi chiede di andare a prenderlo immediatamente. Ha la febbre alta e un gonfiore dietro l'orecchio. La giostra intorno a me rallenta a poco a poco e io mi siedo con la testa fra le mani perché ciò che temevo si è avverato. Cosa faccio adesso? Maya è a Safed[18] – oggi è il giorno in cui lavora in un

---

[18] Città nel nord d'Israele. [*N.d.T.*]

laboratorio lassù. In un attimo elaboro un piano d'azione: mi darò alla fuga. Non andrò a prenderlo, che rimanga all'asilo fino a che sarà cresciuto, o finché Maya sarà di ritorno. Lei ha già avuto gli orecchioni, e per le donne non è poi così pericoloso. Mi ricordo con orrore la fiala di vaccino comprata due anni fa, durante una delle precedenti epidemie. Promisi a Maya che me lo sarei fatto iniettare da un'infermiera. La fiala è rimasta nel frigorifero e a poco a poco è stata sospinta sul fondo, nella zona malfamata della senape...

OK. Lascio le ultime istruzioni ai miei colleghi e lancio grida atterrite sulle mie ultime volontà. Ora devo correre, il bambino va a fuoco laggiù, il mio piccolo cova i suoi germi, forse me li ha già trasmessi. D'un tratto ho l'impressione che da ieri sera lui abbia mostrato nei miei confronti un attaccamento volutamente esagerato: l'abbraccio ininterrotto quando l'ho messo a letto e quel bacio, stamattina, all'entrata dell'asilo. Forse in lui cova un istinto malizioso che lo spinge a eliminare eventuali eredi rivali, possibili usurpatori di eredità. Per fortuna abbiamo già un bambino, abbiamo cioè pagato il nostro debito genetico all'umanità afflitta. Ma cosa ne sarà del resto dei miei modesti piaceri?

La giornata è iniziata così e chissà cos'altro avrebbe generato. Maya ha ascoltato in silenzio, ignorando le mie urla terrorizzate al telefono e assumendo subito l'iniziativa per una pronta riscossa. Innanzitutto mi ha ordinato di portarlo dal medico. Lei, dal canto suo, avrebbe annullato tutti gli impegni e sarebbe tornata con il primo autobus. Fino a quel momento, comunque, avrei dovuto trascorrere almeno tre ore con il piccolo avvelenatore. Comprendi la gravità della mia situazione?

Crollo su una sedia e mi accartoccio su me stesso, a protezione della zona condannata all'imminente tragedia. Ami S., un mio collega, mi conforta dicendo che, in caso di avvenuto contagio, sarà per me l'anticoncezionale più efficace. Possa morire soffocato Ami S., che sia castrato! Lui ha quattro figli, maschi e femmine, e ha avuto gli orecchioni a tre anni, come ogni bambino normale. Ho passato tutta la vita nell'angoscia, aspettando una notizia del genere, e l'amara verità (benché ti ostini a dire che non tutte le verità sono amare) è che questa malattia me la sono scelta con cura già dall'età di tre anni quando, unico bambino in tutto l'asilo, convinsi i germi della parotite a subire una metamorfosi e a farmi venire la scarlattina. Da allora... solo l'interminabile attesa della scure che un giorno si sarebbe abbattuta sulla fonte della mia felicità. Non ho perso un solo articolo di medicina sull'argomento e non c'è pediatra che non abbia subissato di domande sui pericoli in agguato per chi non si è ammalato a tempo debito, durante l'infanzia; e li ho costretti tutti a confessare che i loro colleghi mi avevano imbrogliato, perché la percentuale di adulti che, in caso di malattia, non solo perde la capacità di procreare ma anche quella di esercitare una normale attività sessuale è molto più alta di quanto affermano i ciarlatani del "New England Journal of Medicine"...

Ti pare che stia scherzando? Ti sembra che stia scrivendo con un sorriso sulle labbra? È un ghigno di angoscia. Mi si rivoltano le viscere se penso a cosa potrebbe succedere...

Quando leggerai questa lettera sarò già a Tel Aviv (ho fatto solo un salto qui per motivi di lavoro, sistemare delle questioni rimaste in sospeso e scriverti. Ma me ne fuggo subito dalla città infetta). A Tel Aviv mi attende una camera carina in un alberghetto accogliente in prossimità del mare. Ci vado una volta all'anno, per una settimana, e ormai mi conoscono. Ci sono anche dei lati piacevoli nel mio allenato-terrore-degli-orecchioni e, come puoi constatare, li sfrutto con saggezza. Insomma, tutto questo per dirti che, se questa settimana mi scriverai, non riceverò la tua lettera. Dovrò aspettare fino al mio ritorno e sentirmi rodere dalla curiosità per quello che non hai potuto raccontarmi nella tua ultima lettera (mi è sembrato di capire che abbia a che fare con Yochai. Ma cos'è? Cos'è successo? Perché ti sei fatta così misteriosa e triste? Racconta e basta). E ti prometto che, se avrò un attimo di tempo, cercherò di scarabocchiare un saluto affettuoso dalla città del peccato!

Sto per uscire, è la prima volta che ho un momento di calma. Mi sono seduto un attimo (adesso faccio fatica a rialzarmi), divertendomi a scriverti e a ridere un po' di me stesso

182

per questa folle giornata (ma c'è dell'altro, una sensazione nuova che non mi è chiara: libertà, un ritorno a me stesso, qualcosa nell'aria).

Maya è arrivata alle due. L'ha trovato che urlava per il dolore mentre io respiravo attraverso un tampone di ovatta imbevuta d'un forte dopobarba, in mancanza di un vero disinfettante. Sono sicuro che pensava alla fiala di vaccino che ammuffisce lentamente in frigo. Negli occhi le balenava il mantra numero uno della vita matrimoniale ("Te l'avevo detto!"), ma io le avevo già spiegato, in passato, che a volte – raramente, è vero, ma anche questa eccezione non sarebbe nuova per me – quello stesso vaccino può determinare la malattia e nessuna persona avveduta si recherebbe da un medico per farsi iniettare dei microbi che gli possono causare l'impotenza. Microbi indeboliti, non c'è dubbio, ma indeboliti rispetto a chi?

Maya non ha sorriso. Ormai non ride più alle mie battute (neanche tu ti pieghi in due dalle risate, vero? Perché le donne se la prendono sempre quando scherzo?). Dov'è la mia ragazza allegra e sorridente?

Dov'eravamo?

Sto pensando... Se soltanto potessi mandare a lei questa lettera...

Si è seduta in cucina con Yidò sulle ginocchia e ha chiesto dove avessi intenzione di andare. Le ho detto che, come al solito, sarei andato nel mio albergo di Tel Aviv perché non avevo nessuna voglia di rimanere a Gerusalemme se lui continuava a spargere germi. Ha respirato profondamente e ha chiesto per quanto tempo pensavo di rimanere fuori casa. Ho risposto: come al solito, almeno finché sarà passato il gonfiore all'orecchio. Quattro o cinque giorni, una settimana. Come al solito.

In qualche modo la mia vacanza annuale e solitaria è diventata un'abitudine. Non mi si fanno troppe domande. Solo il suo sguardo si appanna un po'.

Comunque mi ha aiutato a fare le valigie, mi ha ricordato di prendere alcune cose e sulla porta, quando eravamo ormai più rilassati, mi si è aggrappata addosso, chiedendo se non mi sarebbe stato difficile rimanere tutto solo, e se ero sicuro che fosse necessario scappare di nuovo tanto lontano. In fondo, se non mi ero ammalato in tutti questi anni, forse avevo un'immunità naturale (eventualità non del tutto da scartare). Io ho risposto che avrei fatto senz'altro molta fatica da solo, enfatizzando parecchio quel "molta". L'ho detto proprio deliberatamente, stronzo che non sono altro, e ci siamo abbracciati ancora provando infine un vero dispiacere, e anche un po' d'ansia perché non si sa mai, le complicazioni... Ho passato tutta la vita temendo di morire per quelle fantomatiche complicazioni, al punto da contagiare, con le mie paure, persino Maya, che pure ha la sua cultura immunologica e sa che quelle complicazioni esistono soprattutto nella mia testa. D'altra parte, è la prima volta che Yidò si è veramente ammalato di orecchioni, e questa è una novità degna di nota.

Ho detto: "Su, perché ne fai una tragedia? Come se me ne andassi per sempre" (ma ogni nostra separazione, anche la più ovvia, ci sembra sempre definitiva). Le ho ricordato che entro pochi giorni sarei stato di ritorno (e a ogni nostro incontro sembriamo provare lo stesso imbarazzo del primo). Per un momento sono quasi rimasto, ma poi, no, sono uscito, con determinazione, con la sensazione che sarei tornato diverso. Qualcosa era sul punto di accadere, e anche Maya l'ha sentito. Lei sente subito quando si spiega in me la vela della virilità (se solo, per una volta, dicesse che lo sente, che mi conosce, che non c'è nemmeno bisogno di parlarne. Dobbiamo solo ricominciare, ora, tutto da capo, voltare pagina, e donare finalmente l'uno all'altro tutto ciò che siamo in grado di dare. Siamo cresciuti ormai)...

Be', vedo che non mi è difficile continuare a scrivere, potrei passare così tutta la settimana. Forse non è una cattiva idea.

Un attimo prima di correre via. Ho appena sistemato una piccola questione: le tue lettere verranno dirottate al mio albergo in esilio (solo: non mettere il tuo nome sulla busta). Allora, ti prego, non abbandonare l'esule!

(le quattro del pomeriggio. Già sul lungomare!)

Ma...

Ancora prima di andare all'albergo mi sono recato sul lungomare, sono crollato su una sedia bianca, ho chiuso gli occhi davanti al sole e ho cominciato a riflettere su cosa farebbe un uomo nella mia situazione durante la sua ultima settimana di vita. Da chi si separerebbe con un triste sospiro e chi vorrebbe incontrare con un ruggito di passione? Salirebbe forse senza esitare su un jet diretto a Francoforte? Sì, proprio Francoforte, la sordida! E chi poi si accorgerebbe della sua scomparsa? Una settimana fantastica, una nicchia segreta nel tempo. C'è un albergo enorme di fianco all'aeroporto, per i viaggiatori che vogliono fare una pausa di una notte tra un volo e l'altro, e laggiù, un uomo nella mia situazione potrebbe vivere un'intera settimana in incognito, come un esule sessuale. Ogni sera scenderebbe nel bar pieno di gente per sedurre una passeggera secondo un piano prestabilito: il primo giorno, sarebbe una donna in procinto di partire per l'America. Il secondo, diciamo, un'affascinante docente dell'università di Melbourne. Il terzo, si darebbe alla pazza gioia con un'israeliana che si prepara a rientrare in patria. E l'indomani con una negra statuaria della Costa d'Avorio. E andrebbe avanti così, una sera dopo l'altra, e se è possibile anche la mattina, perché non dobbiamo trascurare il subcontinente indiano, né l'America Latina (e neppure l'Atlantide). Con la sua infame bacchetta, il tuo umile schiavo sfiorerebbe tutte le morbide sinuosità del globo fino a spargere il suo seme in tutti i continenti e fra tutte le razze; a quel punto potrà giacere in pace con i suoi padri.

Mentre ero immerso in queste riflessioni, ecco un branco di donne spudorate emergere dalle onde e bussare con i loro pugni sulle mie palpebre chiuse. Apri, apri! Io rido di loro dietro le palpebre: che fretta c'è? Sono appena arrivato! Non è ancora cominciata la distribuzione di Yair...

Senti, vedo che faccio fatica a stare seduto per un quarto d'ora. Gli spilli, gli spilli. Sarà una settimana difficile. Cosa ne dici? Forse, invece di andare in albergo – non ho proprio voglia di rinchiudermi fra quattro muri – infilerò questa lettera nella buca che c'è qui, sulla quale qualcuno ha scritto a caratteri cubitali: "Sivan, scrivimi!". Se prometti di unirti a me senza disturbare, andrò direttamente a...

... Dizengoff! (dove altro può andare un turista di Gerusalemme come me?). Dizengoff, che mi ha ospitato con estrema cordialità per una magica oretta, rifulge nella luce tenue del crepuscolo. Il fatto strano, Myriam, è che non c'erano *uomini*, solo io e mille donne. Camminavo ubriaco e stordito, e in ogni momento mi immergevo nella nuvola di profumo di una donna diversa, battezzandomi a una diversa religione. Ci sono profumi che mi fanno impazzire subito, e allora un'intera vita sessuale mi passa davanti, come un soffio. Non ho dubbi che ognuna di quelle donne possa sentire i battiti ritmati dei genitali del mio cuore nella frazione di secondo che intercorre tra la percezione visiva di lei e quella olfattiva del suo profumo. Tra il lampo e il tuono. Avresti dovuto vedermi laggiù, imbottigliato tra loro come un furgone della banca del seme. Spero che tu non te la prenda per il mio entusiasmo e non ci veda niente *contro di te*, o che abbia comunque a che fare con te. È solo una vacanza da me stesso, forse anche da noi due, dal fardello che si è accumulato in questi mesi. Ti prego solo di non arrabbiarti (e di non restituirmi questa lettera chiusa!). Concedimi di godere questa settimana. Anche tu sei stata una settimana in Galilea, ricordi?

Ecco, comincio già a intorbidirmi. Ancora questi battibecchi che davo ormai per conclusi. Mi sono tanto divertito (fino a questo momento). Torno sul lungomare a fare il pieno di luce del tramonto, di salsedine e di pelli luccicanti. Se ti va... vieni pure.

3 ottobre

Myriam, *shalom*.

Non so se hai già visto la lettera che ti ho spedito da qui. A dire la verità (amara), spero che tu non l'abbia ricevuta. Che quei tre fogli si siano dissolti tra Tel Aviv e Gerusalemme.

Comunque, ieri tutto sembrava un po' più allettante. Le cose stanno così: ogni anno, quando si risveglia il timore che Yidò possa aver contratto una malattia infettiva, io mi rifugio nel solito albergo vicino al mare, come ti ho già raccontato. Un alberghetto gestito da una coppia di anziani viennesi, decoroso e pulito, come usava ai tempi di sua maestà l'imperatore Francesco Giuseppe...

Be', procederò con ordine. Nell'attimo in cui sono entrato, ieri sera, ho visto che qualcosa era cambiato. Invece della signora Meyer, alla reception c'era un tipo magro e muscoloso con due occhi da assassino e i capelli impregnati di gel. Da un semplice sguardo ho capito che la mia oasi marina aveva cambiato proprietario, e probabilmente anche tipo di clientela.

Ero già deciso a girarmi e ad andarmene quando, improvvisamente, sento la mia voce dire: "OK, prendo la stanza per una settimana". Occhi-da-assassino si è messo a ridere: "Per una settimana? Che cosa ci fa qui una settimana?". Mi sono offeso, come un idiota, e ho risposto indignato: "Perché? È forse un albergo a ore?". Lui ha annuito, squadrandomi come se fossi *io* ad avere un'aria equivoca, o come se fossi un minorenne. Poi ha aggiunto: "Allora, quante ore vogliamo pagare, dottore?". Ho capito che mi stavo mettendo nei guai, ma cercavo di salvare il mio onore e ho ribattuto, dicendo che ero disposto a pagare solo su "base giornaliera", perché capisse che io non mi faccio prendere in giro da nessuno. Al che lui ha reagito: "Ma non mi dica: ba-se gior-na-lie-ra". Ha preso una calcolatrice e si è messo a fare dei conti, arrotondando le cifre e chiedendo di essere pagato in anticipo. "Nessun problema" ho risposto. "Ha forse paura che scappi a metà settimana?" Lui, sorridendo, ha insinuato: "Il mare è pieno di pesci strani". Indispettito da quel sorriso disgustoso, ho estratto il portafoglio e gli ho messo davanti al naso lo stipendio mensile di un operaio, dicendo, con ostentata sicurezza: "Non ho tempo, adesso, di andare a cercarmi un altro albergo". Lui ha sogghignato. Finisce sempre così quando intuisco che qualcuno mi sta imbrogliando, mi lascio irretire ancora di più, provandone anche un certo fetido piacere. Tu non conosci questa sensazione (ma lla gente piace avere un buffone di cui ridere, vero?).

Be', non si piange sul latte versato ecc. ecc. Sono salito in camera e ho spiacevolmente scoperto che era piccola, soffocante, e che invece della vista sul mare offriva un bel panorama del cortile interno di una sala giochi. L'arredamento era ridotto a un minuscolo armadio e a un letto enorme, che riempiva quasi tutta la stanza. La porta non chiudeva bene e attraverso la fessura potevo vedere il corridoio. Dovevo essere piuttosto stanco perché mi sono raggomitolato su me stesso e ho dormito tre ore filate – come ai tempi del servizio militare, quando mi inviavano in una base sperduta: cercavo subito una branda libera, mi accucciavo e dormivo. Ricordo che anche Yidò, appena uscito dalla maternità, assumeva questa posizione, come un batuffolino ripiegato su se stesso in un ambiente che gli è estraneo. Dormiva, come dire?, con disperazione, in maniera ostinata, sprofondato nella sua solitudine...

Scusa, si soffoca qui, e la luce è debolissima. Esco a prendere una boccata d'aria.

Oggi ho camminato per dieci ore filate, forse di più. Dalle cinque e mezzo del mattino. Solo per non tornare in albergo. Non camminavo così dai tempi dell'addestramento militare. Sul lungomare, sulla spiaggia, sulla battigia. Vago senza meta, a passi lenti; mi sento evaporare. Ogni tanto entro in un caffè o in una pizzeria a immagazzinare un po' di fresco sintetico.

Fa un caldo terribile, sono gli ultimi giorni di scirocco. Il sole è puntato su di me, come se mi stesse osservando con una lente d'ingrandimento. E il vento non cala. La gente cammina piegata in avanti, fatica a deglutire e fatica a respirare, perché il vento taglia la gola. La sabbia sferza il viso, sembra fatta di granelli di vetro.

Non ho molto da raccontare. Ho solo visto una buca per le lettere e ho pensato: perché no?

Ieri è stata una notte terribile. Credevo di essere più forte. Non credo di poter sopportare un'altra notte così, soprattutto per le voci (ogni volta che prendevo sonno venivo svegliato da un grido. Sembrava che lo facessero di proposito). È strano che in un posto del genere ci siano più urla di dolore che di piacere.

Ma come vanno le cose lì da te? C'è già stata la riunione al provveditorato? Sei riuscita a parlare con quella preside senza che ti tremasse la voce?

Non so proprio se sia il caso di mandarti questa lettera. Sto semplicemente mantenendo i contatti. Forse domani scriverò ancora. Stammi bene.

Non ci sono novità di rilievo. Qui non è cambiato niente rispetto a due ore fa, se non che ho fatto un salto in albergo a prendere gli occhiali da sole e il proprietario è balzato da dietro il banco per bloccarmi la strada con la scusa che "adesso stanno pulendo". E lì ho capito che, mentre io sono fuori, lui arrotonda i guadagni a mie spese! Avrei voluto fare una scenata ma sono rimasto zitto. Di fronte a un essere schifoso come quello mi sento vuoto, debole. Come un bambino. Senza dire una parola mi sono voltato e sono uscito. Forse dovrei cercarmi un nuovo albergo (ma lui non mi restituirebbe il denaro). In ogni caso non mi rimane molto tempo da stare qui. Ho deciso di vivere la cosa come un'avventura. Almeno avrò una buona storia da raccontare un giorno ai miei nipoti (se ne avrò).

Non ho dubbi che in questo momento stia affittando il mio letto ed è meglio che non torni fino a sera. Con quello che ho pagato avrei potuto comprare l'intera catena degli Hilton.

È il giorno di Abu-Gosh, vero? Berresti là una tazza di caffè alla mia memoria?

Ho finito il giro. Un'ora e dieci minuti. C'è una simpatica cassetta delle lettere qui vicino, e mi piace sedermi a guardarla da un piccolo caffè che c'è di fronte.

Sai cosa mi è tornato in mente prima, così, senza motivo? La lettera a proposito della "donna-delle-pulizie-che-ha-resistito-un-giorno". Ricordi? Parlavi della gravidanza di Ana e delle ansie che l'hanno accompagnata, del timore che il suo fisico non l'avrebbe sopportata, e ogni secondo entrava quella ragazza, chiedendo dove fosse la candeggina o il detergente per i vetri. La tua scrittura si faceva sempre più sofferta e disperata, ma non le avresti permesso di rovinarti la lettera e non ti saresti alzata per lei. Ti aveva anche già avvertito che non le piaceva stirare. Ma cosa le piaceva, allora? Lavare il pavimento, questo la divertiva, ma quanto pavimento c'era da lavare, accidenti?

Io stavo seduto in disparte e leggevo, lasciandomi avvolgere da quello che raccontavi. Una lettera incredibile. Come se tu avessi avuto bisogno di rivivere, scrivendo, la sua gravidanza e le sue sensazioni più profonde. Ricordo di aver pensato che non avevo mai letto da nessuna parte una descrizione della gravidanza così intima e commovente. Ma non potevo trattenermi dal sorridere per quanto stava contemporaneamente succedendo con la donna delle pulizie. "Non azzardarti a ridere!" hai inveito improvvisamente contro di me. Te la sei proprio presa. "Cosa ridi? Che ne capisci tu? Le do una barca di soldi per poter dedicare quel po' di tempo libero che mi rimane alle cose veramente importanti! Anzi, vitali!" Poi, di colpo, ti sei sgonfiata, come un pallone. Ti sentivo così vicina e disorientata, e stavi sprofondando. Mi hai chiesto quando, secondo me, saresti finalmente cresciuta, quando avresti imparato a dare degli ordini alla donna di servizio senza provare sensi di colpa, o vergogna, per esserti camuffata da madre, da casalinga, o da donna... Ha fatto subito capolino anche tua madre, ovviamente. Non è da lei perdersi un'occasione del genere...

Ti stupisce l'esattezza dei miei ricordi? Sospetti che, violando i patti, ho smesso di distruggere le tracce della tua esistenza?

Vedi, ogni spia ha un momento di debolezza (non hai forse confessato che custodisci le mie lettere anche a rischio di compromettere la "sicurezza nei contatti", perché a volte ti servono proprio per trovare un po' di sicurezza nei contatti?). Il mio momento di debolezza l'ho già avuto – non ricordo esattamente il giorno. È stato quando hai raccontato del-

l'orologio che Yochai ha distrutto, quello con la cassa trasparente che ti aveva regalato Ana. Con le lacrime agli occhi,
quel giorno mi hai chiesto che orologio avessi e io ho riso, dicendo che non era un particolare importante. Al che, immediatamente, hai risposto: "Tutto è importante, come fai a non
capire che tutto quello che racconti è importante e prezioso
per me? Tutti i *tuoi particolari*...".

Allora mi sono detto che se ero capace di distruggere le
tue lettere, così ricche di "particolari", cosa valevo?

Fatta questa considerazione, sono improvvisamente affio-
rate dai nascondigli più strani (che susciterebbero in te disprezzo e commiserazione, se non addirittura disgusto) tantissime tue lettere precedenti, che non ero riuscito a
distruggere. Non immaginavo che fossero così numerose.

Per questo ho qui con me una superba selezione di scritti.
Non pochi. Anzi, parecchi. Decine, forse centinaia di fogli.
Ho portato pochissimi vestiti, riempiendo un'intera borsa di
lettere, ormai gualcite e strapazzate. La maggior parte sono
anche diventate azzurrognole, a furia di stare nella tasca dei
jeans.

Comunque, ci sono un sacco di particolari preziosi. Come
il caffè che avete preso insieme, tu e quella ragazza, dopo
aver litigato sull'obbligo di stirare. Avete fatto pace e siete
arrivate alla conclusione di non essere adatte l'una all'altra.
Insomma, vi siete separate da amiche. Quando poi sei tornata da me, un paio d'ore più tardi – esausta, dopo aver lavato
il pavimento e pulito i vetri delle finestre, con i pantaloni arrotolati sui polpacci e un foulard rosso in testa – mi hai raccontato che quando, vent'anni fa, chiedevano ad Ana quale
fosse il suo sogno nel cassetto, lei rispondeva sempre: "Ma
che domanda, essere una casalinga frustrata". Be', hai finalmente realizzato il suo sogno...

Comincio a intenerirmi, vero? Assaporo ogni tua parola.
Forza, usciamo e mettiamoci questa giornata alle spalle.

Sulla spiaggia, dopo l'acquario dei delfini, c'è un ruscello
che esce dalle fognature. Ne seguo il corso e noto, sull'acqua
torbida, una specie di nastro bianco che galleggia nella corren-

te. All'inizio mi sembra il braccio di un uomo. Galleggia piano e cambia forma a seconda del flusso e del vento. Per un attimo sembra un uccello in volo, poi un punto interrogativo, quindi il profilo di una donna, una spada... L'ho seguito lungo i meandri fino al mare e non ha mai cessato di cambiare forma.

Sono stato scippato. Non capisco come. Nessuno mi ha toccato da quando sono arrivato qui. Hanno preso tutto, quei figli di puttana – documenti, certificati, soldi, carta di credito (ma non hanno toccato la lettera che avevo portato con me questa mattina, quella in cui racconti di Yochai. Per fortuna!). Ho passato un paio d'ore a telefonare ai vari uffici, annullando gli attestati della mia esistenza.

Da quando sono arrivato qui, solo con Maya non ho parlato. Le nostre piccole vendette. Anche lei potrebbe telefonare, non credi?

Il fatto è che, a causa del pagamento anticipato dell'albergo, sono rimasto con...

Settantun *shekel* e quaranta *agorot*[19] (se te l'avessi chiesto, mi avresti mandato dei soldi?). Non so perché questa situazione mi diverte. A volte, lo si vede nei film, qualcuno fa un passo falso. Prende una strada piuttosto che un'altra, apre la porta alla persona sbagliata, e viene risucchiato in un incubo.

Qui, ora, sto interpretando questo personaggio, infelice, solitario.

(Alla fine c'è sempre una bella ragazza che accorre in suo aiuto.)

Non sai di quante allusioni a te sia pieno il mondo.

Gli altoparlanti dei ristoranti sulla spiaggia trasmettono "Momenti magici", il programma radiofonico delle due. Oggi hanno fatto sentire *Io sono il vento* di Aurelio Fierro, e mi sono subito immaginato tuo padre che cantava e applaudiva al volante del suo taxi, di fronte ai passeggeri sbalorditi. Oppure vedo il tuo neo nascosto saltellare con gioia sfrontata

[19] Circa trentamila lire. [*N.d.T.*]

sulla spalla di una bambina, sulla scollatura di una soldatessa, sulla guancia di un'anziana signora.

O mi imbatto in una ricevitoria del lotto. Mi avvicino e compro un biglietto con i pochi soldi rimastimi. Lì seduta c'è una donna dal volto ermetico, come di pietra. Io la guardo negli occhi e cito a memoria: "Ti sbagli, non sei fortunato. Tutt'al più sei fortuito. La 'fortuna' non è che l'altra faccia del 'Cremlino', e io non sono disposta a ricevere da te questa mezza fortuna!".

La donna resta immobile e chiede con voce meccanica: un altro biglietto? Tiro fuori ancora qualche shekel e mi compro il diritto di balbettare ad alta voce, liberamente: "Perché io, tutto sommato, vengo considerata una sfigata totale. Guarda la mia vita e vedrai. Guardami con gli occhi di mia madre e capirai subito. Eppure mi ritengo fortunata, e te la offro tutta, la mia fortuna...".

(Ho vinto un ambo.)

A volte, per pochi attimi, vivo al tuo fianco qualche momento importante della tua vita, come se qualcuno si preoccupasse di farti emergere nel panorama e fra la gente. Come quel gioco per bambini in cui si collegano dei punti con una linea e se ne ricava un'immagine: nella vetrina di un fiorista troneggia un girasole gigantesco che dà grazia e luce agli altri fiori, lasciandosi un pochino adulare... E un attimo dopo... Come dici tu? "Anche la realtà, a volte, è affollata come un sogno..." In via Ben-Yehuda c'è una donna curva, quasi calva, che spinge un vecchio su una sedia a rotelle. Lui si lamenta in continuazione, con una faccia perversa, come se la stesse maledicendo in cuor suo. Lei si morde le labbra, ogni tanto si ferma e lo accarezza amorevolmente sulla testa e sulla nuca. Lo guarda con commiserazione. Per tre anni, dalla quarta elementare alla prima media, sei rimasta seduta accanto all'altra Myriam, quella con le gambe paralizzate e le stampelle. Non faceva che tormentarti ma tu non l'hai mai detto a nessuno, nascondendo i lividi che ti procurava.

Mentre scrivo, intuisco che in fondo anche tu hai stretto dei patti segreti con il destino. Forse sentivi che la sua paralisi si insinuava dentro di te attraverso i pizzicotti che ti dava, ma sapevi di essere abbastanza forte da poterla assorbire rimanendo illesa. Vero?

Parla, ti ascolto.

Non so se hai già cominciato a ricevere le mie lettere da qui. E non so se mi hai risposto. Speravo che mi arrivasse qualcosa da te. Non mi farebbe male. Ormai conosco a memoria le lettere che ho portato qui. Potrei quasi riscriverle.

Ieri notte sono stato fuori alcune ore. Sono letteralmente scappato perché la testa mi scoppiava (mi distruggeranno per sempre il *beauty sleep*). Verso le tre del mattino mi sono ritrovato vicino a un semaforo nella zona della stazione degli autobus e ho bussato al finestrino di una macchina per chiedere la strada. Un uomo elegante ha aperto il finestrino e con faccia seccata mi ha dato uno shekel. Da un edificio in costruzione è uscito un ragazzo un po' malfermo sulle gambe e ha cominciato a urlare che quella era la sua zona. Io, però, non volevo rinunciare al denaro che mi ero onestamente guadagnato. Lui ha preso a insultarmi, dandomi degli spintoni, e in un attimo ci siamo ritrovati a fare a pugni. Non proprio a pugni, perché non ci siamo quasi toccati. Una valanga di calci e sventole nell'aria. La maggior parte dei graffi me li ha procurati l'asfalto, o me li sono fatti da solo. Le sue mani erano molli come il burro e io mi sentivo sempre più debole. Cosa stava succedendo? Avrei potuto riempirlo di botte, era completamente "fatto". È una vita che sogno di fare a pezzi uno così ed ecco che, alla prima occasione, vengo risucchiato dalla debolezza dell'avversario.

Ci picchiavamo senza colpirci, cadendo a terra nello slancio ma senza smettere di menare colpi in aria. La strada era praticamente deserta, solo un bambino ci guardava entusiasta, fumando. Nella luce gialla e intermittente del semaforo vedevo contrarsi la faccia del ragazzo. Aveva gli occhi semichiusi, stava letteralmente lottando per la vita o per la morte. Chissà chi pensava che fossi. Alla fine devo averlo colpito in un punto delicato, perché ha lanciato un urlo disperato, come il guaito di un cucciolo. Non ho mai sentito un urlo così

194

uscire dalla bocca di un uomo. È caduto, contorcendosi per il dolore. Sono scappato via e nel cortile di una casa ho vomitato l'anima. Per tutta la notte ho temuto che fosse morto, o in fin di vita.

Sono tornato di mattina, subito dopo l'alba, e lui non c'era. Sono rimasto lì qualche minuto. Mi vedevo come un gatto che annusa la strada dove un suo simile è stato investito.

Myriam.

Niente.

Ma ho anche qualche consolazione. Stamattina, in via Ben-Yehuda, una giovane donna si è messa a rincorrere l'autobus ed è riuscita a saltarci sopra dalla porta posteriore. L'autista ha chiuso le porte ma una scarpa le è caduta in strada... Un ragazzo che passava l'ha raccolta e senza la minima esitazione ha cominciato a inseguire l'autobus, come un disperato. Sono rimasto per un attimo sconcertato dalla scena, poi mi sono ripreso. Ho fermato un taxi (senza nemmeno pensare ai pochi soldi che avevo) e ho gridato all'autista di seguire il ragazzo – il quale, detto fra noi, correva come una belva, come uno che lotta per la propria vita. Correva nella ressa, fendendo la folla e tenendo la scarpa sollevata. Una scarpa nera, lucida. Siamo riusciti a raggiungerlo solo dopo alcuni minuti e gli ho urlato che saltasse dentro. Ha capito subito, si è scagliato nel taxi in movimento e abbiamo inseguito l'autobus ancora per qualche minuto. Lui era seduto al mio fianco ma non mi guardava, la scarpa riempiva l'intero spazio dell'abitacolo. Anche l'autista sembrava molto partecipe, e si lanciava in pericolose gimcane, come in un film. Finché, vicino a piazza Atarim, l'autobus si è fermato e siamo riusciti a superarlo. Il ragazzo è guizzato fuori e si è precipitato. L'ho visto aprirsi un varco tra la gente e restituire la scarpa alla donna. Poi l'autobus è ripartito.

Dopo averli sentiti decine di volte, persino quelli che scopano a un metro di distanza non mi fanno più effetto. All'inizio sì, anche senza volerlo. Per il loro ansimare. Giunge da tutte le parti, ventiquattr'ore al giorno. A volte mi sembra di continuare a sentirli anche quando tacciono già da un pezzo (il pianto di Yidò, quando lo lasciavo all'asilo, non mi abbandonava per il resto della giornata).

Ma a questo punto, probabilmente, mi ci sono abituato. Mi impongo di pensare in modo positivo: da due giorni e mezzo vivo in un'enorme officina con un rumore costante di pistoni, cigolii sempre più forti, inevitabili sbuffi di vapore. E un attimo dopo tutto si ripete in un'altra stanza. A volte mi sembra che tutte le camere intorno a me sussultino contemporaneamente. Trema tutto, i letti scricchiolano, gli uomini ansimano e le ragazze lanciano, a turno, i loro gridi fasulli...

La cosa strana è che, a parte il proprietario, non ho ancora visto anima viva. Ogni volta che esco dalla stanza, l'albergo sembra vuoto e abbandonato.

Se un giorno dovessimo fare l'amore, lo faremo piano, come nel sonno. Vedo noi due come due feti che si cercano con movimenti lenti, a occhi chiusi.

Myriam, ho lavorato tutta la notte. Sentivo di dover fare qualcosa, di dover lottare un po' per la mia salvezza (o, perlomeno, di mostrarmi degno di te in questa mia guerra). Non ci si può arrendere così, senza nemmeno combattere, e le voci intorno a me cominciano, piano piano, a farmi uscire di senno. Ho appeso le tue lettere alle pareti. Un lavoraccio. Non immaginavo quanto mi avessi scritto. Chissà cosa proveresti se fossi qui.

Sono esausto, intontito, muoio dalla voglia di dormire, ma continuo a sorridere come un idiota.

(Sogna di dormire, Yair.) All'improvviso, tuttavia, mi sento pieno di energia e frenetico. Si direbbe che le pareti sussurrino il tuo nome.

C'è una sensazione di movimento che disorienta ora, nella stanza. Stordisce un po' guardare intorno. È stato come comporre un puzzle gigantesco (che definisce il compositore). All'inizio sono stato attento a lasciare ogni gruppo di fogli compatto. Poi mi sono stancato. In ogni caso, tutto si mescolerà e svolazzerà per la stanza. Nell'ultima ora ho appeso alle pareti tutto quello che mi è capitato sotto mano. Ho fatto degli innesti. Abbinamenti casuali. Non importa. Tu hai il dono della continuità e, in qualche modo, tutto quello che hai scritto si collega. Prosegue una conversazione che non s'interrompe mai.

Adesso anch'io posso tirare a sorte. Cammino sul letto a occhi chiusi, li apro, scelgo una frase: "... e io ricordo ancora la sensazione fisica di angoscia che mi riempiva, strisciando, per poi fossilizzarsi nel punto in cui, una volta, c'era la gioia di vivere. L'angoscia che tutto quello che c'è di buono in me non sarà mai dato a nessuno, e nessuno lo vorrà mai. Ma cosa c'è di buono in me?".

(Ho fatto un altro giro. Il mio sguardo è caduto sullo stesso foglio!)

"... e ho cominciato a sospettare che nessuno possa dare questa 'cosa' a un altro. Lo sanno tutti, da tempo, e forse è proprio questo il segreto che gli permette di vivere, di 'sopravvivere', di trovare un compagno e insieme a lui disegnare una casa con tetto e camino. Di trasformarsi negli amanti-saggi della poesia di Natan Zach:

Nessun ospite giungerà in una notte come questa.
E se giungerà, non apritegli la porta. È tardi.
Solo gelo spira nel mondo.

Non smetto di pensare alla fortuna che ho avuto nell'essermi imbattuta in una coppia di amanti-non-saggi che mi hanno aperto la porta in una notte come questa."

Yair?
Yair, svegliati, sono io...
Yair, non riaddormentarti...
Così mi tengo sveglio. Pronuncio il mio nome come se fossi tu a farlo. Nel tuo giardino. Ogni volta, di nuovo, il cuore batte forte sentendoti pronunciare il mio nome.

Perché ho cominciato a provare una specie di fobia del sonno. So già che quando, per un attimo, riuscirò a sprofondare e a dimenticare dove mi trovo, risuonerà un grido, o un gemito, o il cigolio delle molle di un letto, e non lo sopporto più. Sono già tre notti che va avanti così.

In fondo alla lettera in cui hai espresso la "teoria" che, secondo te, dovrei provare a scrivere dei racconti, hai scritto:
Yair
Yair Yair
Illumina.

Ma dove sono io e dov'è mai Yair?

Di nuovo notte. Dove sono spariti i giorni?
Io mi dissolvo e tu divieni reale.
I tuoi giri per casa, dalla cucina lungo il corridoio fino alla veranda. Il ricamo dell'ombra della bouganvillea sulle tue braccia. L'odore della tua crema per le mani che sprigiona dai fogli appesi mi dà una sensazione di casa.

Di volta in volta ti crei in me. Non siamo vivi, ricordi? Ma è vivo tutto ciò che hai scritto. La tua vita è la mia. Il tuo viso. Lo disegno nella mente, ne ripasso ogni linea. Ti vesto, ti spoglio, adagio, un capo dopo l'altro. Parlo a me stesso con il tuo timbro, la tua voce scritta, e una punta di tristezza nel fondo.

"Non è già più un segreto" dici (il riferimento preciso? Due dita a destra della porta) "che esistono tra noi incredibili tratti di somiglianza. A volte li scorgo nelle lettere, sono come dei cavi elettrici, carichi di tensione e di pericolo. Ma tu sai che la somiglianza tra noi è anche in ciò che definisci 'torbidi meandri dell'anima'. E lì, con un'intensità che ancora non conoscevo, potrai forse capire perché voglio avvicinarmi a chi mi rimanda l'eco delle cose che meno amo di me stessa."

Non so. So molto poco. Non mi è facile ammetterlo qui, mentre tu sei spiegata di fronte a me. Le tue domande sono sempre più profonde delle mie risposte. E anche per quanto riguarda la frase sopracitata, forse è meglio che sia tu a spiegarmi perché. Ecco cos'hai detto, per esempio, quando eravamo fratello e sorella nelle file di prigionieri che si allontanavano: "... Vorrei conoscere i rivoli in cui scorrono i tuoi sentimenti e i tuoi istinti. Quelli visibili e quelli nascosti. Quelli irruenti e quelli tortuosi. Perché la sorgente da cui sgorgano, persino quella che ti ha condotto alla puttana, è ai miei occhi un luogo primordiale, una sorgente viva e preziosa, alla quale io anelo...".

Una notte dopo l'altra, dopo l'altra. Quest'uomo non pensa più a niente. Quest'uomo non pensa nemmeno agli orecchioni e ai suoi poveri testicoli. Quest'uomo vuole solo dormire. Fino a che l'incubo sarà finito, e poi dimenticare. Quest'uomo ha appena tagliato il filo del telefono con un coltello. Il fatto è che stavo per chiamarti e dirti di venire.

Ti sei persa una grande scena: il proprietario è entrato di sorpresa, senza bussare. O forse ha bussato e io non ho sentito (ho tonnellate di carta igienica arrotolata nelle orecchie, per attutire un po' i rumori). Mi ha trovato in piedi sul letto mentre leggevo una tua lettera – occupazione che mi tiene impegnato per gran parte della giornata – e ha visto i fogli che coprono le pareti. Voleva dire qualcosa ma non ha osato. È ammutolito. Io, con un colpo di genio, ho cominciato a leggere a voce alta: "... E all'improvviso si riaccende in me il desiderio irrefrenabile di assecondare il tuo gioco, di incontrarti solo a parole, come proponi. Di lasciarmi andare sulla pagina, di sciogliermi nelle tue fantasie per vedere fino a dove sei capace di trascinarmi...".
Avresti dovuto vederlo. La sua faccia si è come attorcigliata in un misto di sorpresa e di terrore. Forse pensava che avessi inventato un nuovo tipo di perversione, qualcosa d'inaudito anche per lui. Ho alzato una mano e ho puntato gli occhi sulla parete: "Perché mi è chiaro che tu sei proprio bravo in questo gioco e un certo intuito femminile mi suggerisce che forse, nelle parole e nelle fantasie, tu sei 'il migliore'. Sono quelle le cose che ti riescono meglio. Perché allora non dovrei incontrarti quando dai il meglio di te stesso?".
Ha richiuso delicatamente la porta alle sue spalle, con il rispetto che si riserva ai pazzi veri. Non c'è dubbio: comincio a farmi una posizione qui dentro.

Ancora notte. Non trovo requie. Scrivo al buio, raggomitolato su me stesso, circondato dall'incessante mormorio delle tue parole, dei tuoi pensieri, dei tuoi ricordi, che mi giungono da luoghi e tempi diversi. Un mormorio che scorre in me, mi penetra e poi esce, come acqua. La casa allegra e animata di Ana, con i genitori e i suoi tre fratelli. E quel loro buffo ebraico-olandese, le lezioni di piano gratuite con suo padre: "E ora, dopo Brahms, suoneremo *Edelweiss Glayd* di Van der Beck, per ricreare l'autentica, genuina allegria di un caffè!". E la gelosia di tua madre, che voleva impedirti di passare con lui ogni tuo minuto libero. E il suo amaro sorriso, che sembrava aver fretta di cancellare le tracce che aveva lasciato nel mondo. Non oso pensare a cosa disse, al commento lapidario che uscì dalle sue labbra quando venne a sapere cosa aveva Yochai.

Yochai. Ancora Yochai.

Sai, da quando mi hai raccontato delle sue crisi di collera guardo ogni cosa bella *due volte*. Ho deciso così. Una volta per me e una per te. Per risarcirti un po', con tutti i miei limiti, della bellezza di cui non puoi circondarti in casa tua, perché so che ne hai bisogno come dell'aria per respirare. Lo so, sono cieco, indifferente e precipitoso. Ho paura di aver perso per sempre la passione istintiva, naturale, per la bellezza.

Non te l'ho mai detto, ma ripeto sempre più spesso il tuo nome, al posto di altre parole: "Myriam". Myriam invece di "capisci", "dài", "accettami per quello che sono", "sto bene", "sto male", "segreto", "crescere", "tranquillità", "il tuo seno", "il tuo cuore", "respiro", "amnistia".

Comunque, non vorresti un altro figlio? Avete paura? Ci state provando o volete dedicarvi esclusivamente a Yochai? Come sei riservata su queste cose.

Hai fatto bene a non scrivermi il nome "ufficiale" della sua malattia, in modo che non si sostituisca gradatamente al suo. Ma fino a che età potrete tenerlo in casa? (E come siete riusciti finora a non ricoverarlo in un istituto?)

Tra non molto arriverà l'adolescenza e aumenteranno le difficoltà. Non ti sto dicendo niente di nuovo. Sarà anche molto più forte di te, fisicamente, e cosa succederà allora?

Come farai a trattenerlo durante le crisi? Come eviterete che scappi in strada?

"... So già che sarà dura per me quando la sua voce cambierà." In un altro punto hai confessato che la voce è la cosa più bella che ha.
(Solo ora ho collegato le due frasi.)

Una semplice riflessione, un pizzico di filosofia spicciola.
Forse, accostando e sfregando le pupille – come ho sognato una volta – sgorgheranno delle lacrime completamente diverse da quelle note a chi ne fa spesso uso. Intendo dire... forse saranno più dolci del miele, prodotte da ghiandole lacrimali sussidiarie e nascoste di cui non conoscevamo l'esistenza. L'unico organo del corpo creato con la consapevolezza che mai, per tutta la vita, se ne farà uso. Un triste scherzo privato di Dio, che sapeva fin dall'inizio con chi aveva a che fare. Perché è possibile vincere la forza di gravità, ma non la forza di repulsione che l'anima esercita quando vede un'altra anima avvicinarsi ed esporsi.
Ho un tale bisogno di te in questo momento, Myriam. Vieni. Ti siederai sul letto, accanto a me, ignorerai le voci e gli odori intorno a noi, e ti concentrerai solo su di me. Mi accoglierai dentro di te, mi accarezzerai il viso in silenzio, con pudore, dirai: "Yair...".
Spalancherai una finestra. Essendo tu ad aprirla, il panorama cambierà. Sparirà la sala giochi qui sotto, spariranno i fili del bucato con gli asciugamani e le lenzuola lise. I bidoni dell'immondizia, i tubi, i ratti che corrono laggiù. Persino l'odore di lisoformio svanirà. Entrerà l'aria che hai portato da lontano, da Beit-Zeit. Magari tenterai di farmi ridere un po', perché no? È da parecchi giorni che non sorrido. Dirai: "Yair, Yair, da dove cominciare?". Mi rimprovererai un po', ma con dolcezza: "Yair, tu parli di Yochai, mi domandi se non desidero un altro figlio, e subito dopo mi chiedi di farti divertire?".
"Sì, hai ragione. Ma raccontami comunque qualcosa di lieve ora, non importa cosa..."
"Anche Yochai è divertente, sai?" "Ma cosa dici?" "Sì, sì,

pur non avendo un 'senso dell'umorismo' nell'accezione corrente del termine. Talvolta mi consolo dicendomi che il suo umorismo è di un altro mondo. Per esempio, quando vuole un altro dolcetto, e sa che non glielo permetteremo, fa finta di andare in camera sua. Poi, di scatto, si volta e corre in cucina. E fa una faccia così, 'da coniglietto', da monello... Allora, come d'incanto, sembra che il suo umorismo sia uscito allo scoperto, incontro al nostro."

"Oppure la faccenda delle scarpe." "Quale faccenda delle scarpe?" "Non ricordi?" "No, non ricordo." "Eppure te l'ho raccontata." "Sì, ma non a Tel Aviv, seduti su un letto con le cicche appiccicate. Racconta." "... È che lui gira sempre scalzo per casa, estate e inverno, perché nell'attimo in cui gli metti le scarpe scatta immediatamente, pronto a uscire. E se io, o Amos, per distrazione, gli infiliamo le scarpe prima che sia completamente vestito, si scaraventa fuori come un missile, anche se è mezzo nudo. Per questo, sai, lo chiamo 'il ragazzo con gli stivali a molle'..."

"Ma in questo momento hai voglia di ridere in modo diverso, vero? Magari ti racconto qualche sciocchezza, che ci sarebbe di male? A volte sei tu a scrivere delle sciocchezze che fanno accapponare la pelle... Dài, ridiamo un po' di me, insieme. Sai che sono scaramantica? Per esempio, se la prima persona che mi verrà incontro sarà un uomo, la tua prossima lettera mi deluderà. Se sarà una donna..."

Guardami, Myriam, mi diverto a fantasticare. E sto un po' meglio. Non capisco come. Anche solo immaginare il tuo modo di parlare mi calma. E mi rende felice. Mi scorre nel corpo come una medicina, facendoti gorgogliare dentro di me. Non smettere. Non smettere di essere.

"E mi sembra di aver sviluppato una certa sensibilità (un po' esagerata, temo) a certi tipi di avvenimenti o di gente in cui mi imbatto per caso. Mi sento attratta anche da semplici parole della vita di tutti i giorni. Parole innocenti come 'luce', 'irrigatori', 'c'è un varco nel recinto', 'abiti', 'cammelli', 'notte'... Oppure sussulto per un abbraccio improvviso, un po' spaventato, come quello che ho dato ieri a Yochai."

Scrivo te da quel punto nella mente. Mi concentro con tutte le mie forze su quel punto e tu sgorghi da lì. Come se ci fossero parole riservate a una sola donna e non ad altre.

Amore

"Oppure accendo la radio e cerco di riconoscere un messaggio inviato a me sola, come la strofa di una canzone che sembra 'appartenerci', o una frase senza significato, e allora mi dico: ecco, tutto tra noi è vuota illusione."

Senti, faccio un salto a comprare le sigarette. Mi è finito il pacchetto e sarà una lunga giornata. Non muoverti, ti trovi proprio nel punto giusto...

Sento solo il bisogno di citare una tua frase dalla parete, come un bacio di commiato: "... provo sempre più forte la sensazione che i tuoi racconti siano il modo più naturale, forse il più giusto per te, di penetrare nel mondo, di affondarvi le radici".

È successa una cosa terribile. Ho visto Maya.

Adesso, sul lungomare. Probabilmente non è riuscita a sopportare il mio silenzio. Forse ha intuito qualcosa ed è venuta a cercarmi. Non mi ha visto e io non mi sono avvicinato, figurati! (Cosa pensi di me ora?)

È meglio che non scriva di questo. Per due volte ha ripetuto il mio solito percorso, dalla piazza fino all'acquario dei delfini. È entrata in tutti i ristoranti e pizzerie in cui sono stato, nei giorni in cui ancora mangiavo. Ha indovinato le mie abitudini. Te l'ho detto che ha un sesto senso per me, ma tu non mi hai creduto. Ho sempre avvertito il tuo scetticismo. Non sbagliarti sul suo conto, Myriam, non sbagliarti sul suo conto e sul mio: tra me e lei c'è un legame che non posso descrivere a parole. Perché non è nelle parole, è nel corpo, nel contatto, nelle sensazioni sottopelle (cosa ne sai tu di noi?). Senti, ho continuato a camminare a poca distanza da lei. L'ho seguita. Che tortura. Come se qualcosa mi soffocasse, impedendomi di parlarle. Cos'ho fatto?

L'ho vista, ho visto tutto. La sua andatura mentre camminava lungo la via, come qualsiasi altra donna. Ho visto come gli uomini la guardavano. È maturata in quest'ultimo anno, e all'improvviso mi sembra bellissima. Come se, senza che me ne accorgessi, il suo viso avesse trovato un equilibrio. Eppure ho notato che solo io, per strada, sembravo accorgermi della sua bellezza. Sì, lei la tiene in serbo solo per me. Non esiste in lei quella cosa maledetta, capisci?, quella fame che c'è in me e in te. In lei *non c'è*. Lei è pulita, pura. Cosa succederà adesso? L'ho seguita e l'ho vista diventare malinconica. Era delusa, senza più alcuna speranza di trovarmi. Allora si è recata all'albergo della signora Meyer – una volta gliel'avevo fatto vedere, nei giorni dello splendore. È entrata, ha chiesto qualcosa a occhida-assassino. Non so cosa lui le abbia risposto. È uscita subito.

Ha percorso ancora una volta il lungomare, ma senza più cercare. Camminava come una pazza, quasi correndo, pestava rabbiosamente i piedi a ogni passo, e la gente la guardava. Non l'ho mai vista in quello stato. Si è permessa di capire. Poi si è seduta. È crollata su una di quelle sedie di plastica e ha chiuso gli occhi. Stavo a circa dieci passi da lei, visibilissimo. Se si fosse voltata mi avrebbe visto nella mia nudità, immerso fino al collo nella palude della mia infamia, la più fetida che ci sia. Siamo rimasti così per quasi un quarto d'ora. Senza muoverci. Ero esausto. Ho gridato verso di lei senza voce, con tutte le mie forze. Se si fosse girata, se solo mi avesse visto, se mi avesse chiamato per nome, sarei tornato a casa con lei.

Com'è potuta accadere una cosa simile? Mi sentivo come uscito da una crisi. Dopo che lei è scomparsa avevo tutti i muscoli contratti. Persino le mandibole. Ma cosa avrei potuto dirle? Come spiegare, nella mia situazione? Non parlo con nessuno da quattro o cinque giorni.

Solo con te. Basta, lasciami dormire.

Nel cuore della notte. Tre incaricati del servizio d'igiene bussano alla porta. Allontanano in fretta Maya, mi gettano

addosso una rete. Maya preme la mano contro la bocca, come fa di solito in questi casi: "Per favore, non portatelo via!".
"Non lo portiamo via" sghignazza l'infermiere, "lo eliminiamo sul posto".

A quel punto scoprono che è impossibile spararmi. Sono eterno, come il nulla.

Non te l'ho raccontato prima: mentre tornavo, forse a causa di quello che è successo, o forse perché già da qualche giorno non vedevo un volto umano, all'improvviso, di colpo, ho capito...

Fra poco, calma, lentamente.

Ho trovato un caffè squallido, il mio cervello era aggrovigliato come un intestino. Ci sono rimasto un'ora. Meditavo che in qualche punto dell'universo deve pur trovarsi quel mondo di cui abbiamo parlato una volta. Un mondo dorato di luce, un mondo giusto, in cui ogni essere umano possa trovare la persona che gli è destinata. In cui ogni amore è amore vero e, come premio, si può anche vivere per l'eternità. Naturalmente ho subito pensato a quelli che nemmeno laggiù sarebbero capaci di vivere, a disagio con una bontà e una generosità tanto abbondanti. A quei maledetti che si suiciderebbero.

Sono rimasto seduto a fissare i passanti, considerando quale potrebbe essere il castigo per chi si suicida laggiù. Come io li punirei. Non importa dove sei ora, Myriam. Alza gli occhi (ti immagino sempre immersa in te stessa, come ti ho visto la prima volta) e dimmi: è possibile che sia *questo* il motivo? Intendo il motivo dello squallore, dell'alienazione, della vigliaccheria, del senso di provvisorietà e di costante oppressione, e di tutte le altre lettere che compongono l'alfabeto del nostro esperanto?

Insomma, è possibile che il nostro mondo sia il penitenziario di quell'altro mondo, e che ogni essere umano che vedi intorno a te, non importa se uomo o donna, giovane o vecchio, si sia già *suicidato*?

Guarda la prima persona che ti viene incontro in questo momento e dimmi se il suo viso non tradisce, anche solo in un piccolo tratto, l'ammissione di una colpa? Di una colpa qualsiasi? (Potrebbe nascondersi nel naso, nelle labbra piegate all'ingiù, nella fronte e soprattutto negli occhi.) Stamattina non ho visto un solo individuo per la strada che non avesse un tratto del genere. Nemmeno i più belli.

Nemmeno i bambini. Ce n'era un gruppo, sulla spiaggia. Sono rimasto a guardarli. Bambini di sei o sette anni. Quasi tutti mostravano già un segno di amarezza, di rabbia e di colpa (soprattutto di colpa).

Macché dormire, chi vuole dormire? Non si viene a dormire qui, in questo tempio dell'eiaculazione. L'una e mezzo di notte ed è tutto un brulicare di attività. In ogni momento, da qualche parte, si apre una porta, o sbatte. Ventiquattr'ore al giorno c'è un andirivieni nei corridoi e suoni di risa soffocate (cosa ci sarà poi di tanto divertente?). Avrei voglia di incontrare uno degli ospiti per scuoterlo finché mi riveli dove avviene tutto questo. Dove sono le camere con l'idromassaggio, gli specchi sul soffitto e i letti rotondi. Stamattina, quando sono uscito, ho visto in albergo, per la prima volta, una coppia. Sono scesi con me in ascensore. Abbiamo cercato di non guardarci negli occhi. Un uomo e una donna piuttosto anziani. Turisti. Sembravano così perbene che ci ho quasi creduto.

Ma quanto tempo è passato, da voi, sulla Terra?

Non uscirò più dalla stanza. Ho notato che fuori sono più nervoso, probabilmente mi sono un po' abituato a stare qui. Evito anche di pensare a quello che succede dietro le porte chiuse (cose piuttosto banali, immagino). È strano come sia possibile passare il tempo senza muoversi. Dormicchio. Mi sveglio. Fumo. Ti scrivo qualche parola. Mi assopisco. Sono passate dieci ore.

I pensieri: quando non si scontrano con quelli di un altro, sono in grado di galoppare fino ai limiti del mondo. Uscire di testa e farci ritorno in una frazione di secondo.

Ma anche questo si è attenuato nelle ultime ore. È tutto un po' smorzato, rilassato. Non ho nemmeno fame.

Per leggere la tua minuscola grafia, a volte sono costretto a schiacciarmi contro il muro. Dovresti vedermi, mentre cammino lungo le pareti.

Se ti avessi telefonato, avresti avuto il coraggio di venire? In un posto come questo? (Mia brava bambina, viso anni Cinquanta. Non ti farei mai una cosa simile.)

Devo essermi assopito un'altra volta. Mi sono risvegliato con il cuore in tumulto. Le tre del mattino e alla mia destra, in una delle camere più lontane, si stanno letteralmente scatenando (sembrano grossi tamburi o pistoni, un rumore decisamente meccanico). Sei stata con me fino a quando mi sono riaddormentato. Ti ho portata qui. Stavo disteso e ti parlavo a voce alta. Conversavamo (non ricordo di cosa). Ogni volta che mi rispondevo come se fossi te mi sentivo un po' meglio. Per buona parte della notte mi hai illuminato, come una lampada.

Nel mio corpo, nell'apparato cardiocircolatorio, si muove un essere microscopico e compatto. La maggior parte del tempo non penso a lui – la maggior parte del tempo non penso a niente. Ma ogni volta che passa dal cuore, apre gli occhi e dice con la tua voce: Yair?

Secondo i miei calcoli, domani o dopodomani saprò se sono stato contagiato. Stranamente non m'importa poi tanto, davvero. Non penso mai al motivo che mi ha portato qui. Se qualcuno mi chiedesse perché sono qui dovrei fare uno sforzo per ricordarmelo.

Perché sono qui?

Perché devo portare a termine una faccenda importante.

Quale faccenda?

Non so. Quando accadrà, lo saprò.

E nel frattempo? Rimarrai steso sul letto per giorni?

Sì, che ci posso fare?

Sono a letto con Maya. Lei mi sveglia e mi mostra che tra noi è coricata una donna minuscola, non più grande di una noce. Perfetta, per quanto piccola. Io cerco subito di giustificarmi: "Non l'ho portata io! Non la conosco!". E Maya dice con calma, se non commiserazione: "Ma guarda come ti assomiglia".

Forse, nei giorni che mi sono rimasti, scriverò un diario, per passare il tempo. "Caro diario", così mi hai chiamato un po' di tempo fa.

Se starò un po' meglio questa sera uscirò. Mi merito una breve vacanza dal convento, non pensi? (Perché poi dovrebbe importarmi tanto quello che pensi?)

A volte mi sento un cretino per non avere sfruttato questa settimana. Non so proprio cosa mi impedisca di darmi alla pazza gioia. Devo qualcosa a qualcuno?

D'altra parte, persino alzarsi per pisciare è un'impresa.

Se davvero mi sono ammalato...

Credi che possa fare qualcosa, nei giorni che mi sono rimasti, per riuscire a salvare una parte di me? Cosa faresti *tu*, sapendo che nel giro di una settimana potresti scoprire di avere contratto una malattia con complicazioni come *quelle*?

Voglio dire: è possibile, per esempio, sperare (è il semplice passatempo intellettuale di un potenziale impotente) che un amore nuovo e inatteso possa salvarmi dalle grinfie di *questa* malattia? O perlomeno farla regredire un po'?

Non il tuo. Di te probabilmente non mi innamorerò, ormai mi è piuttosto chiaro. E poi, che tipo di amore potrebbe essere? Quello che c'è tra noi è già un po' troppo per essere amore, non ti pare? Non che io lo disdegni, ci mancherebbe, ma negli ultimi giorni ho la sensazione che, in qualche modo, siamo *compressi* dentro quest'unica parola: "amore". Correggimi se sbaglio.

Correggimi.

Quei due al di là della parete si stanno letteralmente torturando. Sono sicuro che si sono anche frustati. È già qualche ora che va avanti così. Senza che si oda voce umana. Come se si flagellassero sopportando il dolore in silenzio – solo io mi contorco a ogni staffilata. Non riesco ad abituarmici. Come se ogni colpo fosse il primo. Di cosa stavamo parlando? L'ultimo foglio che ho scritto è caduto, vai a trovarlo in questo casino. Non ho quasi mangiato da quando sono arrivato.

Negli anni scorsi facevo pranzi pantagruelici. Era parte del piacere. Anche il cibo è un amico dell'uomo. Mi sorprende di avere così poca fame, sono solo un po' debole. Fluttuo, così. È anche piacevole. Ma se mi alzo di colpo, mi gira la testa. Per questo cerco di non alzarmi. In verità, da ieri (o dall'altro ieri?), me ne sto a letto per gran parte del tempo. Un blocco, una penna, mi sveglio, scrivo qualche riga, mi addormento. Tra una cosa e l'altra, potrebbero anche sottopormi a un intervento chirurgico con l'anestesia. Ma che importa?

Nella finestra di fronte, sopra la sala giochi, intravedo una coppia di giapponesi, giovanissimi. Non ci sono tende, la finestra è aperta, fanno l'amore già da un'ora. È così bello che non mi eccita nemmeno.

Sto disteso al buio e li osservo. Si amano intensamente e non c'è punto della pelle che non bacino. Vorrei solo che continuassero, perché gli altri rumori sono spariti

Improvvisamente mi sono ricordato. Urgentissimo: voglio darti un'immagine. Un lampo della memoria. Non fare domande. L'immagine di un bambino dolcissimo, con i capelli molto corti. Guarda solo il suo viso. Molto espressivo. Continua a saltellare, chiacchiera, agita le mani. Sembra una dolce scimmietta. Ha circa cinque anni in questa immagine. Sul suo capo si intravede una mano sottile di donna, ma ignorala.

È un momento prezioso per me, non importa il motivo, ti chiedo solo di accettarlo. Un bambino che cammina sul marciapiede con sua madre, di ritorno dall'asilo. Lei è una donna giovane, sottile e minuscola. Ha i capelli corti, un po' ricci, e un sorriso incantevole, timido ma spregiudicato, pieno d'amore. E la mano posata sulla testa del bambino, con una punta d'orgoglio. Me lo mostra: è suo figlio.

So che non si dovrebbe fare una cosa del genere. Non si dà un'immagine parziale o una mezza fotografia, ma credimi, stai ricevendo la parte più bella e il momento più piacevole che abbia avuto con quei due. Non c'è ragione di allargare la prospettiva per includere particolari insignificanti. Per esempio, l'altro bambino che cammina al loro fianco. Non appartiene a questa storia. È solo un amico del figlio che lei riportava dall'asilo quel giorno (chissà perché non riesco a toglierlo da lì).

E perché dovrei farti vedere l'uomo con la faccia da uccello al volante della Subaru? (La macchina presente nella scena degli irrigatori, dal cui bagagliaio ho preso la salvietta per asciugarti i capelli.) Sono io. L'altro bambino ha casualmente notato il mio sguardo, da cui trapela la mia felicità. È una storia piuttosto brutta, un'altra scena ricorrente nel mio film noir. Perché te la racconto?

Con quella donna ho avuto una storia insolitamente lunga. Credo di averla amata. Il bambino si chiamava G, non importa il nome intero. Comunque, un nome dolce e serio. Lei non era sposata, non lo voleva nemmeno. Aveva idee molto precise sul matrimonio. Ma aveva un figlio piccolo e a me (il patetico autoinganno di simili storie) piaceva sentirmi un po' come suo padre-alla-lontana, capisci? Lo sentivo come il figlio che avremmo potuto avere. Non dimenticare che era il figlio ideale per me – un bambino vero che potevo trasformare in immaginario.

Amavo soprattutto l'intesa che c'era fra loro, il modo in cui lei lo cresceva, con intelligenza e coraggio. Non è facile allevare un figlio da soli e, prima di conoscerla, mi ero sempre scagliato, con sacra "furia matrimoniale", contro quelle donne che hanno la spudoratezza di fare un figlio senza un compagno, semplicemente per soddisfare il loro istinto materno ecc. Lei, però, mi insegnò quanta grandezza può esserci in una situazione del genere. Mi era difficile capire come lei, da sola, riuscisse a plasmare un nuovo essere umano, con quale perfezione e saggezza. E mi stupiva come entrambi fossero orgogliosi di appartenere l'uno all'altro, di possedere un loro lessico privato, di condividere lo stesso senso dell'umorismo e una sorta di responsabilità reciproca. Sentivo di avere con loro una famiglia piccola e segreta, anche se avevo visto il bambino solo in fotografia.

Perché te lo sto raccontando?

Forse perché faccio fatica a liberarmi delle abitudini? Perché sono convinto che tu custodirai questo ricordo meglio di me?

Un giorno lei mi propose di incontrarlo. Accadde al termine di una splendida mattina passata con lei. Disse: "Perché non ti fermi a conoscere G?". E io pensai: "Perché no? Cosa vuoi che succeda?". Ma subito intervenne l'ufficiale di guardia: "Perché *lui* dovrebbe conoscermi? Che bisogno ho di un testimone?". Così le dissi che l'avrei guardato da lontano, senza farmi notare. N mi squadrò e rispose: "Va be', fa lo stesso, non è mica obbligatorio".

Alla fine si convinse. Riuscii a tranquillizzarla, ma eravamo entrambi emozionati. Quel giorno rimasi un po' più a lungo del solito. Pranzammo insieme e tutto fu stupendo. Quando venne il momento, salii in macchina e aspettai che N riportasse G dall'asilo.

La vidi sbucare dall'angolo. Sottile, indipendente, diversa dagli altri. Indossava un maglione grigio, aveva i capelli corti, un po' ricci, e la gioia negli occhi. Camminava con due bambini, te l'ho detto, e per un attimo non riuscii a capire quale dei due fosse suo figlio. Non somigliavano al bambino delle fotografie. Le raccontavano qualcosa con foga, e uno dei due le saltellava intorno come un agnello. Mi sorrise dal fondo della via. Veniva verso di me, fragile, sorridente, e io sentii il bisogno di togliermi gli occhiali da sole e di chiedere con lo sguardo: quale dei due è il tuo? Lei posò la mano sulla testa del bambino che le saltellava intorno e fece una smorfia, come a dire: ma che razza di domanda è mai questa?

Ti prego, accetta questa immagine: un bambino minuto per la sua età, vivace e sorridente, pieno di vita e giudizioso, che parla con ampi gesti delle mani. Un bambino davvero buffo e dolce. E la mano di sua madre posata con tenerezza sulla testa. I miei occhi si tuffarono nei suoi, nel suo orgoglio, nella sua felicità.

(La cosa strana è che proprio l'altro bambino, l'estraneo, notò qualcosa e si fermò un momento, seguendo i nostri sguardi. Vidi che si sforzava di capire e un'ombra oscurò la sua fronte infantile.)

Se fra le scopate, gli amorucoli e i flirt, dovessi scegliere un solo momento...

Scusa se ti ho raccontato questa storia. Ripeto: a chi avrei potuto raccontarla se non a te?

Ho preso l'abitudine di parlarti ad alta voce. Un borbottio così, come se tu fossi qui (te l'ho già detto?). Chiacchiere insignificanti. Di poco conto. Vuoi un cuscino? Dammi un po' di coperta. Grattami la schiena, più su.

E tu rispondi: "Se uscissimo a fare una passeggiata? A prendere una boccata d'aria? Guarda che letamaio. Butta via almeno le lattine vuote. Su, fa' uno sforzo".

E io dico: "Strano, mi manchi più tu della mia famiglia".

La ragazza nella camera accanto sta proprio piangendo. È impossibile capire le parole. Ed è impossibile capire in che lingua parla. È una specie di lamento, si direbbe che sta supplicando qualcuno perché non la bruci con le sigarette. Che inferno.

Alla fine non ce l'ho più fatta. Sono uscito e ho cercato di scoprire da dove provenissero quelle voci. Ho capito che non giungevano da una camera vicino alla mia. Nemmeno dal mio piano. Dev'esserci una strana acustica in questo posto. Non mi sono dato per vinto. Sono corso per i quattro piani origliando senza pudore davanti a ogni porta. Non m'importava che mi scoprissero, e non avevo idea di cosa avrei fatto se mi fossi imbattuto in qualcuno. Dopotutto la gente qui paga per poter fare proprio quelle cose. Ho cominciato a pensare che fosse un albergo fantasma finché, al quarto piano, ho sentito distintamente delle voci provenire da dietro una porta. Con i nervi tesi, ho abbassato la maniglia e sono entrato. Ho visto la schiena nuda di un uomo che guardava la televisione. Sul pavimento intorno a lui c'erano forse venti lattine di birra. La stanza era esattamente come la mia. L'uomo non mi ha sentito e non si è mosso (a giudicare dal fetore, forse era morto), e quando sono rientrato nella mia camera le voci sono riprese.

C'è un altro episodio che ti devo forse raccontare, altrimenti non saprai mai esattamente con chi hai a che fare. (Ma cosa ne sarà di me, se lo racconto? E cosa, se lo tengo nascosto?) È uno di quei fatti che ti restituiscono, con gli interessi, tutta la feccia che hai sparso per il mondo. Ascolta e dimentica, lascia che rimanga dentro di te, serbalo nel tuo cuore.

Ero a casa con Maya, un paio d'anni fa. Stavamo cenando, in cucina. Yidò era con noi, e sembrava una di quelle piacevoli serate in famiglia che amo tanto. A un certo punto squillò il telefono. Andai in corridoio a rispondere e sentii una voce di donna. Disse di chiamarsi T e di essere un'amica di N. Mi ricordai subito di lei, rimanendo un po' imbarazzato. T era stata l'unica testimone della nostra storia: come mai mi telefonava a casa? Con voce rotta mi disse che N era morta il giorno prima.

Rimasi in silenzio. In cucina Maya e Yidò ridevano. In quel periodo lui stava imparando a fischiare (ma aspirava l'aria), e Maya cercava di fare lo stesso. T mi chiese se avessi sentito e io risposi di sì. Poi, con tono di circostanza, aggiunsi che non avevamo alcun bisogno di un'enciclopedia per bambini.

Lei tacque. Ricordo di aver pensato, con la poca lucidità rimastami, che cosa ne sarebbe stato di G: a quel tempo poteva avere sette o otto anni. Da quando ci eravamo lasciati, io e N avevamo perso i contatti. Lei aveva promesso di non telefonare né di scrivere, e naturalmente aveva mantenuto la promessa. È terribile dire una cosa del genere ora, da parte mia, ma insomma... l'avevo letteralmente cancellata dal cuore.

Devi anche sapere che T mi aveva molto criticato durante il mio rapporto con N, accusandomi d'infedeltà e disonestà. N non me lo disse mai apertamente, ma da alcuni suoi silenzi capii perfettamente cosa T pensasse di me. Anche se non l'avevo mai incontrata sentivo, in modo forse ridicolo, di dovermi giustificare con lei (la sua opinione sul mio conto mi preoccupava molto).

"Credo di avere scelto un momento poco opportuno" osservò T.

Dalla cucina Maya chiese chi fosse – ci diciamo sempre chi è al telefono, e spesso non c'è nemmeno bisogno di farlo: capiamo di chi si tratta già dal saluto.

Risposi ad alta voce: "Mi perdoni, ma avrei bisogno di

qualche altra informazione su questa nuova enciclopedia *Primavera*".

Maya, dalla cucina, commentò che sarebbe già stata sorpassata quando Yidò avrebbe imparato a leggere. Feci un gesto come a dire "vediamo", mentre Yidò provava a sillabare "en-ci-clo-pe-di-a". Entrambi risero e la cucina mi sparì dalla mente.

Rimasta pazientemente in attesa, T mi spiegò in fretta e con livore che N era morta il giorno prima all'ospedale Hadassa dopo sei mesi di malattia. Non sapevo nemmeno che fosse in quelle condizioni. Era morta a poca distanza da casa mia, come avevo potuto non sentire nulla? Dopotutto, in certi momenti, il mio respiro si era mescolato al suo.

Pensai che aveva mantenuto la promessa. Non mi aveva mai telefonato, neanche quando si era ammalata, e non mi aveva scritto. Com'era stata forte e fedele, e che idiota ero stato a rinunciare a lei. Mi accorsi di quanto poco, in fondo, la conoscessi.

Avrei anche potuto risparmiarti questa storia, vero? Vero? Ma sono convinto che, raccontandotela, eviterò che si ripeta.

Avrei voluto sapere cos'era stato di lei in tutti quegli anni, e cosa ne sarebbe stato adesso del bambino. Feci ancora qualche stupida domanda, solo per distrarre il mio pubblico con qualche stronzata, mentre T cercava di controllarsi. Poi mi disse quando sarebbe stato il funerale e riattaccò. Io feci altrettanto perché non eravamo interessati a un'enciclopedia. Tornai in cucina e M. chiese se ne avessi comprate due. Y mi mostrò come fischiava, e I mi sedetti a tavola, chiacchierai, risi e fischiai (aspirando ed espirando), sentendomi come quei nazisti che, finito il lavoro, tornavano a casa dalle loro famiglie.

Mi fa male la mano da tanto ho scritto. La persiana è chiusa e per un attimo posso dimenticare se è giorno o notte. Non so cosa proverai leggendo questa lettera. Penserai di aver fatto un gesto di carità. Di essere stata per me come un buco nella terra dentro il quale farmi urlare questo segreto. Non l'ho raccontato nemmeno a me stesso da allora.

Senti, forse ti cerco già da anni, ti cerco disordinatamente, a casaccio, e continuo a brancolare. Capisco che ti sto cercando da molto tempo come uno che cerca una finestra in una stanza piena di fumo. Forse le cose non stanno come credevo: ho sempre pensato che la casualità fosse il mio peccato originale, il più frequente e consueto per me. In fondo, faccio la maggior parte delle cose importanti senza una vera intenzione, e di certo senza "temporeggiare" come fai tu. Negli ultimi giorni, però, comincio a capire che forse è il contrario, che la casualità non è il mio peccato, bensì il mio *castigo*.

È un castigo piuttosto terribile, sai? Il peggiore. Diffonde metastasi dappertutto. Pensa per esempio a un bambino, non importa quale, diciamo pure mio figlio. Ci si può chiedere com'è possibile che un bambino, meraviglia del creato, nasca da un incontro non-fatale e non-inevitabile tra due...

(Ti capita di scrivere una frase che un secondo prima non pensavi? Che non capivi fino a questo punto? All'improvviso, ti trovi davanti a una sentenza senza appello.)

Myriam

qualche minuto fa (ora sono le sette del mattino) ho sentito un fruscio. Sono saltato giù dal letto – probabilmente mi ero appisolato – certo che fossero venuti a derubarmi, o a violentarmi. Qui può succedere di tutto. Poi ho visto che qualcuno aveva fatto scivolare una busta sotto la porta.

La tua lettera.

Finalmente. Da una distanza di anni luce. Probabilmente è arrivata per posta almeno da un paio di giorni e da allora è rimasta sul banco della reception (la busta è coperta di scarabocchi, disegnini e numeri di telefono annotati con grafie diverse). Peccato, peccato che non sia arrivata prima. Mi avrebbe risparmiato un po' di sofferenza. Non l'ho ancora aperta, non ce la faccio. Nelle mie condizioni ho paura di non riuscire a sopportare una tale felicità. Temo anche un po' quello che ci troverò, la cosa che non eri sicura di volermi raccontare. Non so se in questo momento sono in grado di affrontare qualcosa di doloroso. Magari dormo un po' e dopo...

Ma provo già una sensazione del tutto diversa (come se mi avessero restituito la carta d'identità).

Ancora un momento. Voglio aspirare tutta la dolcezza dell'attimo prima di...
Mi è tornata nostalgia di casa. Ho telefonato, ho parlato con Maya. Va tutto bene. Yidò sta meglio. Già da qualche giorno non ha più la febbre, è rimasto solo il gonfiore. Ho lisciato un po' le grinze della mia anima e della sua. Dietro la sua voce sentivo i rumori di casa. Mi ha raccontato di essere venuta a cercarmi. Ho taciuto. Anche lei. All'improvviso abbiamo sospirato insieme. Mi è piaciuta questa sintonia, mi sono sentito pieno d'affetto per lei. Siamo buoni amici, forse le ho fatto torto nelle mie lettere. Penso che, nonostante tutto, mi sia difficile parlarti di lei. Si mescolano troppe voci. Ma lei è il mio migliore amico. Tu lo sai, vero? Lei è la luce, il calore, il sangue e il tessuto della mia vita. La mia felicità quotidiana, sul serio. È tutto così complicato.
Le ho detto che non posso ancora tornare. Ha taciuto. Ho detto che le cose qui si sono un po' ingarbugliate, sono arrivato a un punto cui non volevo arrivare e ora sono costretto a rimanere per risolvere il pasticcio. Una questione tra me e me, le ho spiegato. Ha detto: "Fai pure con calma". Le ho assicurato che non sarebbe stata una cosa lunga, solo qualche giorno. Ha risposto che se è importante per me, lei se la caverà. Ho pensato a quant'è generosa, a come mi sarei ribellato altrimenti.
Poi ho fatto il tuo numero e ho riattaccato prima che tu rispondessi. Ma quel breve squillo mi è bastato per farmi sentire meglio.
Vado a leggere la tua lettera.
Tra un momento.

Ehi, Myriam...
più dolorosa, più piena e riservata di quanto si possa tollerare. Eppure guarda che spazio gigantesco mi hai lasciato dentro di te. (Proprio a me, con tutte le mie protuberanze.)
Vorrei solo prendere un taxi, adesso (sono le dieci di sera), e

216

correre da te per abbracciarti con passione, e accarezzarti, consolarti. Vorrei fare l'amore con te solo per esserti il più vicino possibile. Vicino alla storia tua, di Amos e di Ana. E di Yochai.

Come conati di vomito, mi tornano in mente alcune delle cose che ti ho scritto in questi mesi, parole buttate giù quasi senza pensarci, ingenuamente, di getto, volgari e stupide. Con la crudeltà di un bambino che soffoca un uccellino. I miei sproloqui sugli orecchioni e su cosa avresti fatto tu, scoprendo di esserti presa una malattia con quelle complicazioni... Come hai potuto sopportarmi?

Vorrei che potessi sentire quanto ti sono vicino ora, anima e corpo, più che mai. È come se un motore si stesse riaccendendo dentro di me. Ti ripeto, Myriam, non voglio ricordare dove sono stato in questi giorni e come sono caduto. Voglio risvegliarmi alla vita e donarti, a parole, tutto il mio patrimonio genetico, quello che sono, nel bene e nel male. E voglio che in ogni frase si snodi la spirale invisibile del mio Dna. Scrivo sciocchezze inaudite, lo so, perché ora desidero che anche la mia stupidità ti penetri, il mio entusiasmo, la mia paura, la mia infedeltà, la mia grettezza. Ma anche due o tre cose buone che forse sono dentro di me, e che si mescoleranno con le tue. Voglio che le nostre paure, i trabocchetti che abbiamo teso a noi stessi, si accoppino. Solo ieri ti ho scritto quanto sia oltraggioso pensare che un bambino nasca dall'accoppiamento casuale di un uomo e una donna, e tu mai, mai una volta, mi hai rivelato come questo pensiero ti ossessionasse quando un bambino *non* nasce. Perché non me l'hai detto? Perché mi hai nascosto una cosa del genere per sei mesi? Di cosa avevi paura?

O non ti fidavi di me? Sentivi che non avrei potuto essere un parafulmine al tuo dolore e alla tua sofferenza? Pensavi magari che non fossi degno? Di cosa? Di conoscere questa tua storia? È questo, vero? Leggo tra le righe che è questo il motivo. La tua esitazione nel raccontarmelo mi offende e mi ferisce fino alla disperazione. Temevi forse che avrei potuto dire qualcosa che contaminasse una storia così incredibile e pura? A tal punto non eri certa di poterti fidare di me?

Myriam, se provi ancora qualcosa per me, l'ombra di un

sentimento, aiutami, non desistere. Ora, ora sii per me il coltello. Chiedimi come mai, ogni volta che mi mostri una ferita, devo fare uno sforzo meschino per non fuggire. Naturalmente negherò questa mia codardia e dirò che è il contrario, che ora, dopo esserti confidata, il tuo istinto materno per Yochai mi appare ancora più incredibile e, anzi, ti percepisco con una forza nuova che mi palpita in tre punti diversi del corpo: nelle profondità del cervello, a sinistra; nella sfera di fuoco sotto il cuore; e alla radice del pene. Traccia fra loro una linea e otterrai un'immagine precisa di me in questo momento...

Così dirò, e tu griderai basta, basta, perché sai già che quando scrivo una cosa del genere, frutto dell'autoesaltazione, mento. Ti sono di nuovo vicino-a-una-distanza-da-urlo. Aiutami contro di me, ti prego. Guardami dritto negli occhi e chiedimi di nuovo, come hai fatto nella lettera, se per caso i muscoli dorsali della mia anima non si stiano atrofizzando e se tu non stia diventando troppo pesante per la mia illusione. Chiedimi dell'altro, chiedimi quali sono le mie vere sensazioni quando ti apri così davanti a me. Non rinunciare, aiutami a combattere il gemello nero che c'è in me, perché da solo non ne sono capace, non posso vincerlo. Chiedimi di affrontare senza riserve i miei sentimenti verso questa tua ferita aperta che mi risucchia al suo interno, richiudendosi sopra di me. Chiedimi di provare il dolore di un altro, di sentire dove fa male, in quale punto del corpo. E se ritengo davvero possibile provare il dolore di un altro, o se per me è solo una menzogna qualsiasi, una frase vuota. Ripeto la parola "dolore" come fa Yochai con le parole che non capisce. Hai detto che in questo modo cerca di tenere lontano le cose che non conosce. Dolore dolore dolore.

Devo uscire a comprare qualcosa. È quasi una settimana che vivo solo di yogurt e birra. Lo yogurt è finito stamattina, tra un quarto d'ora chiuderà la drogheria notturna di via Ben-Yehuda e io non resisterò un'altra notte senza un po' di cibo solido. Sai cosa mi fa disperare? Che tu mi abbia raccontato una cosa così dolorosa e io ancora non sia capace di essere con te come ne avresti bisogno, non sappia come sei con te stessa, nel tuo intimo. Non ho ancora penetrato il tuo segreto. Non darmela vinta. Dimmi: Yair, Yair, vieni ora e senti il mio corpo, per intero. Obbligami a superare le parole esigue e imbarazzanti che ora ridacchiano come adolescenti. Dimmi: smussati, riempiti, senti come mi diffondo dentro di te, fino ai confini più lontani, inesistenti nel tuo corpo, che tu puoi solo immaginare. Sussurrami di toccare il tuo seno, di tastare la sua rotondità, la morbidezza, il punto di gravità che lo trascina verso il basso. Quel punto che brilla sempre nei disegni. Chiedimi di rilassare le spalle, sorridendo: rilassale, anche se le mie sono ancora tese. Dieci anni di metodo Alexander e sono ancora tese. Continua a ripetermi: rilassati, senti come il tuo viso si arrotonda, come si ammorbidisce, si addolcisce. Non aver paura di questa parola. Forse saresti più felice se osassi essere più dolce, se ti lasciassi riempire dalla tua dolcezza. È tua, ti si addice, è una sorgente viva in te, non ostacolarne il flusso. Mi dirai: vieni, fluisci dentro di me, scrivi dentro di me, lungo il corpo, lungo le gambe, in mezzo a loro. Prova, per una volta, la sensazione che sia tuo, non come quando desideri solo di possederlo. Ma sei terribilmente contratto, Yair, forse perché lo sono anch'io, ora, come in attesa di un dolore, perché ora il mio ventre... Vorrei che tastassi il mio ventre, morbido, bianco, vuoto...

Non smettere. Nel punto in cui ci troviamo ora ti è proibito proteggermi. È il nostro patto, Yair. Questa notte ci scriviamo tutto, mano nella mano, cose vere (come dici tu? "Nient'altro che la verità"?). Scrivi, scrivi tutto quello che ti salta in mente, nella mente tua e mia. Senti il mio ventre dall'interno, e cerca in me quel punto nascosto che una volta, inconsapevolmente, hai chiamato per nome – "Laggiù, la mia anima e il mio corpo si incontrano sussurrando una parola d'ordine". Indovina come vi si raccolgono le speranze, un mese dopo l'altro, e come, di colpo, si trasformano in una fitta di dolore e di disperazione, di sofferenza dell'anima e del corpo.

Ricorda come mi hai visto la prima volta, quella sera, e capirai, sì, finalmente capirai per quale motivo ero così triste e disperata, nel momento in cui mi hai guardata. E che "festa" desolata ho avuto quel giorno.

Considera che abisso sia, questo "quasi" essere donna.

Non lasciare la stanza, rimani con noi. Le mie parole provengono dalla tua bocca, è una sensazione così strana. Questo tuo desiderio mi commuove, e mi imbarazza in modo indescrivibile. Ma ricordi? È l'unica storia che avrei voluto raccontarti, quella di sapersi concedere a un altro in modo totale. Non per perdersi in lui, e nemmeno per rinunciare a se stessi, ci mancherebbe, ma per provare la sensazione di essere un altro, per una volta, voglio dire, un altro, dentro di te...

Yair, in tutto il mio corpo e in ogni mio respiro sento questo tuo desiderio. E anche la tua paura. Entrambi si scatenano dentro di te, come sempre. Per un attimo tocchi il mio dolore a mani nude e io sento che ti è caro. Vuoi sinceramente che non lo viva da sola. E un attimo dopo fuggi il più lontano possibile... Ti prego solo di non andartene, perché se te ne vai ora non farai più ritorno. Fuggirai oltre i confini del mondo e non vorrai ricordarti di quello che è iniziato qui, tra me e te, quando l'anima si apre così, lentamente e con dolore, verso un'altra persona. Non smettere di scrivere, aggrappati alla penna con la forza che ti è rimasta. Stai tremando per lo sforzo, ma continui a scrivere, affondando in me le tue radici. Non avere paura. Nemmeno di quel pensiero che hai avuto una volta, un milione di anni fa, o due giorni fa, quando avresti voluto risvegliarti senza memoria, dopo un incidente o un intervento chirurgico, ricordando, a poco a poco, la tua storia e la mia per raccontarla a te stesso, dall'inizio, senza sapere, nemmeno per un momento, se in quella storia tu sei l'uomo o la donna.

Vorrei che tu potessi ricordare come ci si sente quando si è donna, e come ci si sente quando non si è né uomo né donna. Solo "essere", prima di tutto, prima delle definizioni, dei pronomi personali, delle parole e dei generi. Forse, in questo modo, potresti anche arrivare, quasi per caso, alla possibilità primordiale di essere me.

Se arriverai laggiù, capirai a che punto mi trovo ora di fronte a te, china e un po' contratta. Eri così commosso dalla mia maternità, l'hai succhiata, letteralmente, fin dal primo momento. E più la succhiavi, più la rendevo copiosa, e più era copiosa, più ne ero assetata. Non ho mai saputo, mai provato, mai osato, raccontare a me stessa questa storia con tanta veemenza.

Puoi intuire cosa sento, ora che sai la verità, i fatti, la realtà? Cosa posso farci, Yair? Non credo di essere una persona molto razionale quando si tratta di questo argomento. La mia sterile maternità.

Darwin non mi porge i suoi complimenti dalla tomba.

E hai ragione, è molto-molto difficile creare qualcosa da due.

Ma tu sei così materna ai miei occhi! Ed è qualcosa che non potrà mai cambiare. Questa è la tua *essenza*, Myriam, e io non potrò mai pensare a te senza sentirla (improvvisamente capisco: "Amos ha un figlio dal suo precedente matrimonio". Non avevo collegato...). Non smetto di pensare ai momenti in sala parto, quando lei intuì che c'erano gravi complicazioni, quando le facesti, senza esitare, quella promessa. Quando entrambi gliela faceste.

E a come tu conti con lui fino a un milione, senza mollare.

Sai, forse c'è davvero stato un momento come quello nella distesa del tempo e dell'essere, una frazione di secondo, in cui avresti potuto essere me... non pensi? È possibile credere che esista davvero un luogo dove possa accadere una cosa simile? È possibile esprimere un desiderio come questo al tuo Cremlino? No, non accendere la luce. La luce qui è troppo rossa... Scrivi al buio. La tua grafia trema parecchio negli ultimi minuti. Una grafia triste. Ricordi come mi sono sentita offesa per il fatto che tu non mi avessi mai chiesto quale fosse il mio *luz*? Innumerevoli volte ti ho chiesto di indovinarlo ma tu hai sempre ignorato la domanda (così come sai ignorare determinati desideri). Alla fine ci ho rinunciato e da allora non l'ho più chiesto nemmeno a me stessa. E quella domanda non ha trovato risposta.

Ma ora scrivi, per me: io sono sempre più convinta che il mio *luz* sia la nostalgia.

E per te? Qual è il tuo?

Lo vuoi sapere veramente, Myriam? No, non lo vuoi. Taci, improvvisamente ti rifiuti di rispondermi. La magia è svanita. So a cosa stai pensando. Te lo si legge in faccia: "Com'è possibile che un uomo tanto affamato d'amore, del nettare dell'amore, una fame che traspare da ogni sua parola; com'è possibile che quest'uomo si ostini a ingozzarsi di merendine?..." Ho letto, ho letto. Era una parte piuttosto superflua della tua ultima lettera. Lasciamo perdere, peccato rovinare. Non cercare di cambiarmi completamente, e soprattutto non portarmi via *questo*, perché malgrado il tuo scetticismo è decisamente *un "luz"*.

Non allontanarti, non buttare via la penna, Yair. Gioca ancora a questo gioco assurdo, almeno per un po', anche se i muscoli dorsali della tua anima si atrofizzeranno, fino a farti un male insopportabile. Lo so, anch'io ho sentito da te cose che quasi non riuscivo a sopportare. Ma ora, mentre sei solo in questa camera, forse più solo di quanto avessi mai osato essere, voglio per una volta che tu scriva, solo per i tuoi occhi, perché ti fai questo, e come mai sei disposto a far entrare degli estranei nella tua ferita più dolorosa.

Basta, sono stufo di seppellirmi qui e di masturbarmi con le parole. Dopotutto, così si può dire qualsiasi cosa! Questo gioco infantile va avanti da troppo tempo. Le due di notte: scrivo senza sosta da più di cinque ore e sono completamente stordito. Vorrei qualcosa di concreto, vivo, caldo, che mi si pieghi fra le mani, e invece ti sto di nuovo usando per fustigarmi. Abbiamo ripreso a fustigarmi! Non ti manderò queste lettere. C'è un punto in cui io e te cominciamo a parlare lingue diverse. E poi, cosa ne capisci, tu, di questa meraviglia, quando un perfetto sconosciuto all'improvviso si trasforma nel fulcro vivo di tutti i sentimenti, di tutti i pensieri e tutte le fantasie? Cosa ne sai di esaltazione, come puoi capire una scintilla come questa tra due estranei, assolutamente estranei, che conoscono gli articoli della costituzione e non hanno dubbi che dopo, passata la tempesta, torneranno a essere soli? *Soli*. Vuoi sapere una cosa? Vuoi sapere com'è davvero per tutti? *Per tutti*, dietro le belle parole e gli sguardi velati?

È così:

dopo che anche tu sei venuta siamo rimasti distesi tranquilli, respirando all'unisono, sazi di piacere. Qualche minuto dopo ho sbadigliato, il solito sbadiglio che anticipa il: "Dài, forza, si riprende a vivere", ma tu mi hai stretto con le tue braccia forti e hai detto: "Non uscire".

Ti ho sorriso sul collo perché mi divertiva quella strana eccitazione nella tua voce e sono rimasto immobile ancora qualche istante, forse mi sono persino assopito, ma quando ho voluto uscire – perché quanto è possibile rimanere così? Si ha bisogno di staccarsi, di riprendersi, di far ridistendere la pelle (quasi come il ricomporsi delle linee di un fronte dopo la battaglia) e quell'entità maschia già brontola con voce roca: ma cosa ci faccio qui, in questo corpo estraneo? Forse proprio la mia reticenza, o forse la mia solita tendenza a mentire in momenti simili, mi ha spinto a miagolare come un gatto-ben-sazio che ero pronto a rimanere così con te, per sempre. Ti sei affrettata a dire: "Allora fallo". Ho chiesto con un sorriso: "Per sempre?" e tu hai detto: "Sì, per l'eternità, per oggi, non uscire". Ho riso contro la tua spalla nuda e calda mormorando che sarebbe stato più semplice se me lo fossi tagliato, così avresti potuto usarlo a tuo piacimento, perché oggi avevo ancora qualche cosina da sbrigare e tu hai detto con strana urgenza: "No, davvero, rimani ancora un po', per quanto ti è possibile, per quanto ci è possibile; e poi oggi non hai niente di speciale da fare".

Non avevi la tua solita voce impastata del dopo, ma un tono di supplica un po' spaventato, e ho percepito qualcosa di nuovo. Non il capriccio di un momento, ma un desiderio profondo. Per un istante mi è parso di capire cosa volevi che succedesse e mi sono quasi lasciato convincere. Ho rilassato i muscoli della schiena e delle spalle perché tu non ti accorgessi che qualcosa dentro di me si ribellava, si inarcava, e perché non udissi quello là che borbottava: "Cosa le prende, cos'altro vuole, ha già avuto quello che voleva, no?". Ma era come se tu avessi sentito e mi hai sussurrato: "Non uscire, anche se lo vuoi, trattieniti ancora un pochino". Ho detto con un mezzo sorriso irritato: "Cosa sono questi, esperimenti su esseri umani?". Tu non hai risposto, hai solo premuto il tuo seno caldo e morbido contro di me, come se parlassi attraverso di lui, mi parlavi in "mammellese". Sentivo il tuo respiro nell'orecchio e non sapevo che cosa fare. Non volevo ferirti, sentivo che stavi sprofondando in uno di quei tuoi stati d'animo femminili che, per quanto mi riguarda, sono sempre un po' inaccessibili, ma il mio pene era rattrappito e contratto, come sempre nei momenti di meditazione trascendentale. Però tu non lo lasciavi andare. E non dimenticare che avevo anche un po' fame, come sempre dopo. Stavo steso irrequieto, come se fossi stato costretto ad affidare il mio destino nelle mani di uno che non conoscevo bene; è sorprendente come tu mi fossi divenuta estranea dopo una così grande intimità. La mia anima voleva tornarsene a casa, e si è raggomitolata dentro di me in silenzio. Forse aspettava che mi alzassi di slancio, come al solito, e facessi qualcosa. Questo tuo attaccamento era un po' troppo *intimo* per i miei gusti, e mi sono chiesto quando ne avresti avuto abbastanza di questo gioco, quando avresti finito di manifestare questo tuo desiderio perché sentivo i tuoi occhi chiudersi intorno al pene, mentre la mia mano si era addormentata sotto la tua schiena e il cinturino dell'orologio si era impigliato nei tuoi capelli. Ho pregato di potermi addormentare, e che lui, il defunto, sgattaiolasse fuori in qualche modo. Avremmo sorriso e dimenticato, ma tu mi hai sussurrato senza voce: "No, aiutami a farlo rimanere dentro" e ho cominciato a rendermi conto che mi leggevi nel pensiero.

Mi si stava formando in gola un groppo di secrezioni primitive, un grugnito basso e villoso, ma tu l'hai sentito, naturalmente, e hai continuato a bisbigliarmi nell'orecchio, implorandomi di restare con te, "non con lui, stai con me, con me". Mi sono detto che da domani avrei ripreso a fare gli esercizi per la schiena e mi sono messo a pensare alla lista delle cose che avrei dovuto fare al lavoro – da troppo tempo lo stavo trascurando. Tu mi hai sussurrato qualcosa nell'orecchio, ma eri troppo vicina e non sono riuscito a sentire; mi hai dato una leccatina leggera e tutti e due ci siamo sentiti di nuovo eccitati. Il mio pesciolino ha avuto un guizzo di coda mentre il tuo mare gli veniva incontro, e io ho pensato che non sarebbe stato male, da tempo non davo due colpi di coda consecutivi, senza uscire, mi sarebbe piaciuto vedere se ne ero capace. Hai inarcato la schiena mentre io facevo scorrere le dita lungo la tua spina dorsale, contando ogni vertebra, ti ho leccato il collo, un po' salato. Consideravo come la parola "carne" sappia un po' troppo di macelleria, ma se pensavo "la carne di Myriam", era come se vi si posasse sopra un velo di grazia e di bellezza, così mi sono detto "la sua carne, il suo corpo, i suoi fianchi pieni" e allora, chissà perché, mi sono ricordato di Maya, e questo pensiero improvviso mi ha bloccato, la linfa che mi aveva riempito è stata risucchiata nella colonna vertebrale e la testa è crollata, pesante. Ho detto: "*Nu*, non va", e tu hai risposto: "Non importa, non uscire però, non adesso". Ho chiesto con rabbia: "Va bene, ma fino a quando?", e tu hai mormorato come se parlassi nel sonno: "Finché avremo paura".

Pensai che la cosa non mi faceva affatto paura, era solo irritante. Bisogna prestare ascolto al proprio corpo e se lui vuole uscire, bisogna farlo uscire e non tormentarlo. Evidentemente c'è una certa coerenza biologica in questo nostro bisogno, o un impulso, un istinto, e la tua testardaggine mi riempiva di inquietudine e di un certo astio nei tuoi confronti. Ti ho sentito respirare nell'orecchio e mi sono ricordato di quello che ci eravamo inventati una volta, nell'unica gita che siamo riusciti a fare da soli, tre giorni tutti per noi, e cioè che l'orecchio somiglia a un antico anfiteatro, a sua volta forse costruito secondo la forma del padiglione auricolare.

"Per quanto tempo hai intenzione di rimanere così?" ho borbottato, puntualizzando che essendo un povero mortale di carne e ossa avevo anche bisogno di pisciare, ogni tanto. Ma tu ti sei aggrappata a me e hai detto: "Pisciami dentro".

Ci ho pensato un momento e, credimi, ho anche cercato di godermi la deliziosa volgarità contenuta nella tua proposta. Ho chiesto se non sarebbe stato pericoloso per la tua salute, o qualcosa del genere, e tu hai farfugliato che *io* ero pericoloso per la tua salute e: "Per favore, ti chiedo solo di non uscire. Cos'è che ti fa così tanta paura?" hai detto con voce trasognata. "Non ti sto chiedendo di venire con me nella Terra del Fuoco, solo di rimanere uniti, il tuo corpo nel mio." "Ma perché?" mi sono innervosito, "io mi sento abbastanza unito a te, mi pare che nella mia mente non ci sia un angolo immune da te. Tu penetri nei miei ricordi d'infanzia, cambi le mie storie e parli dal mio intimo, le tue parole nidificano in me gettando fuori i miei pulcini". E ho iniziato a scalpitare per sollevarmi sui gomiti e avviare la ritirata, ma tu mi hai stretto forte e hai detto: "Ti irrita il fatto che io penetri nei tuoi pensieri?". Ho risposto: "No, è stato stupendo: l'incontro di notte, per strada, è grazie a te che ho cominciato a sognare, che posso scrivere il tuo diario e sentire la tua voce dentro di me. Stupendo, bellissimo, ma ora voglio uscire, lo voglio davvero". Sei stata a sentirmi, sorridendo a te stessa, e hai detto: "Non uscire".

Sconsolato, ho chiesto perché. Hai detto che per una volta volevi che restassimo uniti il più possibile, e io ho bofonchiato che qualunque coppia di cani sarebbe capace di fare una cosa del genere, non c'era niente di straordinario. Ma tu hai detto spaventata: "Non fuggire ora". "E se uscissi di colpo?" "Non uscire." "E se lo facessi?" "Guarda (hai detto), anch'io ho bisogno di fare pipì." "Allora fammela intorno." "Non posso, mi vergogno." "Cosa proponi allora?" "Cosa proponi tu?" "Sai una cosa?" "Cosa?" "Addormentiamoci e poi la facciamo insieme nel sonno, come i bambini..."

E hai riso perché una volta ti avevo raccontato, o avevo pensato per te, come avevo provato, già adulto, a pisciare a letto, senza riuscirci. E tu sapevi, naturalmente, di cosa stessi ridendo, e mi inondava di gioia l'idea che tu conoscessi tutto di me, i miei pensieri e i minimi particolari, mentre solo un attimo prima mi aveva dato un tale fastidio... Non lo capisco, non mi capisco con te. Era come avevi detto tu: nel punto in cui ti sono più vicino, sono anche più sfuggente che mai. Stai attenta, finirò col prenderti a calci come un pazzo dove sei più vulnerabile. Fidati sempre e soltanto della mia mancanza di fedeltà, così sarai al sicuro. Hai fatto finta di non sentire e hai detto: anche se fossimo caduti così in basso, sarebbe sempre rimasto tra noi qualcosa di puro, e questa volta sono stato io a lasciarmi ingannare dalla tua solenne retorica. A volte usi certi termini da commedia degli anni Cinquanta! Ho detto stupidamente di credere che tu possa purificarmi, e tu mi hai chiesto se lo pensavo davvero. Ho risposto che, se qualcuno poteva farlo, quella eri tu. Hai chiuso gli occhi e ho sentito i tuoi pensieri e la stretta del tuo corpo intorno a me. Ho capito che stavi di nuovo esprimendo un desiderio, ma mi sbagliavo, era un *voto*. Evidentemente ci sono alcune lettere del tuo corpo che ancora non leggo. Hai detto che avevi fatto un voto, ho chiesto quale, ma conoscevo già la risposta. È defluita dal tuo corpo al mio senza che niente potesse ostacolarla e tu hai detto: "Sentiamo". Ho risposto che avevi fatto il voto di venire a letto con me per ogni volta che ci ero andato con un'altra donna senza amore, e hai detto: "Hai ragione". A dire il vero non hai detto niente, ho solo sentito le tue palpebre che si abbassavano su di me. Ma allora mi sono sentito intrappolato dentro di te. Non mi lasciavi respirare, così avvinghiata mi stavi proprio *trattenendo*. Sappi che io posso soffrire di claustrofobia anche dentro il *corpo* di qualcun altro che improvvisamente mi si chiude intorno, ma tu ti sei stretta a me e hai detto: "Non uscire. Devo scoprire cosa succede quando si rimane così e voglio farlo con te". "Te lo dico io cosa succede" ho replicato. "Marciremo qui insieme nel piscio e nella merda. O forse ci fonderemo l'uno con l'altro, chissà? O forse ci succederà qualcosa d'impensabile, una specie di mutazione."

"Proprio quello che spero" hai detto. "Che possa succedere qualcosa a due corpi quando rimangono insieme così, a dispetto dell'istinto che alla fine li porta a separarsi." "Ma cosa può succedere?" ho bofonchiato. C'era qualcosa di molto strano nella tua insistenza e mi sono sentito come un bambino costretto a baciare la zia. Spiegami cosa potrebbe succedere, oltre al fatto che dopo mezz'ora saremo stanchi uno dell'altro? "Forse scopriremo qualcosa" hai risposto, "un segreto che agli esseri umani è proibito sapere, come quando volevi mettere la tua pupilla contro la mia. Forse arriveremo a quel punto minuscolo e lontano, e se lo toccheremo insieme non vorremo più separarci per l'eternità."

"Ma quanto ci vorrà?" ho gridato, e tu hai risposto, come parlando a te stessa: "Finché i peli del corpo saranno ritti per la paura. Non per l'imbarazzo o per il fastidio, parlo della paura insostenibile, della fusione totale e senza limiti". Ed era come se non ti stessi rivolgendo a me, ma a te stessa, con una strana determinazione, in preda a una visione. Non aveva alcuna importanza che io sentissi e capissi – come ogni tanto ti capita di sprofondare in te stessa davanti a me, ti parli a bassa voce e allora, per un attimo, io mi sento solo un *mezzo*, Myriam. In fondo, tu carpisci in me una scintilla per accenderti alla vita, e questa è veramente la tua battaglia per la vita e la morte.

"Non mi piacciono questi giochini" ho ripetuto, e la mia voce è risuonata un po' vuota, come quella di un marmocchio lagnoso. "Non è un gioco" hai detto subito. "Non sto giocando con te, è una cosa terribilmente seria." Hai preso il mio volto tra le mani. "Guardami negli occhi." Ma io mi sono ritratto perché non avevo fatto ancora in tempo a dirti che sguardi come questi li considero pericolosi. Improvvisamente mi accorgo che il mio viso non è altro che l'insieme di migliaia di muscoli piccolissimi, e avverto lo sforzo che si fa per impedirgli di tremare e sfaldarsi. È un miracolo che tutti questi muscoli, cellule, ossa, nervi, l'intero io, riescano a restare insieme ogni giorno (ci sono cose a cui non devo pensare). E come possono migliaia di muscoli lavorare sempre sotto sforzo solo per mantenere le labbra nella loro normale posizione? Per non parlare della potenza di quelli che devono contrarsi senza sosta intorno alle ghiandole lacrimali e della tentazione di sciogliersi e scorrere dentro di te, ed essere te fino in fondo, Myriam. "Mi fai paura" ho detto. "Tu vuoi inghiottirmi e farmi sparire dentro di te. E sono anche

terribilmente affamato" ho piagnucolato. "Prendi un po'
d'uva" hai risposto. "Ti darà forza e glucosio."

Hai teso la mano verso il cestino vicino al letto, mi hai ficcato in bocca un acino (era estate) e hai detto: "Non è un acino, è un'acina". Quella parola mi ha suscitato una vampata
di calore. Ho dato un morso e ti è schizzato del succo sulla
guancia. Una goccia è rimasta appesa all'angolo della bocca.
L'ho leccata e ho passato metà dell'acina dalla mia bocca alla
tua, facendo scorrere la lingua sulle tue splendide labbra.
"Vieni mio diletto, giaci dentro me" hai sussurrato, e di colpo mi sono sentito riempire, improvvisamente ero di nuovo
io, e ci siamo avvinghiati per un tempo infinito. Ricordo che
a un certo punto ti sei fermata e, con un gesto che mi ha fatto
impazzire, hai sollevato in aria le tue gambe bianche e dirit-
te, e io le ho piegate in modo che si posassero sulla mia spalla destra e ci ho appoggiato la testa pensando "musica, mae-
stro!", e per un attimo ci siamo visti come un musicista che
suona un bianco violoncello, e questa nostra unione, ancora
più profonda al culmine dell'accoppiamento, ci ha infiam-
mati fino a farci bruciare. L'odore del mio sudore era acre,
come adesso, mentre ti scrivo, e il corpo era appiccicoso e incandescente, le labbra ardevano, una fitta spasmodica e siamo venuti insieme, senza curarci del piacere dell'altro, a cui
di solito tengo molto. Il piacere era così intenso che ho dovuto pensare a qualcos'altro, proprio come a volte devo leggere
le tue lettere con gli occhi semichiusi, le palpebre abbassate a
metà, e ho pensato che la voce sottile che udivo era la mia. È
strano che con te io venga sempre facendo versi tanto acuti.
Mi sono subito prodotto in qualche suono virile e taurino,
anche se sapevo che per te il mio vero io era quello di prima.
Ma per riconsegnare agli uomini la perduta dignità ho subito bofonchiato, come d'uso, che la seconda volta è sempre
migliore e più intensa, e tu per un attimo sei stata sedotta da
quel pizzico di volgarità nella mia voce e hai mormorato con
voce profonda e un po' enfatica: "Ma cosa ne sapete voi, poveri uomini, costretti ad accontentarvi di così poco". Entrambi, però, sapevamo che stavamo solo pagando un vuoto tributo ai nostri sessi e che ci stava davvero succedendo

qualcosa che ci impediva di rappresentarli fedelmente. Per uno strano miracolo eravamo riusciti a sottrarci al legame strategico che unisce uomini e donne, ed era come se questa nostra vicinanza e questo nostro sguazzare l'uno nell'altra ci avessero fatto imboccare una strada in fondo alla quale avremmo scoperto che, nonostante tutto, i nostri corpi sono solo un accidente, non è così? Solo dei pezzi di carne messi insieme in un certo modo e dai quali è uscito un uomo anziché una donna. Vero che questo caso determina ogni cosa? Ma la sua *consapevolezza* rimette tutto in discussione. Fa paura persino scriverlo, come se le parole potessero improvvisamente stregarmi, e allora vorrò per sempre potermi muovere fra i sessi, desiderare che il mio spirito voli finalmente libero come l'uccello del patto tra i pezzi e la carne...

Eppure ho paura di questa sensazione che cresce in me, Myriam, cioè che basti un solo passo perché violiamo le norme della *discrezione*, nel suo significato più profondo, quello del buon senso. Mi preoccupo soprattutto per te, temo che tu non sappia badare a te stessa e sia capace davvero di ogni follia. Non c'è niente da fare, bisogna guardare in faccia la realtà. Tu sei svelata e intransigente da far paura. Sai bene che i miei sentimenti non potranno mai reggere il confronto con i tuoi, con la tua complessità, la tua profondità, la tua dedizione, e anche la muta pretesa che io sia fedele a me stesso almeno quanto lo sei tu, che io provi esattamente quello che provi tu e che soffra nell'esserti separato. Ecco quello che mi comunichi senza sosta, con queste o altre parole: tu vuoi essere me!

Un momento, no, non darmela vinta, afferrami con tutte le forze nella morsa della tua vagina, avvolgimi con le gambe e sussurrami nell'orecchio che questa sei tu e questo sono io, e di non uscire: lotta contro di me. Sono ore che sto scrivendo, le parole si sfaldano e io le sto esaurendo e non so più che fare con te. È questa l'amara verità. Non è che improvvisamente mi tiri indietro, né che dica: dài, finiamola qui, prima di quello stupido ultimatum, prima che cali la ghigliottina. Ma forse è meglio fermarsi prima che sia davvero troppo tardi. Myriam?

Yair. A dispetto di tutto, Yair. Ma non ti dirò il cognome.

Credimi, vorrei dirtelo, dirti tutto. Potrei facilmente annotare qui nome, indirizzo, numero di telefono, professione, età – perché tu sappia almeno a chi indirizzare il tuo disprezzo. Ma allora tutte quelle molecole sudate diventeranno appiccicose: avremo all'improvviso una storia epidermica e moriremo entrambi due volte.

È meglio così, credimi. Perché vorresti sapere quanto sono piccolo e banale nella vita?

Ecco, qui terminano le trasmissioni e la nostra breve illusione. Finisce tutto. Sono di nuovo a Gerusalemme e ho ripreso la mia vita. Capirai che non posso continuare a rimanere con te dopo quello che è successo. Anch'io ho dei limiti nella mia abiezione che non posso superare. Non riesco a sopportare il pensiero di quello che hai dovuto soffrire per colpa mia in quelle fetide zone lungo la spiaggia. Non è che una dimostrazione di come il legame con me continui a insudiciarti.

Myriam, Myriiiiiiiaaaammm. Quanto mi piaceva ruggire il tuo nome all'inizio. Adesso mi trovo nel punto più basso in cui io sia mai caduto e mi sento come uno scarafaggio umano. Non c'è castigo peggiore dell'interruzione del nostro rapporto. È l'unica cosa che mi rimane per fare giustizia. Ho quasi scritto: "Chissà quanto tempo passerà prima che torni a essere me stesso", ma come ben sai, non è chiaro chi sia questo "me stesso". E nemmeno chi abbia interesse a tornarvi.

Ecco, almeno un paio di volte al giorno, nel periodo in cui c'eri tu, lui faceva un salto per sapere se il suo incubo era terminato e tu te n'eri andata. E non ho dubbi che già domani – ma che dico domani, stasera, ora, appena chiuderò la busta – lo rivedrò seduto sulla mia poltrona, sorridente e con le gambe accavallate: *Baby, I am home!*

Basta, facciamola finita. È come leggere un'elegia al proprio funerale. In questi mesi mi hai fatto il regalo più bello che abbia mai ricevuto (potrei paragonarlo solo a quello che mi fece Maya acconsentendo a fare un figlio con me) e io l'ho distrutto. Be', sto sistematicamente distruggendo anche il regalo ricevuto da Maya.

Non riesco a descrivere cosa susciti in me il pensiero che, di punto in bianco, hai mollato tutto per venire a Tel Aviv. Che tu eri lì per me. Se a te sembra naturale, hai sentito che ero in difficoltà e sei venuta a darmi una mano. Ma io mi commuovo moltissimo nel sapere che una persona è capace di fare una cosa simile per qualcun altro. Per me.

Quello che mi tortura in questo momento è che ero così preso da me stesso da non averti visto, o da non aver intuito la tua presenza. Per due giorni siamo stati forse a distanza di un centinaio di metri l'uno dall'altro, magari ci siamo persino sfiorati, e cosa ho visto io? Solo parole.

Pensare a te mentre cammini tra le puttane lungo la spiaggia, chiedendo informazioni, o mentre entri negli alberghi a ore di via Allenby, o via Yarkon, per poi tornare a vagabondare, anche di notte, tra le palestre e i saloni di massaggi, interrogando con insistenza i tipi loschi che vi si trovano... E quel ragazzo che ti ha guardato e poi ha cominciato a seguirti: non hai avuto paura? Immagina se un tuo allievo ti avesse vista. Non hai pensato di essere pazza a fare una cosa del genere per me?

Carissima Myriam, straordinariamente cara, la stretta terribile che provo al cuore mi segnala che questo è il momento in cui dovrei alzarmi per venire da te e dirti: dài, proviamo. Perché no? Magari la cosa è possibile, egregi membri della corte. Forse potreste essere tanto magnanimi da ordinare alla realtà di aprire un poco le sue tenaglie e di lasciarci liberi, almeno per un momento. Due esseri umani che desiderano essere soli. Che c'è di male? Due esseri umani che si sentono attratti l'uno dall'altro. A chi darebbe fastidio se si appartassero un paio d'ore la settimana in un alberghetto schifoso per vedere cosa succede e verificare fin dove possono arrivare insieme? E poi, perché in un alberghetto schifoso, onorati membri della corte? Siate clementi, per una volta, fate finta di non vedere, consideratelo un processo di riabilitazione del criminale che sono. Perché non farli incontrare in un posto gradevole, all'aperto, sulla spiaggia, in una bella città, sul prato di Ramat-Rachel di fronte al deserto, in una foresta di querce sopra il lago di Galilea...?

Che ne sarà di noi, ora? – hai chiesto alla fine della tua lettera.

Davvero, che ne sarà di noi?

Yair

Ancora un momento, non sono capace di smettere, come se tutto dovesse finire se cessassi di scrivere.

Già dalla tua reazione alla mia prima lettera ho capito che mi avresti condotto molto lontano, oltre il mio orizzonte, e nonostante questo ti ho seguito. Perché l'ho fatto? Il primo impulso, dopo che mi hai scritto quanto la mia lettera ti avesse commossa, è stato di lasciar perdere. Capisci? Hai scritto così fin dall'inizio, senza sapere chi fossi io, con onestà e senza finzioni.

È così raro, credimi – credi all'esperto. E già allora mi sono detto: è troppo buona e ingenua per i tuoi giochini e i tuoi stati di esaltazione. Dimostra, per una volta, un po' di nobiltà d'animo e lasciala in pace. Anche Jack si sarà imbattuto in una donna così, che ha rinunciato a squartare, non pensi?

Di certo disapproverai un tale paragone. Ma stranamente la tua rettitudine mi appare ora vicina a quello che hai definito "il mio tumulto e i miei illusionismi". Non è qualcosa di ovvio, la tua rettitudine, almeno non secondo le regole vigenti dell'ipocrisia. È un'onestà personale, una tua caratteristica peculiare; è il campo di battaglia delle forze che si agitano in te, che si mescolano o si affrontano. Tu le tocchi ma non muori a causa loro, al contrario. Come vorrei poter imparare da te questo segreto, ma credo che non ci riuscirei mai.

La cosa mi addolora? Sì, e mi fa vergognare. Forse pensi che io non sappia cosa sia la vergogna. Non negarmi il diritto di vergognarmi.

Sai, per l'intera durata del nostro rapporto ti sono stato fedele. Voglio dire – per quanto meschino ti possa sembrare – ho addirittura perso (quasi) lo stimolo di guardare ogni donna che mi passa vicino e di fantasticare su di lei o di abbordarla. E se per un attimo mi sono lasciato vincere dalla tentazione, sentivo subito come tu (tu, non Maya) ti ripiegavi su te stessa dentro di me, con dolore. Voglio assolutamente che tu sappia che non ci sono state eccezioni e, credimi, non è stato semplice. Una decina di volte al giorno mi sentivo gonfiare d'orgoglio per il fatto di essere *tuo*. Di sicuro ti ripugna che io faccia della mia "fedeltà" un motivo di vanto. Davvero, che diritto ne ho? Dopotutto, è solo una ritirata nelle retrovie della fedeltà, comunque...

Myriam, questa è la mia ultima lettera. Non ti scriverò più, probabilmente. Vedi, non siamo nemmeno arrivati alla ghigliottina. Ce la siamo cavata da soli. Se io non fossi un tale idiota, avrei potuto essere felice con te, non importa come, il mondo ce l'avrebbe permesso. A proposito, guardo la data e mi viene in mente che questa settimana cade il tuo compleanno, vero? Hai compiuto quarant'anni tre giorni fa. Certo. E probabilmente mi hai aspettato quel giorno, hai sperato che ti portassi un regalo, che venissi io, come regalo, mentre hai ricevuto solo il mucchio di lettere da Tel Aviv – e quel "non uscire" in fondo, come dessert.

Cosa augurarti? A dire il vero, dovrei augurarti te stessa, perché tu sei il regalo più prezioso, più raro a cui possa pensare. Vorrei essere più coraggioso, per te.

No, voglio chiedere qualcosa di più grande, perché accontentarsi? Voglio proprio esprimere un desiderio: vorrei che il tempo si fermasse e che quest'estate continuasse per sempre. Vorrei fuggire da me stesso, dalla mia morsa maledetta, per ritrovarmi improvvisamente altrove, davanti a te, perché no?, ma nuovo, libero, nudo. Anche solo per un giorno, per un'unica lettera, per un istante di libertà *totale*. Perché no, davvero? Cosa valgo, altrimenti?

Yair Einhorn

mezzanotte

(Tutto qua? Per un nome del genere c'era bisogno di tanto chiasso e di tutta quella segretezza?)

Ho trentatré anni. Vivo nel quartiere di Talpiot. Il mio indirizzo è sulla busta. Un nuovo quartiere di villette a schiera, piccolo e affollato. Una specie di *slum* per nuovi ricchi. Che altro? Ho un'attività ben avviata, si chiama Il Librattiere. Non è neanche tanto distante da casa tua. Proprio al limite del bosco di Gerusalemme. Vendo libri di seconda mano e cerco volumi rari per bibliofili. Cos'altro? Chiedi, chiedi, la parentesi è aperta. Ho dieci persone alle mie dipendenze, compreso un rilegatore e un ragazzo, un genio su una sedia a rotelle, che conosce quasi tutti i libri scritti in ebraico ed è in grado di riconoscerne il titolo solo in base a una frase (è stato lui a trovarti la citazione: "ricomporre il viso con dei racconti"). Ci sono anche sette centauri motorizzati, rilevati dal fallimento di una ditta che consegnava pizze a domicilio e riciclati in qualità di corrieri-librai per una clientela sparsa in tutta Israele – sulle cui strade lasciano i neri segni dei loro copertoni. Trasportano qualsiasi genere di libri e riviste esistenti nella galassia. Da manuali sulla cura delle orchidee a biografie di Elvis Presley, da opere di giudaica a vecchi numeri della rivista dedicata alla casa reale olandese.

Da ogni copia di *Zorba* che mi capita tra le mani strappo puntualmente un pezzettino di carta e me lo mangio (purtroppo, non sono più il giovincello di un tempo). E naturalmente mi levo tanto di cappello davanti a te (dal punto di vista professionale) per essere riuscita a organizzare, senza troppo clamore, l'abbonamento a quella rivista cinese per i due soli lettori d'Israele.

Non ho più fiato ma l'ho detto, vero? L'ho fatto.

E allora? Magari bofonchieremo qualcosa di generico per vincere l'imbarazzo. Improvvisamente la cosa si è fatta spiacevole, vero? Qualcuno ha introdotto un soffio di realtà. Vuoi che ti parli del mio lavoro? Perché no? In ogni caso ci siamo già arresi all'accozzaglia quotidiana. Vuoi sapere cosa regalo ai miei dipendenti per le feste?

Basta, Myriam. Rinuncia a me. Era tutta fantasia. Se solo ci fosse qualche altra soluzione, qualche altro modo di vivere nel mondo! Quasi tutto quel che facevo o dicevo, cercavo innanzitutto di vederlo con i tuoi occhi, di pensarlo con la tua mente, di sentirlo con la tua bocca affamata. Se qualcuno mi irritava sul lavoro o per strada, pensavo a te, ripetevo il tuo nome e mi calmavo. Ma non ho mai incontrato una persona alla quale abbia desiderato affidare la mia anima. Ci sono dei geni a cui vengono date le tessere di un puzzle con l'immagine di un pappagallo e loro ne ricavano un pesce. Io ti ho consegnato un parassita e tu hai ricomposto un uomo. Usando gli stessi pezzi ma migliorandone il risultato.

Forse dovrei raccontarti che nelle ultime settimane ho pensato, nella mia grettezza, che se ho uno scopo nella vita, sei tu. O è legato a te. Oppure, attraverso te, potrei raggiungerlo. Non c'è logica in questo pensiero, ma è quello che provo e solo a te posso scrivere queste cose senza sentirmi ridicolo. Ora dovrò tornare a cercare questo "scopo" in un luogo più semplice, e dove forse mi è più facile, nella luce e in Lucia, in Luciana, in Lucilla. Peccato.

Penso che se venissi rapito, o sparissi senza lasciare tracce, e un investigatore tentasse di ricostruire la mia personalità solo in base alle testimonianze di chi mi circonda, non approderebbe a nulla. Ecco, anche questo ho imparato da te: vivo soprattutto in quello che non ho.

Speravo che questo lavoro mi rendesse più felice, ma non è stato così. I dettagli non sono davvero importanti. Non ti ho nemmeno raccontato quanti lavori abbia già cambiato, quanti errori abbia commesso. Pensavo che questa fosse finalmente la professione adatta a me, lavorare con libri, racconti, ritrovare le storie che la gente ha amato nella sua infanzia. Cosa potrebbe esserci di meglio per me? Eppure non è così. Sto solo quasi bene, ed è un piacere di seconda mano.

Non hai idea di quanto odio i libri in questo momento. Com'è che nessuno di loro, fra le migliaia che mi circondano, può aiutarmi? E che nessuno di loro racconti la nostra storia?

E che nessuno di loro mi abbia dato quello che mi hanno dato le tue lettere?

Yair

MYRIAM

Ricado nello stesso errore. Corre verso di me, appena sceso dall'autobus, e spalanca le braccia, raggiante. È tornato di buon umore oggi. E come talvolta accade, per un secondo, l'ho vista dentro di lui, prigioniera.

Come mai scrivo qui, all'improvviso? Non voglio scrivere su questo quaderno. Ancora qualche parola poi strapperò il foglio e mi allontanerò. Solo per dire com'era lei, dentro di lui, così reale oggi che quasi si poteva toccarla. Forse, per un attimo, ha avuto il suo stesso sorriso. O era il modo in cui la luce gli cadeva sul volto, non so. Non so perché mi ostino a farmi del male scrivendo qui, quando in casa è pieno di fogli bianchi. Avevo giurato di non aprire il quaderno finché non fosse arrivata la sua risposta e sono riuscita a resistere solo due giorni. Un giorno e mezzo. Non è molto. Però sono consapevole della mia situazione. Speravo di essere più forte. Cosa accadrà? Sono un po' spaventata, credo. Come se avessi sollevato un coperchio e tutte le sue lettere si fossero messe a ruggire, ringhiare, miagolare verso di me. Basta, silenzio.

Dorme, è crollato, sfinito. Dormirà fino al mattino e non potrò dargli l'Apenotin. Gridava e piangeva, ha perso un mucchio di sangue. L'umiliazione dopo la caduta. Potessi anch'io addormentarmi così e alzarmi in un tempo diverso. Sulla fronte adesso ha una nuova ferita, e domani mattina comincerà il prurito. Io, invece, questa volta ne sono venuta fuori senza un graffio. A parte i soliti. Se un giorno dovessero chiedermi di restituire il pegno, dove troverò il coraggio di farlo, con tutte le cicatrici che si porta addosso? Se solo fossi stata più veloce, meno goffa. Almeno avrei potuto cadere sotto di lui, attutirgli un po' il colpo, fargli scudo con il mio corpo.

Scrivo così, a caso, per non pensare. Per resistere alla tentazione di sfogliare le pagine e di tornare a incontrarlo. Incontrare te. Tu, tu. Dove sei ora? Come fai a non sapere che qui c'è un regalo che ti aspetta? Come hai potuto non sentirlo? Sono stata con te un'intera settimana, attraverso le parole. Decine e centinaia di pagine prima di questo foglio. Mentre scrivevo, mi sentivo come un guscio di noce in balia delle onde, e adesso penso che avrei dovuto aggiungere una premessa, all'inizio del quaderno, oppure un commento alla fine. Ma cosa avrei potuto scrivere? Forse quello che ti ho detto una volta: secondo me, svelare a una persona qualcosa che non sa di se stessa è un grande dono d'amore. Il più grande.

Ho anche pensato che se tu avessi letto le tue lettere in ordine cronologico, senza le mie, dalla prima all'ultima, avresti potuto scoprire parecchie cose sul tuo conto. Non solo "negative", come quelle che tu, spesso, ti mostri ansioso di rivelare. Così avresti potuto cominciare a considerare te stesso da un punto di vista diverso. Il mio, per esempio. Ma ti dirò tutto questo solo quando ci incontreremo a tu per tu. Ora, ti prego, non disturbare, lasciami in pace, Yair. C'è dell'altro che voglio scrivere qui.

Mi corre incontro lungo il sentiero. Probabilmente non capisce perché oggi non mi precipito verso di lui a braccia aperte. Lì in mezzo c'è una buca, nel punto in cui manca una piastrella. Sono due mesi che Amos promette di ripararla, ma non trova mai il tempo. E lì è inciampato. Anche questa, però, non è una spiegazione, perché io non aspetto mai che arrivi fino a quel punto. Lo anticipo sempre, fosse solo perché ha sempre lo stesso modo di correre di quando aveva due anni. Sempre quella corsa spensierata, noi due che galoppiamo, allegri. Ma al momento dell'abbraccio si tira indietro, non capisce chi sia questa donna (come mai scrivo di questo?). È successo oggi.

Cos'è successo oggi? È successo che l'ho visto. Voglio dire, come non dovrei vederlo. Malfermo, e i suoi piedi... E quando gli occhiali gli sono caduti... Non dovrei scrivere queste cose. Pensavo che lei ci stesse provando, ci stesse disperatamente provando, senza riuscire a spiccare il volo. E quell'attimo di stizza. Ma non per lui. Non per lui? Un po' anche per lui, sì. E per quello che in lui le impedisce di emergere. Dieci anni e sto ancora cercando dei segnali. "Rabbia nei suoi confronti" (e lì me la sono presa con te). E rabbia nei confronti di Amos, per via della piastrella. E rabbia nei confronti di Ana. Non ho risparmiato nemmeno lei, oggi. Ma tutte quelle rabbie ancora non si fondono in una risposta.

Stavo qui, lui è sceso dall'autobus e si è messo a correre. Laggiù mancava una piastrella. E io, qui, ho visto l'autista del pullmino che lo osservava.

Sì.

Stava già per ripartire, ma per qualche motivo si è fermato e ha guardato. Ho visto gli altri tre bambini che lo fissavano dai finestrini senza vedere nulla. Da quattro anni fanno lo stesso tragitto, ogni giorno, e non riconoscono Yochai. Nemmeno lui li riconosce. E oggi l'autista, chissà perché, si è fermato per qualche secondo a osservare la sua corsa. Doveva essere un autista nuovo, inesperto. Il suo sguardo, soprattutto. "Come l'occhio viene attirato dalla tragedia." E quando lui è inciampato dove manca la piastrella, ero così lontana dalla scena, così distante da lui, contro di lui, che non mi sono neppure mossa.

Non strapperò questa pagina. Rimarrà nel tuo quaderno e la leggerai. Ti ho già raccontato cose peggiori. Solo che adesso ho provato una fitta nuova – il fatto che io, per me, per me sola, non ho mai scritto cose del genere.

Avrei dovuto strappare la pagina precedente. Mi accorgo che apre uno spiraglio su quelle che la seguiranno, e non è un bene. Non nella mia attuale situazione. Ci sono state delle piccole crisi nel pomeriggio. Almeno la casa è pulita come non lo era da tempo. Ma sono tornata al quaderno e una parola tira l'altra, mentre io volevo che contenesse solo le tue. Nella settimana in cui ho copiato le tue lettere mi sono trattenuta dall'aggiungere una sola parola e ora, guarda: un'alluvione. Ma non delle parole che volevo tu sentissi, e con che brutta voce!

Non hai ancora mandato una riga di risposta alla mia ultima lettera. Quella cosa preziosa che ti ho raccontato. Nemmeno un rifiuto breve e cortese. Come puoi? Puoi. Sono io che non posso. Mi fa paura capire fino a che punto non posso.

Buongiorno, un giorno nuovo. Non preoccuparti. Sto già meglio. Sono uscita dal vortice che ieri, per un momento, mi ha risucchiata. Quando leggerai quello che ho scritto nelle pagine precedenti, rideremo insieme di me.

Sono le cinque e un quarto. Tra un po' farà giorno.

Esattamente a quest'ora, tre giorni fa, ho terminato di copiare le tue lettere. E per qualche secondo sono rimasta seduta senza provare nulla, un po' scossa, un po' ubriaca. Pensavo che da quel momento in poi sarei stata capace di scrivere solo con le tue parole. Ma è difficile, quasi insopportabile, chiudere questo quaderno. E aspetto ancora un segnale di ritorno alla sobrietà, che non arriva. Al suo posto ho avuto il privilegio di assistere a un'aurora come non ne vedevo da anni. Ondate di luce dorata fluttuavano su Gerusalemme. Mi sono detta che era un segno.

Ed ecco, proprio ora, il sole. Un po' meno drammatico oggi, ma sempre lui, indubbiamente. Vieni, usciamo a fare una passeggiata.

Senti che profumo. È l'aria che si respira solo a quest'ora, piena di odori sottili e frrrreeeddda. Alberi e pietre sono avvolti da una nube. Se mi trattengo ancora un po', ne verrò avvolta anch'io, e gelerò. Ti riporto alla diga per mostrarti qualcosa che nessuno ha mai visto prima d'ora (solo che all'improvviso non ho più fiato e devo fermarmi a riposare su un masso).

Le tue frasi e i tuoi frammenti di frase mi rimbombano nelle orecchie come dopo un lungo viaggio in treno. Potrei recitarteli a memoria, ma ce ne sono alcuni che preferirei tu dimenticassi. Anzi, preferirei che tra noi non ci fossero più parole. Che rimanessimo solo con la nostra fisicità. Non importa in che modo. Vorrei poterti toccare, annusare il tuo sudore, osservarti mentre fai una cosa qualsiasi. Una frittata, per esempio.

Quando ci incontreremo, ti racconterò cosa mi è successo con le tue lettere dopo quella conversazione con Amos, e in tutta questa settimana. Solo allora. Come ho discusso con te mentre le ricopiavo e quanto mi sono commossa, e quanti fazzoletti di carta ho consumato a causa di qualche dolorosa incomprensione, e di qualche entusiasmante comprensione. Dài, riprendiamo il cammino, perché tra un po' il sole squarcerà le nuvole.

Ho dimenticato di chiudere a chiave la porta e a volte Yochai è un po' irrequieto a quest'ora. Peccato, davvero peccato. Avrei voluto arrivare con te fino alla diga perché lì la valle è profonda, ci si può immergere sotto le nuvole e passeggiare. Ma devo tornare subito...

Non preoccuparti. Sono già di ritorno, lui dorme. E non avevo nemmeno dimenticato di chiudere a chiave. Ero solo preoccupata. Mi sono fatta prendere dall'ansia. Ora provo una gran rabbia perché volevo farti vedere come immagino il luogo dove i destini e le persone si accoppiano. Ci avremmo gironzolato un po' insieme. C'è anche un odore particolare, come in nessun altro momento della giornata, quando i rovi secchi sono bagnati di rugiada. Se avessi avuto altri tre minuti a disposizione, o anche uno solo, sarei scesa con te.

Almeno ho visto l'alba, stringendo così un patto segreto con questa giornata. Ci torneremo insieme, quando avremo più tempo.

Guardami, sono seduta sui gradini fuori di casa, mentre aspetto di riprendere fiato. Godo di essere solo corpo, tessuto vivo che esegue correttamente i propri compiti. Libera da parole come "peccato" e "ma"...

(Sono già le sei e devo affrettarmi a rientrare, alle otto vengono a prendere Yochai. Ci vediamo dopo!)

Venendo qui ho raccolto un limone. Verde e duro, d'inizio inverno, la classe è già invasa dal suo profumo. Trentatré teste chine sui fogli del compito in classe. Ogni tanto un paio d'occhi si alzano appena e mi fissano (a volte mi chiedo che conseguenze possa avere su di me il fatto che per parecchie ore al giorno io venga *fissata*)...

Uno studente, uno dei miei preferiti, ha sollevato un foglio, come fosse un cartello, con una scritta a caratteri cubitali: "È finito il periodo del rosmarino?".

Tu sai che sono un po' lenta, tanto più se paragonata a te. Ma da ieri la mia mente si va schiarendo e capisco facilmente cose che prima mi sembravano complicate. Per esempio, che in nessun caso vorrei voltare le spalle a quello che c'è tra noi. Sono disposta ad aspettare quanto occorre, quanto ti occorre. Perché "quello che c'è tra noi" merita l'attesa. Anzi, c'è tempo. Così mi sembra oggi. La vita è lunga e anche un mazzetto di trenta colchici è splendido. Yair, non credo che tu sia la persona in grado di guarirmi dalle ferite interiori; ma forse, in questa fase della mia vita, non ho tanto bisogno di un medico quanto di una persona che ha una ferita simile alla mia.

Ancora qualche pensiero così e il limone sarà ingiallito e maturo. (Una volta, in terza media, ho preso una insufficienza in un compito d'algebra perché ho scritto che un numero primo si divide solo per uno e per se stesso, annotando come esempio: profumo di limone. Anche tu, per certi versi, sei come il profumo di un limone.)

Quando l'autobus passa vicino a dove lavori provo compassione per te, costretto a stare in un ufficio così brutto e fumoso. Ma se hai una finestra sul cortile e dai un'occhiata in questo momento, mi vedrai mentre scrivo accanto al finestrino dell'autobus, e ne sarai felice. Non ti ho mai raccontato che almeno cinque volte alla settimana passo davanti alla tua buffa insegna nella zona industriale. Come mai non ci ho pensato? Nemmeno per un momento ho immaginato che lì tessi le tue ragnatele.

Cosa accadrebbe se venissi a trovarti (non temere, non verrò mai senza un invito esplicito), chiedendoti di scovare una determinata storia? Dirò che ricordo solo una frase, per esempio: "Il cuore si spezza al pensiero che si possa guardare così un adulto". Oppure: "Chi può resistere alla tentazione di sbirciare nell'inferno di un altro?". I tuoi sette centauri usciranno allora al galoppo verso i confini della Terra, girandoci intorno in cerchi sempre più stretti finché, alla fine, rimarranno con le moto rivolte verso di noi, puntando il dito e dicendo: siete voi la storia.

Nei rari momenti di tranquillità penso a noi. È possibile che tu sia di nuovo andato all'estero? E cosa mi porterai questa volta?

Ecco, in questo ti invidio – invidio la tua libertà di movimento (per me e Amos è impossibile viaggiare insieme. E da sola non ci riesco. Mi inquieta il pensiero di ritrovarmi in una camera d'albergo, la sera).

Durante il tuo prossimo viaggio di lavoro a Parigi vai per favore al museo Rodin. C'è una statua, *Il poeta e la musa*. Guardala due volte. Poi controlla nel negozio di souvenir se vendono ancora la cartolina con questa statua. La didascalia, tempo fa, riportava una citazione (sai che è proibito fidarsi delle mie citazioni e del loro autore, ma mi sembra che questa frase sia di Baudelaire: "Lascia il tuo liuto, o poeta, e baciami").

Comprala da parte mia.

A volte, quando penso a un regalo per te, sento i tuoi rimproveri: "Come posso portare a casa una cosa del genere? Come giustificarla?". Allora rinuncio.

Ma perché dovrei preoccuparmi di questo? Io ti faccio un regalo e tu ne fai quello che vuoi.

Te l'ho detto: non voglio saperne di "burocrazie" e clandestinità. Se deciderai di venire da me, sarà alla luce del sole, senza bugie, perché io non so vivere negli anfratti.

(Mi viene un'idea di cosa comprarti senza metterti in difficoltà: pane, burro, formaggio, latte...)

Forse perché a Tel Aviv hai provato (senza troppo successo, secondo me) a scrivere il "mio diario", ora faccio un po' fatica ad annotare i miei pensieri.

Come se a ogni parola si fosse aggiunta un'eco. E non so decidere: è piacevole? Non lo è (è-è-è...)?

È piacevole. Lo è.

Bambi, William e Kedem sono sdraiati intorno a me. Negli ultimi tempi sono cresciuti e ingrassati, e sono diventati così *imponenti* che a stento c'è posto per gli esseri umani. Vorresti un cane? Credo che Yidò ne sarebbe felice.

Ti ho già detto il motivo per cui Amos li portò a casa, ma sono rimasti dei poveri orfanelli e mi fanno un po' pena. Proprio io dovevo capitargli come mam...

Senti un po' cos'è successo proprio ora: *blackout*, buio totale. A giudicare dalle grida là fuori, interessa tutto il *moshav*. Stamattina avevo acceso un cero in ricordo di mio padre (strano: è la prima volta che non piove nell'anniversario della sua morte) e ora è rimasta solo quella fiammella a farmi luce... Jessie Norman è stata interrotta a metà di *Didone e Enea*, il frigorifero si è spento, l'or. logio, la stufa elettrica, tutto quello che procura un po' di conforto. Solo il lumino di mio padre non si è spento.

Non ti ho mai raccontato che era anche l'elettricista di casa. Aveva le mani d'oro (diceva sempre: "Con l'elettricità non ci vuole cervello, solo fortuna"). E quando studiavo a Gerusalemme, veniva appositamente da Tel Aviv per eseguire le riparazioni nel mio appartamento. Non mi permetteva di cambiare nemmeno una lampadina. A tal punto diffidava della mia fortuna, evidentemente.

Non ricordo l'ultima volta in cui ho scritto a lume di candela. Di colpo cambia tutto. Viene voglia di scrivere altre parole, con una penna d'oca.

Mio caro Yair,

ricordi che, scrivendomi da Tel Aviv, hai detto di voler arrivare alla "possibilità primordiale" di essere me?

Sai cosa vorrei io veramente?

Non che tu fossi me, nemmeno per sogno. Piuttosto, che rimanessi in quel punto, nel punto della possibilità. Non a lungo, solo un attimo, prima di "decidere" chi sarai davvero, chi sarai tra noi due.

Ovviamente vorrei che tu decidessi di essere te stesso, sennò che gusto ci sarebbe? (di "me" ne ho già abbastanza!).

Ma vorrei che indugiassi un momento prima di separarti da me, in quel crocevia immaginario fra me e te.

Quell'indugio, capisci?, rappresenta un mondo intero.

E avrei un terzo desiderio (se ne possono esprimere tre): vorrei che entrambi, in un cantuccio dell'anima, provassimo sempre un po' di rammarico per aver scelto di essere solo noi stessi.

(Ecco, il lume di mio padre ha vacillato. Anche lui è felice.)

... Poi, quando è tornata la luce, mentre lavavo i piatti ho sentito che c'era qualche "messaggio" in arrivo. Ho cominciato ad aggirarmi per casa, confusa. Guardavo da ogni finestra, ma non c'era nessuno. Ho acceso la radio. Trasmettevano un programma sull'astronomia e un esperto diceva: "Più si riduce la probabilità che un evento accada, più aumenta la quantità di informazioni su quell'evento".

Ho subito preso nota, con le mani bagnate. Non che abbia capito, ma ho intuito che lì si nascondeva qualcosa di importante!

Tutto si risolverà per il meglio. Ne sono sicura.

Non so. Non cerco un motivo. Tutto si risolverà per il meglio. Forse perché prima c'era un vago sentore di pioggia nell'aria. I tre cani hanno alzato la testa e ho sentito il giardino sussurrare e frusciare... Qualche settimana fa hai detto che mi senti "in tre punti del corpo". Io, ora, ti sento in qualche punto in più (diciamo cinque, all'ultimo conteggio).

Ma la cosa meravigliosa è che ti sento nel punto che pensavo fosse già morto completamente in me. Sigillato da una cicatrice.

(Per "riprendermi" un po', sono andata a rileggere alcuni "brani scelti" da Tel Aviv.)

Allora, abbiamo passato solo tre giorni insieme "nell'unica gita che siamo riusciti a fare da soli"? Avaro. Sei terribilmente avaro.

247

Perché non viziarci, concederci del tempo, con calma, un tempo che vada avanti all'infinito? E perché non hai osato considerare una situazione (immaginaria!) in cui viviamo insieme, anche se per poco? Una cena normale nella cucina di "casa nostra".

Fiamma di spada guizzante. Te l'ho già detto: tu. Tu. La fiamma, la spada che guizza senza sosta. Ti sei posto a difesa di ogni accesso al giardino dell'Eden, per impedirti di farci ritorno. Chissà qual è il peccato, terribile e umiliante, per il quale sei stato cacciato. Se qualcosa che hai fatto, o che eri. Se eri troppo, o troppo poco.

Sia l'uno che l'altro, e mai nella giusta misura. Questo è probabilmente il tuo grande "tradimento" nei loro confronti: non rispettavi la loro "giusta misura".

Ma io credo, con tutto il cuore, che ci sia un luogo, forse non il giardino dell'Eden, in cui potremo stare insieme. Un luogo che nella "realtà" non è più grande di una capocchia di spillo, per via delle inevitabili restrizioni; ma per noi sarà grande abbastanza, e lì potrai essere te stesso, chiunque tu sia.

Solo di una cosa non sono ancora sicura, ed è questo che mi frena: forse non sei in grado di credere che esista al mondo un luogo in cui tu possa essere *te stesso*, e sentirti amato.

(Perché, se è così, non crederai mai che qualcuno possa amarti.)

Nemmeno io sono un'eroina dopotutto, e mi basta scrivere "nella cucina di casa nostra" per sentirmi in preda all'angoscia. Già da qualche ora mi sento lo stomaco chiuso, come se avessi pronunciato chissà quali bestemmie.

Ma non riesco ad accettare il modo in cui castri la tua immaginazione quando mi pensi (o mi scrivi. O fantastichi di me). Perché noi siamo stati creati nell'immaginazione e com'è possibile che tu (*tu?!*) non comprenda fino a che punto lei rappresenti la nostra materia prima, il nostro *luz...*?

Forse in quei tre giorni siamo stati in Galilea.

E abbiamo dormito in una pensioncina di Metulla.

E abbiamo fatto l'amore per tutta la notte, senza parlare.

Dicendo solo cose buffe.

Io ti ho detto che mi fai venire i brividi alla schiena. E tu hai risposto, dài, diciamo brividiggini, come un brivido che apre un solco nelle lentiggini. E mi hai baciato in mezzo agli occhi. Poi ti ho massaggiato il corpo con le sole ciglia. E ho tracciato con il dito delle parole sulla tua fronte (scrivendole al contrario, perché tu possa leggerle dall'interno).

All'inizio ci siamo toccati come se fossimo degli estranei.

Poi ci siamo toccati come ci hanno insegnato a farlo.

Solo alla fine abbiamo osato toccarci come facciamo noi due.

E ho pensato che ora, quando sei con me, conosci alla perfezione il mio vocabolario più intimo.

Ho pensato, radice della mia anima, radice della tua anima.

Abbiamo provato un tale piacere...

Nel cuore della notte mi hai sistemato il cuscino sotto la testa e io ho mormorato che non fa niente se non è proprio a posto...

Nello smarrimento e nel timore che il tuo silenzio possa essere definitivo – oppure causato da un viaggio lungo e improvviso, o ancora, più semplicemente, da un terribile disguido postale mentre, in realtà, sta avvenendo qualcosa che non avrei mai ritenuto possibile tra noi...

... in tutto questo mi consola il pensiero che sia stato Amos a darmi la "notizia". Perché non c'è persona che sappia dare meglio un dono d'amore. E anche riceverlo.

Sono convinta che, proprio per il fatto che ti sei rivelato così, con il tuo nome per intero (il più bel regalo che abbia ricevuto per il mio quarantesimo compleanno), io ho potuto finalmente riconoscere quel sentimento che Amos ha chiamato per nome. Capisci, vero? Se tu non mi avessi detto come ti chiami, forse non sarei stata capace di provare quel sentimento, anche se me l'avessero nominato cento volte.

Non te l'ho nemmeno raccontato, mi ripromettevo di farlo quando ci saremmo incontrati e ti avrei consegnato il quaderno (scriverlo qui, ora, è come aver preso in considerazione la possibilità che non ci incontreremo...).

Allora?

Sapevo il tuo nome già prima che me lo rivelassi.

Sarah, la segretaria, stava distribuendo la posta e quando è arrivata a me ha sussurrato, con una punta di malizia: "Temo che oggi non ti abbia mandato niente". Sono rimasta interdetta e ho chiesto: "Chi?". E lei ha fatto il tuo nome per intero, aggiungendo di non sapere che ci conoscessimo. Mi ha detto che i vostri figli frequentano lo stesso asilo (sì, è lei, la donna energica)... Devi sapere che Sarah è molto attenta ai "drammi" che avvengono in sala professori. E mi sembra particolarmente sensibile nei miei confronti. Ho l'impressione che cerchi di sapere cosa sta succedendo nella mia vita privata, una vita che lei, probabilmente, non riesce a inquadrare.

Per farla breve: deve averti visto mentre imbucavi una lettera, agente segreto dei miei stivali.

Sono arrossita (in tutto il corpo, come un'adolescente qualunque) e lei ha cominciato a spiattellare tutto quello che sapeva di te. Ero troppo sbalordita per zittirla subito, come si sarebbe meritata. Così, contro la mia volontà, o non riuscendo a resistere alla tentazione, ho sentito un po' di "storie" sul tuo conto.

Sarah, come sai, ha la lingua piuttosto lunga (srsrsrsrsr...) e alla fine ho proprio dovuto alzarmi e andarmene. Non voglio sentir parlare di te da estranei!

Di' qualcosa, Yair.

Vieni, resta con me. Tranquillizzami. Abbiamo avuto un brutto litigio questo pomeriggio e non sopporto di litigare con te, soprattutto quando non ci sei. Non c'è niente di peggio che restare soli a rimuginare la propria rabbia. E quei pettegolezzi di Sarah... Non voglio stare a spiegare quello che ho provato, fin dove sono arrivata. Non voglio tornare laggiù, non senza di te.

A ogni modo mi sono un po' ripulita e calmata.

Sono in bagno. Cioè, Yochai è nella vasca da bagno e io lo tengo d'occhio. Sono seduta sul water e ti scrivo, spero non t'importi. Non è un po' tardi? mi chiedi. La tua voce si addolcisce quando parli di lui. Sì, è tardi, ed è tardi anche per me, mi si chiudono gli occhi. Ma ha fatto di nuovo la pipì a letto e, quando ho finito di cambiarlo, ho pensato che non potevo lasciarlo così tutta la notte. Tu l'avresti fatto con Yidò? E quindi, anche se ho finito di lavarlo un'ora fa, l'ho riportato qui.

A dire la verità, avevo pensato di fargli solo una doccia e poi a nanna. Ma a quanto pare lui aveva altri programmi e, nel momento in cui ho finito di lavarlo, si è seduto nella vasca con grande determinazione, agitando le braccia come se sguazzasse nell'acqua. Aveva un'aria così dolce e birichina che non ho saputo resistergli.

Vieni, unisciti a noi. Non so quanto ancora staremo qui perché il bagno nella vasca richiede un'estrema attenzione ai particolari: dove sedere, dove appoggiare la saponetta, il pettine, la barchetta e altre decine di cose. Ma sembra che per il momento vada tutto bene perché ha il suo sorriso più tenero. Lascia che l'acqua gli coli lentamente tra le dita e i suoi occhi sono quasi chiusi. Se fossi qui, capiresti cos'è il piacere assoluto.

Anche Nilly entra con la coda ritta a curiosare. Questa gattina sembra decisamente umana. E anche decisamente incinta, come noto adesso. Allora è questo il motivo della tua aggressività verso i cani? E chi è il padre questa volta, il tigrato o quello giallo? Forse entrambi. E ti rifiuterai ancora di allattare? La tua piccola rivolta contro la schiavitù femminile? Oh, Nilly, Nilly, spirito libero che non sei altro, dimmi: com'è possibile essere liberi senza essere crudeli?

Le undici di sera. Silenzio assoluto. La stanza si riempie del profumo di pesca del bagnoschiuma. Yochai tende le mani e passeggia sulle colline. Le punte delle sue ginocchia paffute e abbronzate spuntano dall'acqua. Nilly si accovaccia sul tappetino e si addormenta. Fuori soffia il vento e il pioppo dietro casa si piega, con un fruscio. Ora hai pensato a me.

Yair, non è che voglia ignorare quello che hai scritto nell'ultima lettera, le tue parole d'addio erano chiare e limpide. Anche il tuo lungo silenzio non lascia molti dubbi. Ma cosa ci vuoi fare? Ogni volta che mi rivolgi la parola, o il pensiero, io lo sento. Come ora, in questo momento. A volte mi risvegli nel bel mezzo del sonno e allora io so che mi hai sognata. Non riesco a spiegarlo. La mente e il cuore sobbalzano dentro di me e, a giudicare da quei sussulti interiori, ho l'impressione che tu non smetta di parlarmi negli ultimi giorni, a qualunque ora, in città e in campagna, in cucina e in bagno... Un momento.

Ecco, è passato. C'è sempre un attimo in cui la testa comincia a ciondolargli, e il mio cuore cessa di battere. Ma oggi è stata solo la stanchezza che l'ha vinto, di colpo.

Raccontartelo? Perché tu ripeta con me tutti i miei gesti quotidiani?

Strano che non abbiamo mai parlato di queste cose.

Prima di tutto bisogna tirarlo fuori dalla vasca. Facile a dirsi. È come se avesse assorbito tutta l'acqua, oltre alla mia stanchezza. Lo metto in piedi e lo asciugo mentre lui continua a cadermi addosso. È già addormentato e profuma di pesca. Lo porto in camera sua. È molto pesante. Magro, ma con una pesantezza particolare. La pesantezza della sua interiorità, penso, e gli metto un pannolino perché non ho la forza di fargli ancora il bagno questa notte. Aspetta.

Quando sono uscita ad appendere il bucato c'era di nuovo della foschia nell'aria, e in giardino si stava svolgendo una silenziosa festa di fantasmi. Malgrado il freddo, non riuscivo a staccarmi da lì. Ho respirato quell'aria e ho danzato intorno al cipresso con un lenzuolo umido e un pigiama da uomo. Dimmi (hai notato che coppia meravigliosa siamo? Io dico sempre "dimmi" e tu dici "senti"): come influisce su di te questo strano clima, questa prolungata siccità? Anche tu provi una sorta di irrequietezza cosmico-intima? Io mi aggiro con una sensazione permanente di confusione. Un errore che ingigantisce... Quanto andrà avanti?

Stamattina ho letto che i rabbini hanno proclamato un "digiuno propiziatorio" e così, forse, la pioggia si degnerà di cadere questa notte (anche se ho steso il bucato).

Sai, la neonata dei vicini – ti ho già detto di lei – non fa che piangere, giorno e notte. Due occhioni enormi, labbra di ciliegia e un tale pianto. Ha già un mese e mezzo e ancora non hanno risolto il problema del nome. A volte penso che il suo pianto sia legato a questo. Quasi ogni giorno vengono a chiedermi consiglio. A che titolo? In quanto esperta di bambini o di nomi? Arrivano con una lista nuova, io ascolto e dico la mia, e loro si entusiasmano. Ma alla fine c'è sempre una nonna o una zia che non approva. Comincio a essere irritata. Non per le loro richieste, ma per il fatto che al mondo c'è una bambina senza nome da così tanto tempo. Non è giusto (e se fosse *questo* il motivo del ritardo della pioggia?).

... Queste mie chiacchiere dipendono solo dalla stanchezza. Sono già all'ultimo tè della giornata – stavo per versarne un po' anche per te. Mi raccolgo intorno alla tazza bollente. Negli ultimi giorni non riesco più a bere il caffè, chissà perché. Forse perché sei tu la mia caffeina. Oggi avevo da raccontarti un sacco di cose, grandi e piccole, e anche adesso la mano si allunga verso la carta da lettera e le buste. Ma non sono in grado di scriverti. Ho preso una decisione, Yair, almeno fino a quando non risponderai alla mia ultima lettera. E sei pregato di aiutarmi a mantenere l'impegno.

Ma una voce aggressiva e impaziente domanda: perché non scrivere quelle cose a me stessa? E perché, in fondo, mi pare tanto assurdo (ed egocentrico, e da dama dell'Ottocento) scrivere un "diario" del genere? Potrebbe alleviare un po' l'angoscia del tuo silenzio, e dell'attesa. Che c'è? Non me lo merito? Non ne sono degna?

Appena penso a questa possibilità provo una stretta al cuore. È il dolore della rinuncia al vecchio desiderio e alla promessa che ti ho fatto. Tu sei l'unico a cui voglio dare quello che risvegli in me. Altrimenti non c'è gusto. Ed ecco, finalmente, la macchina di Amos.

Ci sono giorni in cui neppure il nuoto riesce a purificarmi. Dopo cinque vasche ho dovuto smettere e uscire. Come se mi avessero legato dei pesi alle braccia e alle gambe. Sono tornata a casa a piedi, attraversando questa strana stagione: grovigli di rovi secchi e alberi che appaiono sempre più nudi e disperati. E poi l'odore, che mi influenza più di ogni altra cosa. Quest'odore arido e amaro che sale dalla terra. Di solito in questo periodo sono già comparse le lumache. E chi le ha viste quest'anno? Il cuore si dispera per i narcisi che, appena sbocciati, sono già appassiti e hanno perso il loro colore. Invece sono in piena fioritura le pratoline proprio dove, l'anno scorso, non se ne trovava neanche una. C'è qualcosa di selvaggio, di imbarazzante, persino di lascivo in quelle distese. Bisogna proprio fermarsi un momento e decidere se evitarle o tuffarcisi.

A metà strada ho dovuto fermarmi e sedermi, perché mi sono sentita terribilmente avvilita al pensiero che forse non avevo osato volere con tutte le mie forze.

No (no no)! L'ho voluto moltissimo. Poche volte in vita mia ho desiderato qualcosa in questo modo.

Già novembre. È passata un'altra "data fatale" che mi ero segnata sul calendario. Dove sei? Come curi questo mal di cuore? So che soffri quanto me. Forse persino più di me, perché in questo momento ti siamo entrambi contro. Il mio primo impulso, naturalmente, sarebbe di venire in tuo soccorso. Di scrivere lettere d'incoraggiamento, di esserti madre e sorella...

Ma lo sono stata troppe volte in vita mia, e con te ho osato volere di più.

Lo sai? L'hai capito? All'improvviso mi sento sprofondare. Dimmi: questo desiderio, questa mia fame, li hai capiti? La voglia che, per una volta, un uomo osi togliermi i vestiti e guardi con me cosa ho laggiù e di cosa sono fatta.

Non sono solo nuda in quel punto, sono svelata.

Strano, ora mi è difficile rinunciare a questa voglia più che a ogni altra. Grida da tutti i pori.

... E hanno pure cambiato i numeri telefonici di Gerusalemme. Ora, a parte la solita confusione, mi addolora anche un po', perché la "burocrazia" ha violato l'equilibrio estetico che c'era nel mio numero precedente.

Mi consola il fatto che al tuo abbiano fatto precedere un 6 tondo.

Le tre e mezzo del mattino. Cos'è successo? Perché mi hai svegliata? Perché ho avuto quest'improvvisa sensazione?

Continua. Un segnale chiaro, interno. Non s'interrompe

nemmeno mentre scrivo. Al contrario. Come un allarme del corpo. Mi fa accapponare la pelle.

Ma come posso avere delle "sensazioni" nei tuoi confronti, come una volta? Proprio io, che mi sono così sbagliata sul tuo conto!

Sto ancora cercando di resistere alla rabbia contro di te. E anche all'offesa, che cresce di ora in ora. Cerco di capire in modo logico, ma fatico a credere che questa sia veramente la ragione della tua brutale scomparsa: solo perché hai sentito che mi "contaminavi", quando sono venuta a Tel Aviv per cercarti?

E perché pensi che mi sia "contaminata" in quel viaggio? Non mi sono mancati i momenti belli, vorrei dire persino purificatori. Ho incontrato persone che altrimenti non avrei mai incontrato. Ti ho raccontato del tramonto, con quel riflesso verde nel sole? E del pescatore con un vecchio fornelletto a gas, e della conversazione che ho avuto con due puttane? Cosa stai dicendo? La tua scomparsa mi contamina molto di più!

E i momenti passati seduta sulla spiaggia. Il mare era così bello e limpido, la vista correva libera fino all'orizzonte. E sopra di me svolazzava un martin pescatore, magari lontano parente di quello che svolazza nel mio giardino. Forse c'è una rete segreta di martin pescatori che mi proteggono. Peccato che non avessi portato la macchina fotografica (avevo fatto i bagagli in fretta). Avrei voluto fare delle foto e mandartene qualcuna, perché vedessi dove sei stato.

Sono passate solo due settimane da allora, e a me sembra già un anno. Per due giorni ho vagato in cerca di uno sguardo, sperando di sentir gridare il mio nome. Sorridevo, avevo sempre quel sorriso. Ricordavo quel che avevi scritto a proposito del mio sorriso pubblico, ed ero felice di quel sorriso nuovo.

Tu non sai di essere arrivato, come per caso, nel regno della mia infanzia, in via Nehemia, con tutte le sue memorie. Tutto si è mescolato.

Ricordi che ti ho scritto da un ristorante vegetariano, stretto tra una rosticceria e una pizzeria?

Ci ho pensato solo ieri, ho avuto un'illuminazione: si trova esattamente nel punto dove un tempo c'era il caffè Giardino di mare.

(Be', anch'io oggi stento a riconoscere il mio regno, sepolto sotto quei marmi, quel porfido, quegli alberghi.)

Ho proprio provato un brivido di piacere. Era il caffè che mio padre amava frequentare, fra una corsa e l'altra con il taxi, e una volta la settimana, di pomeriggio, mi univo a lui.

Tutte le *Yeketes* e le *Shlachte*[1] erano solite venirci nei loro abiti da parata. In mezzo al caffè c'era un palco con l'orchestrina – cioè un violinista e un violoncellista che suonavano musiche viennesi (e romene, mi pare).

D'estate, mio padre mi comprava il gelato, enormi palle di gelato servite in coppette di metallo. Un uomo passava con un carrello di vetro, di quelli che si aprono su entrambi i lati (come le vecchie cassette per il cucito, ricordi?) e nel carrello c'erano dei coni di carta di giornale pieni di arachidi, di noci e di semi. Mio padre lo chiamava con un gesto imperioso della mano, che non gli si addiceva minimamente, e dopo lunga esitazione sceglievamo sempre le noci.

(Probabilmente, quello che scrivo qui non verrà mai raccontato a voce.)

Sono seduta in cucina, al buio e in silenzio. Penso a cose insignificanti, ma con un certo ritmo. Ondate ermetiche che crescono dentro di me. Non capisco perché stia ancora scrivendo, cosa sia questo impulso che non mi abbandona. Dopotutto non mi dà alcun sollievo. Ogni volta giuro a me stessa di fermarmi un attimo prima che la mano apra il quaderno. Voglio capire. Ma la mano è sempre più veloce di me. Cerco anche di non pensare a te. Ma tu, naturalmente, sei sempre più veloce di me.

Adesso che, oltre al corpo, mi neghi pure le tue parole, comincio a pensare che forse ci sono altre donne a cui scrivi. A

---

[1] Espressioni gergali in yiddish: immigrate dalla Germania e dalla Polonia. [*N.d.T.*]

ciascuna racconti una storia diversa e stabilisci la durata del legame in base a un avvenimento particolare. Finché, per esempio, apparirà la prima rondine di primavera, o fino a che... Cos'altro? Un'eclissi di luna? Il prossimo terremoto in Cina? Lo so che è un'idea assurda, disgustosa e cinica. Ma qualcosa in te, come ben sappiamo, mi suscita dei pensieri che un tempo non avrei mai avuto.

Se almeno mi avessi detto che avvenimento avevi scelto nel mio caso. Una condannata a morte ha il diritto di saperlo, non credi?

Ricordo che sette anni e mezzo fa, quando si manifestò la malattia di Yochai, la notte stavo spesso qui in cucina ad annotare pensieri come questi. Be', forse non proprio come questi, ma con una certa somiglianza nel modo di scrivere, nei sussulti che provocavano. E anche nella forza con cui s'imponeva il bisogno di scrivere (ma non c'è motivo di rovistare in tutto questo).

Cosa non darei per leggere le lettere perdute di Milena a K. Per vedere cosa gli disse esattamente, con quali parole gli rispose quando lui le scrisse: "Amore è il fatto che tu sei per me il coltello con cui frugo dentro me stesso".

Spero che lei gli abbia risposto subito, con un telegramma, che è proibito a un essere umano accettare di trasformarsi in coltello per un altro. È proibito persino avanzare una richiesta del genere!

Ripensandoci, in fondo, non capisco Milena. Al suo posto mi sarei comportata diversamente. Sarei partita da Vienna per Praga, per andare da lui. Sarei entrata in casa sua e gli avrei detto: Eccomi. Non potrai più sfuggire. Non mi accontento più di un viaggio immaginario. Non si può guarire solo con le parole. Ammalarsi sì. Probabilmente non è molto difficile. Ma consolare? Far rivivere? Per questo occorre vedere degli occhi di fronte a sé, toccare delle labbra, delle mani, un corpo che si ribella e strepita contro le tue idee infantili di astrattezza "pura". Cosa c'è di puro? Cosa c'è di puro in me ora?

Bell'eroina che sono. Non oso nemmeno telefonarti in ufficio.

Ho appena "estratto a sorte" quello che hai detto (in cucina) a proposito dei tuoi rapporti con Maya, così ordinati, definiti, al punto che sarebbe "impossibile introdurre un elemento nuovo e ingombrante" come te.

E lì ho capito, Yair, che la tua vita è talmente organizzata e definita che non potrai trovare posto nemmeno per me.

Non ho posto nella tua vita. Avrei già dovuto rassegnarmi. E se anche tu lo volessi, non oseresti trovarmi un posto libero nella tua "realtà".

(Forse per questo mi hai fatto entrare con tanto slancio nell'unico luogo in cui era rimasto un posto libero per me: nella tua infanzia.)

Non capisco, non ti capisco. Nascondi a Maya il mondo della tua immaginazione e a me quello della tua realtà. Come fai a destreggiarti fra tutte quelle porte che si aprono e si chiudono? E qual è il luogo in cui vivi veramente, una vita completa? Per una volta vorrei sentirlo da te: se ci siamo già tutti suicidati una volta, perché continuare a farlo?

In quel periodo passavo notti intere a scrivere, cercando di registrare tutto ciò che lo riguardava. Per capire, decifrare. E per non impazzire d'angoscia. Di giorno annotavo tutti i suoi movimenti, uno dopo l'altro. I suoi itinerari dentro casa, le azioni ripetute all'infinito, le parole che gli erano rimaste. Cosa aveva mangiato, e come. Di notte cercavo di ricavarne qualcosa di logico, un codice o un modello di comportamento. Centinaia di pagine così, quaderni e quaderni. Li conservo ancora da qualche parte in cantina, senza una logica. Ma non ho il coraggio di buttarli, e ancor meno di aprirli e rivedere me stessa com'ero allora. Ha mangiato un pomodoro a colazione ed è rimasto inquieto fino alle dieci e mezzo. Abbiamo spostato la poltrona in salotto e lui l'ha rimessa a posto. Abbiamo spento la lampada e lui l'ha riaccesa. Abbiamo ridotto le dosi della medicina, non ha avuto un attacco per tre giorni. Ha stracciato un foglio di carta. Ne ha stracciato un altro... Lo seguivo in casa e in giardino annotando ogni suo gesto. Quanto più lui si dissolveva, tanto più io cercavo di fissarlo sulla pagina.

Ma cosa sto scrivendo ora? Il diario della mia malattia?

Non si è mostrato felice del cappotto nuovo. Abbiamo scelto un sabato, di proposito, perché c'è più tempo e non bisogna affrettarsi. Ma a mezzogiorno eravamo già disperati. Persino Amos si è dato per vinto e l'abbiamo rimpacchettato. Probabilmente c'era qualcosa di diverso nella stoffa. O forse era l'orlo delle maniche, il colletto; magari l'odore. Era il cappotto più simile al precedente che avevo trovato. Ora non ci rimane che rattoppare ancora una volta quello vecchio. Ed è meglio farlo subito: per quanto tempo ancora la pioggia si dimostrerà così tollerante? Un successo però l'abbiamo ottenuto. Fallimento totale con il cappotto ma vittoria con la maglia a maniche lunghe – e senza doverle tagliare!

Ho appena terminato di rimettere ordine in camera sua. Adesso è fuori con Amos a far volare l'aquilone. Stacco il telefono, di sabato certo non chiamerai, e mi siedo a riposare un secondo. Ho tanto aspettato questo momento.

Nella mia mente ti trovi dietro, a destra, sotto l'osso occipitale. Mi sembra che per te sia esattamente la parte opposta (come potremo allora incontrarci?). Negli ultimi giorni, se tocco quel punto provo dolore, e una grande rabbia contro di te. Ma con mia grande sorpresa (e grandissima felicità) ho anche avuto un momento felice mentre ero seduta in veranda con Amos, dopo aver ricevuto la tua lettera d'addio.

Raccontare?

Rinunciare a te? A ciò che potremmo essere? Di già?

(Ma a chi sto scrivendo qui?)

Verrà il giorno, vedrai, in cui saremo vecchi e saggi, e ci saremo lasciati alle spalle le nostre battaglie. Tu mi abbraccerai e dirai: "Quanta saggezza dimostrasti nel non rinunciare. Nel fare la cosa giusta: giungere nel luogo dell'incontro e restare lì ad aspettare per tutto il tempo che mi fu necessario".

Ecco, te lo racconto: è successo mentre eravamo impegnati in uno dei riti familiari più irritanti: la dichiarazione mensile dell'Iva. Amos è tenuto a farla per via delle conferenze che tiene ogni tanto. Si tratta sempre di pochi soldi e di un sacco di burocrazia, e gli do una mano perché lui è impotente di fronte a quelle colonne di numeri. Sono io la grande sacerdo-tessa della quotidianità...

Un tempo odiavo farlo. Ma poi mi sono accorta che c'è an-che qualcosa di gradevole: è un modo diverso di ricostruire, di serbare nella memoria piccoli eventi familiari, l'acquisto di un paio di scarpe per Yochai, una cena al ristorante con una coppia di amici (e anche un'insolita somma di denaro spesa negli ultimi mesi in buste e francobolli)...

Mentre ero assorbita nei conti, Amos mi ha chiesto cosa mi preoccupasse ultimamente. Non sono stata capace di rispon-dere. Ho pensato che, se lo avessi fatto, sarei scoppiata a piangere.

Il mio viso era in fiamme e Amos l'ha notato, naturalmente. Abbiamo continuato a lavorare in silenzio e mi sono ripresa.

Siamo andati avanti così per mezz'ora, senza parlare, fin-ché, tirate le somme, abbiamo visto quanto c'era da pagare questo mese (parecchio, in verità).

Poi siamo usciti a sederci in veranda. Era buio e non ab-biamo acceso la luce. Di solito la presenza di Amos mi tran-quillizza. Ma questa volta ho sentito che anche lui era un po' teso. Il suo nervosismo mi avvolgeva e mi preoccupava un po'.

Allora, con molta naturalezza, ha sussurrato: "Tu sei inna-morata, Myriam".

Ho risposto "sì" ancor prima di capire cosa stessi dicendo. Perché nel momento in cui ho sentito quella parola ho avver-tito una sorta di tumulto dentro di me...

Ancora adesso non saprei come descriverlo.

Nella lettera non l'ho raccontato in dettaglio. Anzi, comin-cio a pensare di aver raccontato troppo poco. O forse troppo? Sapevo che sarebbe in gran parte dipeso dal modo in cui ti avrei riferito quella conversazione.

Riecco il solito timore per il tuo "udito selettivo". O, peg-gio ancora, per il tuo "udito collettivo".

Ma anche il mio coro greco bisbiglia senza sosta: dove vi-vi? Fino a quando ti illuderai? Non hai ancora capito che parlava seriamente? Che non è in grado di vincere se stesso? Per sette mesi hai tenuto una corrispondenza con un uomo che ti ha dato un nome falso, e chissà cos'altro ti ha fatto credere. No, davvero, guardati: tuo marito "ti ha rivelato" che sei innamorata di un altro, perché tu non sei riuscita a capirlo da sola. Ma cosa ti ha insegnato la vita?

Non sono tranquilla. Oggi non avrei voluto incontrarti così.

Mi credi, però, se ti dico che mai una volta me lo sono detto così, semplicemente, attraverso quell'unica parola redentrice (che ora scopro quanto sia pure vincolante)? Dopotutto ho definito questo sentimento con così tante parole (troppe), e con un sacco di nomi, soprattutto il tuo.

Com'è possibile che solo dopo averla sentita da Amos...

La grande *Fuga*. Davvero, sì, davvero. Come hai fatto a non essere più cauta? Cosa pensavi che sarebbe successo? Affidarle la tua tranquillità in un giorno come questo. Dopotutto anche in giorni normali è un po' troppo per te. E perché continui a sentirla, come una rete gigantesca che ti ricade addosso, ti avvolge nelle sue maglie e non ti dà pace? Quell'unisono, ad esempio. Per un momento hai avuto l'impressione di poterti riposare un po', no? Hai creduto di poter gioire, sfogarti, cantare a squarciagola, metterti a ballare. Ma ecco, è arrivato il violoncello e ti ha squarciato le viscere.

Come sei entrato nella mia vita? Com'è possibile che fossi così indifesa? E non sei nemmeno entrato da una finestra, o da un lucernaio. Sei riuscito a trovare una fessura attraverso la quale mi hai trafitto il cuore.

Questa mattina ho comprato un pacchetto di Time, sono uscita dal *moshav* e ne ho fumate tre, una dopo l'altra. Persino al liceo, quando tutti intorno a me fumavano, mi ero sempre rifiutata di farlo e ora, a quarant'anni...

È terribile come brucino i polmoni nella parte superiore. Come se un incendio ne carbonizzasse i bordi.

È terribile quanto sollievo mi dia questo incendio.

"Vivo soprattutto in quello che non ho..." Quando l'ho letto mi è quasi sfuggito un grido: anch'io! Ma non ho mai osato dirlo a me stessa in questo modo. Dopotutto la mia vita è più o meno piena di "ho" (e anche quello che manca è entrato a far parte della realtà): sono felice del mio compagno e grata per Yochai che, di volta in volta, mi procura gioia e una capacità di comprensione che non avrei mai potuto acquisire altrimenti. Sono circondata di amici che mi vogliono bene, ho persino un boschetto davanti a casa, ho tutta la musica di cui sento il bisogno e ho il mio lavoro, che amo. Che lista invidiabile! Il mio "ho" è pieno, pieno. Tu stesso hai detto che è persino traboccante...

Ed è proprio il "non ho" a risvegliarsi ora, a diventare così esigente che mi è difficile contenerlo. All'improvviso il mio "non ho" è pieno di vitalità. Cosa ne sarà di lui a questo punto? Cosa ne farò?

Che bello poter scrivere anche cose come queste: la giovane coppia, i nuovi vicini alla nostra destra, se ne sono appena andati. Mi hanno portato un grosso mazzo di fiori con tanti ringraziamenti. Finalmente hanno deciso come chiamare la figlia, la piccola "labbra di ciliegia": Myriam.

Non mi era nemmeno passato per la testa di suggerirgli questo nome, ma sono felice che ci sia al mondo una bambina tanto bella chiamata Myriam "in mio onore". E provo anche un certo sollievo, per via della mia teoria sul ritardo della pioggia (forse sta finalmente per cadere).

21.30. Un tale disordine. Da dove cominciare? Il pavimento è coperto di fogli, giocattoli, pentole, forchette, cuscini, vestiti e sedie gettati alla rinfusa, e centinaia di tasselli di puzzle diversi. Chissà quanto tempo mi ci vorrà per vagliarli e sistemarli. Per tutto il pomeriggio abbiamo cercato di comporre il puzzle dell'orso Pooh che a due anni e mezzo era in grado di completare in pochi minuti. A quattro anni ci impiegava un'ora e mezzo, e oggi ci ha passato sopra tutto il pomeriggio. Alla fine si è spazientito e me ne sono accorta. Ancora un momento. Tra un secondo comincerò a riordinare. Ho bisogno di calmarmi con un po' di musica e scrivendo. Dimmi, quante volte al giorno provi una fitta di dolore pensando: non le scriverò mai questa cosa. Non conoscerà mai questo momento?

Neanche del bambino che era prima della malattia ho quasi mai raccontato. Di questo non potevo davvero parlare. Con nessuno al mondo. Nemmeno con Amos. Del bambino felice che si è dissolto nel giro di poche settimane, pochi mesi. Come fosse veloce nell'apprendere, il suo senso dell'umorismo, il suo fascino. Era un bambino così loquace. Conosceva tantissime parole. E aveva un'intera biblioteca di libri adatti alla sua età. Ero solita leggergli una fiaba la mattina, una il pomeriggio e altre due o tre la sera (per questo, talvolta, ci volevano un paio d'ore per riuscire a metterlo a letto...). E le nostre chiacchierate... a cuore aperto, davvero. Un bambino di due anni con uno spirito così grande e illuminato. Da qualche parte abbiamo ancora una videocassetta del suo secondo compleanno. Non ho il coraggio di guardarla. Lo si vede ridere, ballare, recitare con noi la fiaba di "Succo di lampone". Tre mesi dopo si è manifestata la malattia, con tutti i suoi sintomi, e anche le parole hanno cominciato a svanire. Cancellate, una dopo l'altra. Vedevamo quello che accadeva e non potevamo far nulla. Né noi né i medici. Lui cercava le parole come uno che si fruga nelle tasche, sicuro di averci messo qualcosa, ma non riusciva a trovarle. È la prima volta che mi sento in grado di parlarne. Di ricordare da questa distanza senza sentirmi morire. Mi sedevo di fronte a lui e gli ripetevo le parole. La sera le ricordava ma il mattino erano sparite. Una volta, durante una crisi (mia), ho passato una notte intera a cancellare dai suoi libri, con un pennarello nero, tutte quelle parole maledette che lo avevano tradito.

Ricordo che le poche rimaste mi apparvero come volti di gente che gridava angosciata dalle finestre, di notte.

Quando poi tutte le parole furono cancellate, rimasero cinque o sei canzoncine. Furono le ultime a sparire. Alla fine ne restò una sola, quella del giacinto. Anche dentro di me si spense tutto e ogni albero, qualunque esso fosse, si chiamò solo: albero, e ogni fiore: fiore. Quando mi hai raccontato della stretta al cuore che provasti il giorno in cui Yidò imparò a dire la parola "luce", perdendo così tutti gli altri tipi di chiarore, ho pensato che avrei dovuto separarmi subito da te, perché non sarei stata capace di sopportare quello che mi risvegliavi nell'intimo, anche se in modo inconsapevole, con quelle tue gaffe innocenti. Ma non ho potuto farlo, forse proprio per lo stesso motivo.

Non ti ho raccontato molto, volevo soprattutto ascoltare. Ero assetata di te e ho cercato di capire, d'interpretare. E ora mi rifiuto, con tutte le mie forze, di riconoscere il sentimento di offesa che mi tormenta. È lui a insinuare che sei sparito proprio nel momento in cui ho desiderato che tu prestassi orecchio alla mia storia – una storia che non ha niente a che vedere con te.

Vorrei scriverti una lettera semplice ed essenziale, sintetica e inconfutabile come una formula matematica, o un'aria di Mozart. Un assioma che parli di me e di te e delle cose che la nostalgia rende fragili, vibranti e dolorose. Ma sono già le dieci, tra poco non sarò più sola in casa e non voglio che qualcuno mi veda in questo stato. Guarda, sto ancora cercando di capire cos'è veramente successo, e come tu possa allontanarti nel momento in cui siamo così vicini. Non so più cosa pensare. A volte immagino che tu abbia paura, oppure che ti sia arrabbiato, sospettando che io abbia "rivelato" ad Amos qualcosa di te. È quasi offensivo pensarlo, ma credi che ti abbia "tradito"?

Spero che tu mi creda se dico che nemmeno per un istante ho considerato di rivelargli la *sostanza* del nostro rapporto. Non hai dei sospetti su questo, vero?

Perché allora, secondo te, non avrei potuto raccontargli la cosa che ancora adesso mi emoziona maggiormente, il fatto che una persona che non mi conosce ha visto qualcosa in me che l'ha commosso...?

Ecco, me la sto prendendo di nuovo, quando avevo giurato a me stessa che non mi sarebbe più successo. Ma se tu non capirai *questo* per noi non ci sarà mai alcuna possibilità. Voglio dire: ciò che Amos ama in me è senza dubbio quel "qualcosa" che mi ha spinto a rispondere alla tua lettera! E questo è tutto. Cosa c'è da capire? Lui ama in me la donna che ti ha risposto – e che rispose anche a lui, e che continua a farlo ogni volta che scopre in lui qualcosa di nuovo e di amabile. Cosa c'è da amare in me se non lei? E com'è possibile amarmi senza volerla veder fiorire e sbocciare? È lei il nocciolo della mia vita.

Ho avuto un brivido pensando che, senza aver letto quel che ti sto scrivendo, tu possa aver sorriso con ironia.

Non l'hai fatto, vero? Non è possibile che qualcuno sorrida così nel momento in cui Barbara Boni canta questo mottetto. Ascolta. Vieni, eleviamoci con lei. Senti? È come se ogni nota facesse vibrare una tristezza diretta esclusivamente a noi stessi. Si può danzare su questa melodia anche senza muoversi. Muoversi come in un sogno. Come i due feti nella tua visione.

Non pensare che io sia del tutto insensibile alle voci che corrono su me e Amos. Alle strizzatine d'occhio alle mie spalle, ai sospiri di tutta quella brava gente, convinta che mi manchi una rotella...

Ho il viso in fiamme. Persino le palme delle mani sono arrossate. Spero di avere ancora un momento tutto per me, perché devo dirlo finalmente, almeno a me stessa (a me ci si può rivolgere, sai? Sono io quella a cui rivolgersi. Quella a cui rivolgersi per *questa cosa*!).

Malgrado tutto ho fatto una pausa. Sono andata a lavarmi la faccia. Come spegnere un incendio con un ditale pieno d'acqua. Davanti allo specchio ho pensato che, in fondo, ho paura di mostrarmi a te, faccia a faccia. Scopriresti subito le cose meno belle di me. Per esempio che ho una voglia, non grande, sopra l'occhio sinistro. Una piccola mezzaluna. Mi pare che dal punto in cui stavi non avresti potuto notarla. A proposito: perché, quando eravamo in mezzo agli irrigatori, mi hai chiesto di non tingermi i capelli? Ho già molti capelli bianchi. Mia madre, alla mia età, era completamente incanutita e quest'anno avevo intenzione di farlo. Però poi è arrivata la tua lettera. Sai, ho notato che quando chiudo gli occhi davanti allo specchio vedo te.

Il cuore mi batte all'impazzata. Forse perché in questo momento lei sta cantando l'Alleluia. Non ti ho raccontato che ho anche qualche problema di pressione ultimamente (sì, per via della mia veneranda età. Della mia realtà troppo "reale", della burocrazia del mio corpo, di tutto questo insieme). Il Dr. Shapiro esige che prenda delle pastiglie per sedare queste palpitazioni, ma io non sono disposta a rinunciarvi. Se tu potessi mettermi una mano sul cuore mi faresti felice.

Interrompo qui e riprenderò domani.

No! Non voglio!

Hai visto che esempio meschino di "paura d'essere opprimente"? Come la bambina sicura di essere troppo alta e grassa? Non era affatto grassa, ma per anni si è torturata rimanendo sull'orlo della sedia perché non vedessero la sua schiena "traboccare".

E cosa c'è di male nell'essere opprimente? Hai promesso che avresti resistito.

Yair, non ho mai osato spingermi fino a questo punto, concedere a me stessa la libertà che mi sto prendendo con te. Una libertà interiore, senza limiti. Sai bene che ho un compagno che, molto generosamente, mi incoraggia a essere me stessa. Qualunque cosa io voglia essere, purché non mi rinneghi. Eppure non ho mai osato. Non fino in fondo, non fino al limite delle mie forze – non come sento di voler essere ora.

Forse non sono davvero capace di arrivarci da sola. E forse, davvero, quelli come me, quelli che hanno bisogno di un altro che li conduca alla felicità... no, non solo alla "felicità", alla *conferma più profonda di se stessi*, saranno sempre...

(Lo vedi? La frase non è finita, ma il verdetto è già scritto.)

Perché io, probabilmente, posso essere solo *due* in quel punto.

Riaffiora di colpo una sensazione che mi è rimasta da quando ero molto giovane. Da ragazza lessi le favole di Krylov e mi parve di essere come il mendicante che muore di fame sulla scatola dei dinari che gli sono stati affidati. Per me, però, è molto peggio, perché quei dinari d'oro sono *miei*!

E non voglio che tu sia per me un parafulmine. Perché dovresti parare i miei fulmini? Al contrario, sai? Vieni e dimmi: sii luce!

Un momento, prima che cominci un nuovo giorno devo aggiungere delle scuse. Non a te. Vorrei dire quanto mi senta avvilita per essermi lasciata prendere dall'ansia ieri, mentre ti scrivevo.

Amos è arrivato alle undici, quando ero alle ultime righe. Puoi immaginare che aspetto avessi, sono sicura che "mi si leggeva in faccia". Lui ha chiesto cosa stesse succedendo e se mi sentissi bene. Ho risposto che stavo scrivendo qualcosa che mi inquietava molto. Ha aspettato un altro secondo per vedere se avessi intenzione di raccontargli cosa, e forse anche a chi. Non ho dubbi che lo sapesse ma non gli ho detto niente. Non sentivo il bisogno di coinvolgerlo. Lui non ha fatto domande, è andato a farsi una doccia e, quando è tornato, mi ero più o meno calmata. Non ne abbiamo parlato. Siamo passati ad altro. Amos mi aspetterà, senza timori e senza angosce, finché sarò in grado di parlargli. Capisci? Non esiste l'obbligo di raccontarci sempre tutto e non sentiamo il bisogno di aggiornarci sull'intensità dei nostri sentimenti. Non dobbiamo estirpare il bulbo del fiore a ogni minuto per misurare la lunghezza della radice.

Non capisci, vero? Pensi che una reazione del genere sia possibile solo perché lui non mi ama. O non mi ama abbastanza. O perché non c'è vera passione tra noi. Non è questo che stai pensando? Che se lui non mi si scaglia addosso per esaminarmi e scoprire perché d'un tratto mi sono rinchiusa in me stessa, e per chi lo faccio, molto probabilmente è perché non mi ama abbastanza.

Ma per me questo è amore.

Notte fonda. Mi sono alzata e tutto mi gira intorno. Ho paura di quello che scriverò.

È la pioggia, la prima pioggia. Già ad aprile lui aveva deciso che ci saremmo separati con la pioggia. Naturalmente. La prima pioggia, che io amo tanto. Forse l'ama anche lui, e per questo l'ha scelta. Non ho bisogno della conferma. Di colpo sento freddo, ho i brividi. Se penso a tutte le volte che gli ho scritto, con assoluta innocenza, quanto desideravo questa pioggia e come, ogni anno, mi colmi di una sensazione di speranza, mi faccia sentire parte di una continuità, la vita che non si ferma e si rinnova...

Ho la vestaglia e il maglione ma sto gelando. Aghi di freddo in tutto il corpo. Ha detto che avremmo affidato la decisione di separarci a un elemento al di fuori di noi, che ci è completamente indifferente. E quella strana frase nella sua ultima lettera: "Vorrei che quest'estate continuasse per sempre". E io, come un'idiota...

Ormai non ha più importanza. Anzi, mi stupisco di essere rimasta tanto sorpresa, di non averlo intuito fin dall'inizio.

Eppure mi ripugna come nessun'altra sua idea. Lo trasforma in un nemico. Non mi era mai stato nemico, ed ora lo è. Un nemico disperato e miserabile che merita persino compassione, ma anche un nemico che ricorre a un'arma impropria. Non vorrei scrivere qualcosa di scontato ma nella mia logica personale so che non si fanno queste cose. Non si scherza con *questo*!

Sono reduce da un giorno di febbre alta, brividi e incubi. Strana malattia, rapida, fulminea, terminata di punto in bianco prima del mattino (che sia stata contagiata da Y.? Dai suoi ritmi, perlomeno?). Ecco, anch'io scrivo il suo nome con la sola iniziale. Non per "sicurezza nelle menzogne" ma per debolezza.

Fa male ed è straziante scrivere di te in terza persona. Ci provo, ma è come se ci fosse un errore tremendo, intollerabile. Le parole sbiadiscono, gli manca il rosso della vita. Non fa niente. Mi ci abituerò. Devo. In ogni caso volgi il tuo viso verso di me. Il tuo viso che non ho mai visto.

Il trauma dell'altro ieri notte. Quella disperazione per tutte le possibilità mai esistite.

Ho ricominciato a leggere le tue lettere. Ho visto quante volte ti ho chiesto, e tu hai evitato di rispondere, se avessi rinunciato alla "ghigliottina". In tutti questi mesi non ho mai saputo che continuassi a flirtare con quell'idea. Poi è arrivato un momento (lo so con precisione: quando hai raccontato dell'uovo senza guscio) in cui mi sono detta che avrei smesso di importunarti con questa domanda perché ormai era inutile. Da allora, lettera dopo lettera, ho creduto che ti fossi liberato di questa tua risoluzione, crudele e stupida...

Yair, so che questa risoluzione non è solo stupida. In fondo capisco contro cosa sei costretto a combattere per violarla e venire da me in assoluta libertà. E so anche, con certezza, quanto sia difficile guarire da quelle malattie dell'infanzia.

Ma forse – lo penso in questo istante – è la guarigione a farti ancora più paura. Se è così, dimmelo. Dimmelo tranquillamente e potremo piangere insieme per questo. È per quella maledetta sensazione, vero? Che *noi* siamo la malattia e se oseremo ribellarci e guarire, ci verrà tolto anche il respiro. Sempre, sempre questa paura. Il presentimento che tale malattia, o deformazione, o *onta*, sia la cosa che meglio ci contraddistingue, il nostro *luz*... Perché dovresti tacermi una cosa tanto terribile? Ci sentiremmo ancora più vicini se mi dicessi che è così. E forse, per un momento, potremmo tirare un sospiro di sollievo.

Perché non c'è nessuno che mi conosca altrettanto bene in quell'ultimo meandro dell'anima. E lo stesso vale per te.

Ma cosa stavo pensando? Cosa credevo che mi sarebbe successo quando mi fossi trovata "laggiù" con te? Dopotutto il mio dolore più profondo sgorga in territori in cui tu non sei mai entrato, frutto di eventi di cui non abbiamo neppure cominciato a parlare. In fondo abbiamo appena imboccato una lunga strada...

Immagino una burrasca, un'esplosione vulcanica della mia coscienza e della tua. Qualcosa che travolge, scuote, rivela. Siamo avvolti da un'unica pelle (o meglio, siamo senza pelle).

Vedo nella mia immaginazione la bolla di una livella bilanciata, perfetta, pura, che è anche conoscenza totale e capacità di donarsi interamente. L'armonia di due persone, di noi due, alla quale nessuno può arrivare da solo.

È questo il mio unico dolore, e solo tu lo puoi cancellare, o alleviare. È il dolore di essere separata da te. Fino a che ti ho conosciuto era un dolore vago, indistinto, e si sarebbe forse riassorbito, sommerso dalle preoccupazioni quotidiane. Ma sei arrivato tu, dandogli un nome e un lessico.

Ripensandoci, Yair, non sono sicura che tu possa cancellare questo dolore. Ma il legame tra noi potrebbe almeno produrre quella che tu, talvolta, definisci "scarica a terra", mentre io preferisco considerarlo partecipazione, o comunione, quella "grazia di energie esuberanti", colma d'armonia, di cui Kafka parla nel suo diario del 19 settembre 1917 (quando si chiede come possa "annunciare a qualcuno per iscritto" quanto si senta infelice): "... E non è affatto menzogna, né assopisce il dolore, ma è semplicemente la grazia di energie esuberanti nel momento in cui il dolore ha palesemente consumato tutte le mie forze fino al fondo del mio essere".

Un pensiero che non mi abbandona: dove mi sorprenderà la prima pioggia della stagione? A casa? Per strada? In classe, durante una lezione? E in che parte del corpo mi colpirà la prima goccia? Di notte l'orecchio è teso a cogliere ogni più piccolo rumore.

Ma ci sono anche altre possibilità: rifiutare questa tortura. Non collaborare. Smettere di tormentare la ferita di questa attesa.

Alla lista delle cose perdute aggiungo stamattina, col cuore pesante: la libertà interiore.

Un altro giorno. Non ci sei. Non smetto di guardare il cielo. Come sei riuscito a trasformare il mondo intero in un'enorme morsa che, a poco a poco, si stringe intorno a me? Basta, basta, basta! (Anche se, mentre lo dico, vorrei urlarti: parla Yair!) Cambiamento di visione. Guarda: sei un orologiaio losco e intrigante. Stai seduto nel tuo sgabuzzino soffocante e pieno di ticchettii. Sei tu. Un uomo in cui arde un istinto fortissimo e perverso. Fai girare incessantemente gli ingranaggi di alcuni orologi e li carichi in modo che squillino uno dopo l'altro, in base a un piano segreto che hai messo a punto: notte e giorno, estate e inverno, per tutto il *tempo*...

È possibile ravvisare in te qualcosa di questo orologiaio, vero? La forza di volontà, l'arroganza con cui carichi i tuoi continui innamoramenti, così da essere sempre immerso in una musica (femminile?) che risuonerà e farà udire i suoi rintocchi intorno a te. Echeggerà per te. Perché non ci sia nemmeno un momento di quiete, di silenzio, in cui potrai percepire, Dio non voglia, il tempo che scorre.

Questo è successo? Sono stata solo un accessorio in un culto privato?

Forse cambi donna a ogni stagione, e questa è stata "l'estate di Myriam", a cui seguirà l'inverno di chissà chi... Forse misuri il tempo in donne, e io ero soltanto una lancetta che segna il trascorrere di un'altra ora... Forse la tua vera conversazione non si svolge con noi, povere e piccole figlie di Eva, bensì con Sua Maestà *il tempo*...

Esci dalla mia vita.

Mattino. Non ho scritto per due giorni. Provo un senso di sollievo incomprensibile. Tocco l'acqua gelida con la punta del piede: è sopportabile...

C'è qui una donna che striscia per terra dopo una tragedia. Non sa nemmeno quale sia questa tragedia. In certi momenti le sembra che tutto quello che la circonda venga cancellato. Poi capisce che nulla è cambiato, solo lei non è più quella di prima. Parlando con se stessa muove appena le labbra. È strano che tutto questo non le faccia male. Meglio così.

Ce la farà. Deve solo volerlo, con tutte le sue forze. Si muove con moderazione, come se un tappo le ostruisse l'imbocco del cuore. Yochai è a casa, improvvisamente. Deve reagire.

Legge le righe che ha appena scritto. È sopportabile.

Banca – tintoria – un paio di lezioni – il vetraio per la finestra – una riunione – un'altra – una chiacchierata con la fisioterapista – la drogheria – la riparazione dell'orologio – una visita di cordoglio... Cosa sta pensando l'omino verde su Marte?

"A questa donna, probabilmente, il contatto con la realtà provoca un dolore insopportabile."

Almeno riesce a scrivere. Per il momento.

Come se posasse delle pietre in un fiume impetuoso. A poco a poco, con grande sforzo, si alzerà un ponte, e lei potrà allontanarsi.

Sono tre giorni che Yochai è a casa. Davanti al cancello della scuola hanno piazzato un cassonetto per i laterizi e non c'è nessuno a cui rivolgersi. Sto con lui e faccio un po' d'ordine. Ripristino la quotidianità, per quanto Yochai me lo permetta. È difficile concentrarsi quando lui è in casa.

Gli ho messo in fila tutte le sedie e lui ci cammina sopra con sorprendente abilità. Questo stimola il suo senso dell'equilibrio, come ci hanno spiegato una volta. E se invece stesse scrivendo qualcosa, con questo movimento ripetitivo? Se ci fosse un significato nascosto nelle palle di carta che fa rotolare in tutti gli angoli?

Non cercare significati.

Va e viene, sempre concentrato, serio, misterioso. Sempre occupato e immerso nella sua vita interiore, non si accorge nemmeno che sono qui...

(Ma quando l'ho abbracciato, poco fa, ha ricambiato l'abbraccio.)

Notte. Le persone di corte vedute direbbero che sono le quattro e un quarto del mattino. Ho dormito tre ore. Un regalo inatteso!

(Ana, ovunque sia, ride: tu e la tua pignoleria...)

Una piccola gioia... Ariela ha telefonato per sapere come vanno le cose. Mi ha raccontato di avere spiegato in classe il brano in cui Romeo lascia Verona per la prima volta, dicendo di aver fatto un bel sogno quella notte. Una ragazza ha commentato che Romeo non si rende conto di quanto suoni tremenda quell'affermazione – perché lui ha dormito, è stato in grado di dormire!

Ho provato una stretta al cuore. Come se avessi commesso una frode.

Sono ormai due ore che cerco di chiamare il municipio. Mi passano da un impiegato all'altro. L'ultimo, il più autorevole, all'inizio è stato gentile, ma poi mi ha detto che il titolare dell'impresa edile non ha infranto alcun divieto. "Faccia entrare suo figlio dall'altro ingresso, signora" ha sbraitato alla fine, sbattendomi il telefono in faccia. Ora ha chiamato Amos: sono lavori di ristrutturazione nell'edificio attiguo alla scuola. Andranno avanti almeno un paio di mesi.

Mi siedo. Yochai sembra contento. Ripete il suo percorso e conta mentalmente. Cosa succederà? Bambi, William e Kedem lo osservano con aria annoiata. A volte ho l'impressione che non lo notino nemmeno. Forse per questo faccio un po' fatica ad amarli. Nilly lo tocca molto di più. Gli si struscia contro, ci gioca, persino più che con i suoi cuccioli. E lui reagisce. Perché loro non fanno un piccolo sforzo? Io amo moltissimo i cani, tranne i miei. Ho avuto una conversazione terribile con Amos. Mi ha chiesto come faremo nei prossimi due mesi. Dice che il suo nuovo gruppo in ufficio sembra aver finalmente imboccato la direzione giusta e io ho risposto che anch'io, come lui sa, ho il mio lavoro. Ha brontolato qualcosa e io fremevo di rabbia ma nessuno di noi ha alzato la voce. Per non spaventare Yochai. Ecco, i cani si sono di nuovo addormentati. Forse c'è qualcosa di soporifero qui. Non so. Ormai non so più cosa provo. Qualche settimana fa sono stati da noi due bambini di otto e nove anni, i figli degli Hermann, e i cani sono quasi impazziti di gioia. Improvvisamente ho notato in loro dei movimenti del corpo diversi. Ho sentito delle voci che non conoscevo, voci di cuccioli.

Cammina sulle sedie come su una fune sospesa in aria. Un attimo prima di esplodere dico a me stessa: nel punto in cui si trova, come posso accollargli i guai di chi cammina sulla terra?

Quella trama sottile e delicata, a me del tutto nuova, ecco cosa rimpiango maggiormente. Dopotutto con lui ero riuscita a superare l'istinto di sfilacciare, il *mio* gemello nero. Ed ero riuscita a stupire me stessa perché improvvisamente riuscivo a tessere, senza disfare subito e senza rovinarmi la gioia di vivere, l'amore per la vita (e persino un po' d'amore per me stessa!)

Cosa succede ora? Succede che Y. si è trasformato nel mio coltello.

Anche oggi, nell'attimo in cui ha visto il cassonetto arancione, ha infilato i piedi sotto il sedile anteriore e ci ha vietato di farlo scendere dall'auto. Un'ora e mezza per tentare di convincerlo. Sono venute le sue insegnanti, la direttrice, persino la sua fisioterapista preferita. Abbiamo tentato con lusinghe e minacce, inviti e promesse. Amos è corso in un negozio di giocattoli a comprare un camion con un rimorchio simile al cassonetto. Poi se l'è presa con i muratori. Ha minacciato, supplicato. Niente. Yochai si rifiuta di riconoscere la sua scuola, che frequenta ormai da quattro anni. Sono tornata alle undici per stare con lui. Ho annullato tre ore di lezione e un compito in classe.

Malgrado tutto sono fortunata, e non devo dimenticarmelo. Penso all'uomo dal volto spento che mi stava seduto di fronte sull'autobus.

Con i tre giovani ortodossi abbiamo continuato a studiare il ritardo della pioggia. Akiva ha stabilito che sarebbe stato il nostro contributo per accelerarne l'arrivo. Me ne sto seduta fra loro chiedendomi se non sono una sorta di "quinta colonna" in questa attesa generale della pioggia. Una sorta di Giona nella nave, ma al contrario... Yudàle ha proposto un'interpretazione tratta dal *Libro dello Splendore*. Disse Rabbi Simone: sulla terra c'era una cerbiatta e il Creatore si prodigò per lei. Quando lei lo chiamava, il Creatore udiva il suo grido e le prestava ascolto. E quando il mondo ebbe bisogno d'acqua, lei si rivolse al Creatore che la udì e s'impietosì. È detto: "Come anela la cerva ai corsi d'acqua" (*Salmi*, 42). E quando fu in procinto di partorire non trovò sfogo, ostruita da tutti i lati. Allora mise la testa tra le ginocchia, gridò e si disperò a gran voce. E il Creatore ebbe pietà di lei e le inviò una serpe che le morse i genitali, la squarciò e la lacerò in quel punto, facendola partorire immediatamente.

Ho raccontato loro della cerbiatta spaventata che mi è quasi venuta addosso stamattina, nella nebbia, sul sentiero che porta al *wadi*.[2] Si sono commossi: è lei, è lei!

Alle sette del mattino è squillato il telefono. Era il proprietario dell'impresa del cassonetto. Urlava, dava in escandescenze. Come osate disturbare i miei operai, è da una settimana che mi state facendo diventare matto. Io lavoro nel rispetto della legge, se mi piantate ancora delle grane verrò a casa vostra con un bulldozer... Mentre lui strepitava ho cominciato a parlargli con molta calma, pur sapendo di non avere alcuna probabilità che mi ascoltasse (mi chiedo ora perché l'abbia fatto, davvero. Come se avessi deciso di perorare la mia causa davanti a un tribunale invisibile, preposto a giudicare casi simili). A ogni modo quando sono arrivata a raccontargli del nostro cancello blu, che da anni ci è proibito ridipingere per non disorientare Yochai e non spaventarlo, ho notato che non gridava più. Non so nemmeno quando abbia cessato di farlo e si sia messo ad ascoltarmi. Mi sono sentita scoperta e imbarazzata. Guarda che ti succede. Per anni hai rinunciato al sussidio d'invalidità di tuo figlio perché non lo trasformassero in un handicappato e ora, con un perfetto sconosciuto, ti servi di lui. Il mio interlocutore ha tirato qualche sospiro profondo nel telefono, restando sorprendentemente zitto. Dopodiché ha confessato che c'era qualcosa che non poteva dirmi. Se ne avesse parlato con qualcuno avrebbe poi dovuto uccidersi. Ma se fossi stata disposta ad aspettare un'oretta prima di accompagnare Yochai a scuola, non avrei più trovato il cassonetto. E così è stato.

Un regalo pomeridiano: *Zio Vania*. Una produzione dei ragazzi della compagnia teatrale della nostra scuola. Non tutti

---

[2] Vallata per lo più attraversata da un torrente. [*N.d.T.*]

gli attori erano di buon livello. Ma amo sempre di più quest'opera meravigliosa.

Il mio momento preferito, questa volta: quando Sonja si lancia in un monologo appassionato a proposito della salvaguardia delle foreste, perché questa è la cosa che interessa al suo beneamato. Nel buio ho scritto in fretta, sull'avambraccio: Yair, avrei voluto raccontarti di te; la tua storia era persino più importante della mia, ma ora sento che la mia è andata persa.

Ora guardo il mio braccio e la pelle si muove sotto le lettere. È calda, la carne respira e il corpo è vivo.

Un pensiero che non mi concede tregua: cos'è avvenuto realmente in quel primo momento? E se non avessi sorriso in quel modo? E se non mi fossi stretta nelle braccia?

Pensare che ho affascinato qualcuno in questo modo, senza fare alcuno sforzo.

Quel che gli ho dato, quel che gli ha parlato da dentro di me, quel che l'ha rigenerato, senza che io potessi saperlo, questa cosa che è dentro di me...

Lo so che esiste. Esisteva già prima di quello sguardo. Esiste ora, anche se non c'è nessuno che la guarda. È la parte buona di me. È impossibile distruggerla e, grazie a lei, neanch'io posso essere distrutta.

Se solo potessi darla anche a me stessa.

Farla sgorgare.

Questa mattina, alla fermata dell'autobus appena fuori dal *moshav*, mi si è avvicinata un'anziana signora provata dalla vita. A quanto mi ha raccontato, lavora come collaboratrice domestica in una delle famiglie di qui. Ha detto che mi osserva già da un po' di tempo e il mio viso le piace. Voleva raccontarmi qualcosa e sentire la mia opinione in proposito.

Nel frattempo è arrivato l'autobus e ci siamo sedute vicino. Ha cominciato a parlarmi di lei, della sua vita, dei suoi acciacchi, dei figli sparsi per il mondo, scusandosi in continuazione per il disturbo che mi arrecava.

Ha detto di provenire da una famiglia religiosa, osservante. Gli avvenimenti degli ultimi anni, però, l'hanno portata a considerare la possibilità che Dio non esista e questo pensiero la terrorizza, le rovina la vita e la salute. Qualche mese fa ha visto alla televisione un programma sull'India e da allora una nuova idea non le dà pace. Come potrà lei, Rivka, con le sue sole forze, costringere Dio a rivelarsi?

Ecco ciò che farà: raccoglierà tutti i suoi risparmi e partirà per l'India (la cosa non la spaventa perché il suo scopo è sacro e lei verrà considerata come l'esecutrice di un precetto divino). Giungerà al tempio che hanno mostrato in quel programma, dove vengono venerati molti dei, migliaia di dei. Si aggirerà tra loro facendo finta di essere indecisa su quale scegliere. Questo? O quest'altro? Allora il nostro Dio, il Dio degli ebrei, non potrà tollerare che quella donna, dopo sessantacinque anni di devozione, dubiti di lui, e per pura gelosia le si manifesterà davanti, urlando dal profondo del cuore: Rivka, basta, sono qui!

Mi ha talmente rallegrata. Non solo la sua storia ma il fatto che lei abbia scelto me.

E mi rallegra ancor più il fatto che succedano anche altre cose nel mondo. Che non siamo solo io-e-lui.

Davanti alla sala professori gli studenti della quarta liceo hanno allestito una mostra di loro opere. La visito con gli altri insegnanti e osservo con orgoglio i loro progressi. Ma so già cosa mi aspetta, sento la stilettata che aleggia nell'aria e mi preparo all'attesa.

Nel compito di biologia di Avishay Riklin leggo: "Affinché un uccello possa sviluppare appieno le proprie doti canore deve entrare in contatto con altri esemplari della sua specie fin dai primi mesi di vita. In caso contrario la sua capacità canora verrà compromessa".

Rimango immobile, lo sguardo perso nel vuoto. Per lunghi minuti, probabilmente, finché Ariela mi da un leggero strattone. Sguardi incuriositi e preoccupati. Ho la gola in fiamme.

(Vieni a cantare con me, individuo della mia specie.)

Se questo è un diario dovrebbe essere chiamato nottario.

Alle tre e un quarto mi sono alzata per bere e nel buio mi sono imbattuta in Yochai che gironzolava, mezzo addormentato, smarrito e senza pantaloni. Forse si è messo a vagolare di ritorno dal bagno. Chissà quanto tempo è rimasto così prima che mi alzassi. L'ho rivestito e l'ho riportato a letto. Lui si è rialzato, e tutto è ricominciato daccapo. Ho capito di non avere scelta e mi sono rassegnata a stare con lui. In ogni caso non sarei riuscita a riaddormentarmi, e poi la cosa era anche piacevole. Mi segue per casa come fa per strada, a mezzo passo di distanza, tenendomi per l'orlo della manica. Se io gli rivolgo tutta la mia attenzione, cosa che non sempre succede per strada, riusciamo a muoverci in perfetta sintonia. Questa notte ce l'abbiamo fatta. Non c'era alcuna diversità nei nostri movimenti e sarei stata disposta a continuare per ore. Sembrava che anche lui ne provasse piacere, perché fino alle quattro meno un quarto non ha mostrato segni di stanchezza. Anzi, ho avuto l'impressione che si divertisse, comunicandomi qualcosa a modo suo.

Allora mi è venuta un'idea: l'ho portato in cucina, ho chiuso la porta e ho acceso la stufetta. L'ho spogliato e l'ho avvolto in un grande asciugamano. Naturalmente gli ho anche servito le *burekas* e tutta una serie di yogurt alla frutta. C'è voluto un po' ma si è mostrato molto disponibile, e anche quando sono tornata con le forbici non ha battuto ciglio: e finalmente, dopo tre mesi di lotte e di scenate, mi ha permesso di tagliargli i capelli.

È incredibile come se ne sia stato seduto assolutamente tranquillo, canticchiando sottovoce e dondolandosi piano, con calma stoica, persino un po' regale. Si interrompeva solo per dare un morso alla *burekas*. E ogni tanto mi gettava un'occhiata sorniona, come a dire, vedi, dipende tutto solo da me ..

Non si è mosso nemmeno quando gli ho tagliato la frangia e i capelli gli sono caduti sulla bocca! Non lo riconoscevo più. Forse aveva deciso di farsi perdonare la tremenda scenata del pomeriggio, quando avevo tentato di tagliargli i capelli con Amos.

È strano come, ogni volta che me lo dimentico, con delicatezza e senza parole mi ricorda che è così.

E cosa succederà quando cominceranno a crescergli i baffi? E la barba? Come faremo a raderlo? Forse mentre sarà immerso nel sonno. Dopo una crisi, per esempio. Be', non occorre pensarci adesso.

Tra due o tre anni ci separeremo, per la seconda volta, dal bambino che è. Nel frattempo, lasciateci almeno la grazia dell'infanzia. Che aspetto avrà tra cinque anni? Non riesco a immaginarlo. Non in questo momento. Ana aveva dei capelli sottili e sexy, ma scuri. E anche Amos è piuttosto scuro. A quanto pare i capelli chiari li ha presi da me (come la goffaggine, l'insicurezza, la sensazione di essere un estraneo nel mondo...).

Cosa sarà di lui tra dieci o vent'anni? Ambienti nuovi, persone sconosciute, coperte di lana ruvida.

Quando ha perso la pazienza si è alzato, con i capelli tagliati a metà, ma non è fuggito via. Ha continuato a camminare piano, avanti e indietro, lungo il corridoio, lasciando che continuassi a tagliargli i capelli. Che cammini pure, che corra, balli, salti. Un momento di grazia come questo non capita tutti i giorni. Amos non crederà ai suoi occhi quando si sveglierà.

Proprio nel momento in cui ho finito, ha fatto segno di voler tornare a letto. Ma prima ha lasciato che gli strofinassi la nuca con il dopobarba di Amos e che gli dessi qualche bacio. Poi, tranquillo e assonnato, è tornato a dormire.

Aspetto l'alba. Anch'io devo dormire almeno un'ora prima di questa lunga giornata. La casa è piena di ciocche di capelli e a stento mi trattengo dallo svegliare Amos per raccontargli l'accaduto. E per vedere il sorriso che fa quando riceve notizie del genere. Peccato che non si possa ascoltare della musica a quest'ora. Il terzo quartetto sarebbe stato proprio perfetto. Mi aspetterai fino al mattino Ludwig van? Non so perché me la sono presa tanto con te qualche giorno fa. Come ho potuto dimenticare che sei così pieno di vita e ottimista?

La mia vita sociale sta prendendo una piega insolitamente brillante. Questa mattina appuntamento al caffè Atara con Ariela. È la prima volta che ci troviamo per una chiacchierata fuori della sala professori. La povera Ariela è rimasta un po' spaventata da me, aveva la sensazione che la stessi sottoponendo a un vero e proprio interrogatorio. C'è stato un momento in cui ha detto senza mezzi termini che, con tutto l'affetto che prova per me, la imbarazza una conversazione così intima nella fase iniziale della nostra amicizia. Cosa avrei potuto dirle? Che io sono fin troppo abituata a questo tipo di conversazioni? Che mi è insopportabile non dire tutto, ma proprio tutto, a una persona che sembra in grado di capire?

Non penso che il mio primo entusiasmo fosse esagerato. Ariela è fantastica e intelligente (ma ho la sensazione che sia veramente più giovane di me di alcuni "fatidici" anni).

Dell'incontro mi ricordo soprattutto un momento di confidenza in cui lei ha detto che se il suo Gydon "dovesse sfarfalleggiare" con un'altra donna la cosa le procurerebbe un dolore terribile, ma saprebbe superarlo e resterebbe con lui. Se lui però dovesse innamorarsi di un'altra lo lascerebbe subito ("senza pensarci due volte!"). Al che io sono esplosa, anche per il dolore che mi procura ogni delusione da parte di una persona che sento vicina... Ho detto che per me è il contrario. Se venissi a sapere che Amos "si diverte" con un'altra, allora avrei un motivo serio per non rispettarlo e non voler più vivere con lui. Ma se si innamorasse, se si risvegliasse in lui un sentimento tanto vivo e prezioso? Questo lo renderebbe solo più attraente ai miei occhi.

L'ho vista distogliere lo sguardo. Per un attimo sono affiorati quegli occhi attoniti, immaturi. Era insopportabile. Con improvviso timore ho afferrato la sua mano. Lei si è spaventata: "Dimmi, Myriam, va tutto bene?".

Ho appena trovato la ricetta di K. per una possibile e completa felicità: credere in ciò che è indistruttibile dentro di te ma non aspirarvi.

Però stamattina, come sempre, non credo a ciò che è indistruttibile dentro di me, mentre aspiro a quello che si distrugge in fretta al di fuori di me.

(Proprio mentre stavo scrivendo è arrivata Nilly e ho deciso di chiedere anche a lei. Le ho detto: Nilly, pensi che un giorno sarò felice? Se muovi l'orecchio sinistro vorrà dire che lo sarò, se muovi quello destro, vorrà dire il contrario. E cos'ha fatto la gatta? Li ha mossi entrambi.)

Forse lui ha capito, molto prima di me, che non è possibile tornare indietro sani e salvi dal punto in cui siamo arrivati. (Non solo a casa, in generale.)

Amos è a Be'er-Sheva per un corso di aggiornamento di un paio di giorni. Gli scenari che mi passano per la testa nelle ultime ore. I giri intorno al telefono. Potrei facilmente convincerlo a venire qui (mi illudo). Mi rivolgerò ai suoi sentimenti più bassi, toccherò quella corda sempre tesa dentro di lui. Gli sussurrerò al telefono, come in un film di terz'ordine: "Mio marito non è in casa", e lui non saprà resistere alla tentazione.

Un momento di completa follia e di grande esaltazione. Mentre giravo per casa ho raccolto qualche decina di palle di carta che Yochai aveva nascosto dappertutto. Ne ho fatta una piccola mostra sul tavolo della cucina. Poi, con ordine, le ho aperte, stendendole con la mano per poi appallottolarle di nuovo e così via... Non c'è dubbio, si prova un certo gusto ad appallottolare la carta a quel modo. Verso mezzanotte mi è ritornata la ragione, accompagnata da piccole punture di spillo, come quando il sangue torna a scorrere in una mano intorpidita.

Nell'estrazione della mattina è stata sorteggiata (di nuovo!) la tua ultima lettera da Tel Aviv: "Tu carpisci in me una scintilla per accenderti alla vita".

Leggo e mi dispero. Non capisco il tono di questa recriminazione, e perché me lo rinfacci così. Io sono solo felice quando qualcuno – un alunno, un'amica, Amos – "carpisce in me una scintilla".

Prendano pure. Sono così in pochi a farlo.

Vorrei che tutte le volte che l'omino verde su Marte volge lo sguardo verso di me vedesse sprizzare le scintille a ogni mio contatto con qualcuno.

... E subito, alla prima uscita da casa, l'impatto con la "realtà": al semaforo vicino all'incrocio di haMekasher ho starnutito forte proprio mentre mi passava davanti un ragazzo abbronzato, con dei riccioli biondi e uno zaino. Ha aspirato profondamente, ridendo: "Anche i tuoi microbi, carina!".

Una stupida lite con A. cominciata con la sua proposta di prendermi una vacanza. Di cambiare aria. Di andare magari anche all'estero. Io gli ho rinfacciato che probabilmente preferisce non avermi intorno e che gli è difficile sopportarmi quando mi trovo in uno stato del genere. Pure stupidaggini, senza alcun legame con la realtà, ma ormai ero lanciata. Mi sentivo come se dentro di me sgorgassero dei fiotti di veleno. Mi bruciavano le viscere... Ho detto delle cose tremende. Mi sembrava di declamare le battute di un pessimo melodramma: che forse ne ha già un'altra, e se vuole stare con lei, si trovi delle scuse meno patetiche. Era avvilito e pallido, cercava di calmarmi e sembrava così preoccupato che mi si è spezzato il cuore. Eppure non riuscivo a smettere. Era come se una molla fosse saltata e mi graffiasse dentro. Un miscuglio di dolore e d'inspiegabile godimento. Poi ho detto qualcosa a proposito di lui e Ana (qualcosa che non ho mai pensato e che non scriverò) e ha fatto una smorfia, come se lo avessi schiaffeggiato. È uscito di casa sbattendo la porta ed è tornato poco prima dell'alba, dopo che io, nei miei incubi, l'avevo già immaginato chissà dove. Mi sono scusata e lui mi ha perdonato, ma come potrà dimenticare e perdonarmi veramente? Ora l'atmosfera in casa è sostenibile e Yochai, che ha assistito alla lite, sta appiccicato ad Amos, rifiutandosi di lasciarlo. Mi guarda con uno sguardo nuovo, come se capisse, per la prima volta, come stanno veramente le cose.

Un'altra scenata stasera, probabilmente a causa della tensione. Questa volta per via dell'Apenotin, che all'improvviso si rifiuta di ingoiare. Ha dato in escandescenze, ha rotto un'altra finestra e si è ferito la mano. Amos non poteva resistere ed è uscito a prendere una boccata d'aria. Ho lottato da sola finché sono riuscita a calmarlo (ormai è davvero più forte di me). Mentre lottavamo si è di nuovo aperta la ferita sulla fronte. Ormai non so più cosa fare per evitarlo. Il piacere che prova nel togliersi la crosta mi fa diventare pazza (ma lo capisco benissimo). Poi, quando finalmente sono riuscita a metterlo a letto, ha chiesto, a segni, che lo legassi. Non lo facevamo da mesi. Amos non c'era, allora ho deciso da sola. È stato incredibile vedere come si sia subito calmato. Gli ho fatto un massaggio ai piedi e ho cantato per lui, sottovoce, finché si è addormentato. Forse abbiamo rinnovato il patto.

Poi sono crollata davanti al televisore, esausta. Ho pensato che in pochi minuti, se non fosse successo un miracolo, sarei morta, e senza provare dolore.

Come al solito, è successo il miracolo. Alla televisione stavano trasmettendo un altro "mio" programma su una tribù sperduta (Amos dice che la Bbc produce quella trasmissione solo per me). Questa volta si trattava di una tribù del Sahara. Una volta all'anno questa tribù vaga in cerca di nuovi pascoli e allora si organizza una settimana di festa durante la quale vengono combinati i matrimoni. Ogni ragazza sceglie due uomini con i quali passa la prima notte. Una giovane molto bella ha detto davanti alle telecamere "questa notte diventerò donna". Per qualche settimana avrà rapporti con entrambi, ma alla fine si sposerà con un terzo...

L'hanno mostrata dopo la prima notte. Stava seduta con i due uomini, pettinando i capelli a uno di loro. Lui rideva mentre diceva al compagno: "Vedi, questa notte ha amato più te, ma ora ama me".

Non è successo niente ma ho sentito che, a poco a poco, stavo uscendo dalle tenebre.

Nel corso di un'intera vita trascorsa al fianco di un'altra persona (ha detto più tardi Amos in cucina, dopo che ci siamo riconciliati) si può sperimentare tutto l'arco delle sensazioni umane... E io ho aggiunto: anche animali. Lui ha chiuso gli occhi e ha taciuto, come se si trovasse altrove. Per un secondo ho visto sul suo volto (ormai stanco, ormai familiare) quel solco che un tempo mi spaventava: quello dei tempi e dei ricordi di cui io non faccio parte. Ma, chissà perché, questa volta ne sono stata anche felice, mi sono sentita persino sollevata. Come se per un attimo un cristallo sfaccettato e dalle mille luci avesse roteato davanti a me e al termine di questo turbinio avesse ripreso le sue sembianze, senza "simulazioni". Quello era il suo viso e non nascondeva nulla. Ho provato per lui un palpito d'amore come non ne provavo da settimane. Solo per lui, per quello che era. E ho pensato: è una fortuna che non siamo più dei ragazzi, e come amo le sue rughe.

Ho otto o nove anni. Nell'appartamento di via Nehemia 15. Rannicchiata nel mio nascondiglio dietro il boiler in bagno. Mi appoggio allo scaldabagno caldo raccontandomi, in un sussurro, le tragiche vicende d'amore che ero solita raccontarmi allora (e ora, mentre scrivo, tutto riaffiora con prepotenza: l'odore di legna da ardere, la boccetta di lavanda che avevo trovato sulla spiaggia, i libri che avevo nascosto laggiù e che erano la mia Bibbia, il mio specchio piccolo e rotondo, il mio tesoro, con il retro ricoperto di velluto rosso. Davanti a lui mi allenavo per ore a baciare in travolgente stile hollywoodiano, bambina-modello che non sono altro. Ed ero anche Aliki e Marisol, la bambina cantante spagnola.[3] Per quasi trent'anni non ho pensato a loro e d'un tratto, così, come se niente fosse...).

Sto rincantucciata dietro il boiler, l'unico posto in tutta la casa dove mia madre non può arrivare, sussurrandomi una storia. Ci sono completamente immersa ma all'improvviso sento qualcosa, brividi profondi mi corrono lungo la schiena: lei è entrata furtiva, in punta di piedi, per ascoltarmi (la zaffata di candeggina dalle sue mani). Allora, come per caso, alzo la voce e parlo forte, con espressioni ricercate e forbite. Mi infervoro senza vergogna... Perché lei capisca e sappia esattamente che sono splendida e grandiosa. Perché si senta co-

[3] Cantanti in voga negli anni Sessanta. [N.d.T.]

me un acino d'uva rinsecchita davanti a questo tripudio di vendemmia. Perché sappia fino a che punto mi inibisce.

(All'improvviso capisco che quando scrivevo a Yair, spesso, forse più spesso di quanto fossi disposta ad ammettere, lo facevo anche per quello sguardo furtivo al di sopra della mia spalla. Ah, la tentazione perversa di vedere ancora quegli occhi che si spalancano alle mie spalle, sbalorditi, sbigottiti, frementi per quello che sono capace di fare...)

Ma ora no. Lo sento: in queste pagine, assolutamente no.

Non c'è nessuno alle mie spalle, né al mio fianco.

Durante l'ultima ora si è diffusa in cielo una luce insolita, quasi europea, tra i consueti bagliori del crepuscolo. Ormai me ne sto qui seduta da più di un'ora, ipnotizzata, assorbendo dentro di me tutte quelle tinte cangianti. Solo la mano con cui scrivo si muove. Il martin pescatore nel nostro giardino sta impazzendo per l'incanto e non fa che gettarsi in picchiata mandando lampi turchesi. Non per catturare insetti, e nemmeno per far colpo su qualche martina pescatrice. Solo per mescolare i suoi colori all'immagine. E io, all'improvviso, so che il mondo *esiste*. Che è bello, anche se la mia mente non è del tutto sgombra per apprezzarne in pieno la bellezza. Ma altri la percepiscono e anch'io tra poco tornerò a sent...

Dio mio...

Va tutto bene. Ora va tutto bene. È tutto passato. Scrivo soprattutto per calmare il tremito. Ero seduta in veranda, a scrivere, e Yochai giocava in giardino. Di solito alzo la testa ogni due o tre secondi per tenerlo d'occhio ma devo essermi distratta: quando ho risollevato lo sguardo lui non c'era e il cancello era aperto. Sono corsa a perdifiato. I pensieri che si rincorrono in momenti come quelli: forse dovrei tagliare le gomme delle macchine parcheggiate perché non si possano muovere. E dove potrà essere andato? E chi lo troverà? Domando ai vicini. Ai passanti. Nessuno l'ha visto. Mi precipito in centro. Come una pazza irrompo nel mercato, corro dritta alla corsia dei dolciumi, perché a volte... Ma non c'è. Tutti mi fissano con quello sguardo. Torno a casa (tutto questo è successo mezz'ora fa) e lui non c'è.

Una paura tremenda. Ancora adesso io... e tutti quei tribunali interiori: mi è stato affidato e io non l'ho sorvegliato. Riprendo a correre lungo la strada che scende verso la valle e là, finalmente, sul sentiero in basso, lo vedo camminare. Prima sento un suono strano, sordo, e solo dopo lo vedo. Cammina curvo, a testa bassa. Il primo pensiero: gli hanno fatto qualcosa. Mi lancio verso di lui e vedo che qualcuno gli ha appeso al collo un campanaccio, come quelli per le mucche.

Almeno sta bene (ho dieci mani in questo momento). Gli esamino simultaneamente tutto il corpo. Sta bene, solo questo campanaccio. Chi? Cosa? Appena si muove il campanaccio rintocca. Una corda spessa e ruvida gli graffia il collo delicato. Cerco di strapparla con le mani, con i denti, ma è impossibile. Oltre le rocce vedo due ragazzi che ridono. Non li conosco. Forse sono allievi dell'istituto qui accanto. Non penso a niente. Faccio sedere Yochai su una pietra e vado da loro, non so perché. Si allontanano. Sento qualcuno che mi spiega ad alta voce, con la mia voce, che farei meglio a tenermi alla larga da quelli. Mi metto a correre nella loro direzione. Scappano. Ragazzotti di quindici anni, magri, due canne di bambù. Vicino alla roccia spaccata li raggiungo. Non ho più fiato e allora chiedo con lo sguardo, con le mani, con i denti: perché? Ridono. Uno ha dei brufoli enormi sulla fronte, l'altro sta cercando di farsi crescere la barba. Sono più grandi di quello che pensavo. Forse hanno diciassette anni. Cominciano a prendermi in giro. Mi circondano. Mi ballano davanti con movenze volgari. Mi danno delle pacche sul sedere, sulla schiena, sulla nuca. In silenzio assoluto. Perché non chiamo aiuto? Non so. So solo che devo andarmene da lì. Allora si mettono a imitare Yochai, il suo tic agli occhi, il suo modo di camminare. Scelgo il più grande fra i due. È una spanna più alto di me. Aspetto che si avvicini e poi, con tutto il palmo della mano, gli tiro uno schiaffo. Per lo slancio cado anch'io. Ma va per terra anche lui. Io mi rialzo per prima. In questo, perlomeno, sono più allenata. Il secondo indietreggia un po'. Afferro una spessa trave gettata lì e la brandisco davanti a lui. Quello a terra grida per il dolore. Si prende il viso tra le mani, urla. Tra poco anche l'altro si metterà a urlare. Li ucciderò e ne getterò i corpi in qualche pozzo. Il secondo si china a raccogliere una pietra e io lo colpisco dietro le ginocchia, con tutta la forza che non ho. Si piega, cade, lancia un grido. Finalmente comincio a riprendere lucidità. È steso ai miei piedi, mi supplica di non fargli del male. Dovrei infierire ma Yochai è solo, l'ho lasciato di nuovo solo! Corro da lui. Quei due imprecano e alcune pietre cadono a poca distanza da me, senza colpirmi. Ecco, è tutta la storia.

La cosa strana è che ero sicura che un incidente del genere avrebbe sconvolto Yochai per mesi. Avremmo dovuto cambiargli le medicine e tutte le sue abitudini sarebbero state rivoluzionate. Invece lui ha riso. Mi è venuto incontro ridendo sottovoce, come a volte gli capita quando si guarda nello specchio. Cosa l'abbia divertito tanto non l'ho ancora capito, ma perlomeno non è spaventato. Questo davvero non l'avrei mai sospettato. L'ho abbracciato per tranquillizzarlo, e in fondo anche per calmarmi, rifiutandomi di notare che quelle che tremavano tanto laggiù erano le mie gambe. Immancabilmente la mia paura si concentra tutta nelle gambe. A quel punto avevo ripreso il controllo di me stessa e ho cominciato a preoccuparmi di aver lasciato il quaderno sul tavolo della veranda. (Ora, mentre scrivo, torno finalmente a ricordare anche la danza del martin pescatore. Com'era bella. Tanto bella da non sembrare terrena. Tanto bella da sembrare terrena. In ogni caso bisognerebbe chiarire una volta per tutte perché "un brutto momento" può andare avanti per mesi, mentre un momento di grazia dura sempre e solo un momento.) Ma cos'altro volevo scrivere? Che alla fine sono riuscita a sciogliere la corda. L'ho sciolta che ancora tremavo. I ragazzi si sono avvicinati, mantenendosi però a una distanza di sicurezza. Allora io, non so perché, forse per fargli dispetto, mi sono legata il campanaccio al collo. Pesava e la corda mi segava la pelle. Loro, e anche Yochai, mi hanno guardata senza capire. Non capivo bene perché lo stessi facendo, ma sentivo che era la cosa giusta.

Ho preso Yochai per mano e me ne sono andata, ammaccata nel corpo e nell'anima, mentre lui saltellava di gioia e il campanaccio suonava.

Guardami un po', Ana: in cucina, completamente impiastricciata di farina, di pasta e di coloranti per dolci. Decine di praline colorate si sono sparse sul pavimento e io sono fuggita. Ho trovato rifugio nel quaderno e in Schubert, il tuo beneamato.

Sto cercando di preparare una torta a forma di leone con la criniera al vento, per il compleanno di Yochai. Esattamente come nell'illustrazione del libro. È già un anno che lui sfoglia il libro di Josie Mendelson sognando questa torta (o perlomeno così mi pare). E ora tutto mi casca e va storto. La criniera somiglia a una parrucca e io penso alle tue mani piccole ed esperte, a quanto avrei bisogno di te in questo momento, perché tu tenga fra le tue le mie mani di pastafrolla.

Se tu fossi qui, ora, mi diresti cosa fare. Ti telefonerei adesso, o alle quattro del mattino, e dal timbro della mia voce capiresti subito e arriveresti nel giro di un quarto d'ora con un mazzo di dalie rubate in un giardino...

Io ti direi che probabilmente mi sono di nuovo persa e tu cercheresti di consolarmi, ricordandomi, una dopo l'altra, tutte le cose belle e i momenti preziosi dell'estate; mi diresti: "Non ti sei solo persa, sei stata anche ritrovata, sono tante le volte in cui lo sei stata". E rideremmo insieme, perché sarei la trovatella più vecchia che sia mai esistita.

Quando le lacrime si saranno asciugate e la criniera sventolerà, mi chiederai di dirti una cosa bella, "una cosa bella di questo momento". Io ci penserei su parecchio... "La situazione non è affatto disperata se posso ancora godere dell'odore di un cetriolo verde."

Ah, se tu fossi stata con me quest'estate. Quante volte ho pregato perché ci fossi. Avresti capito molto prima di me come avrei dovuto comportarmi. Oh, Anina, con che abbraccio intenso hai cinto questa vita sfuggente. Molto più intenso del mio. Lo scopro in mille cose, nelle piccole e intime tracce che hai lasciato nel mondo. Senza un briciolo di invidia nei tuoi confronti. Com'è possibile invidiare qualcuno che sapeva amare così? E che induceva gli altri ad amarlo così, in assoluta libertà, con una tale purezza?

Ma riaffiorano i pensieri che mi hanno reso la vita amara dopo che te ne sei andata. Quei pensieri che ti ho promesso di abbandonare. Sono sempre impotente al loro cospetto: il "se" e il "forse", quanto sia ingiusto e persino illogico, sotto molti punti di vista, che sia rimasta io e non tu.

Ora si è aggiunta un'altra stilettata. Perché da quando Yair sa tutto di te, il peso del dolore, e persino quello della nostalgia, si sono un po' alleviati. Non che ne provi meno ma, in qualche modo, non ho più l'impressione di sentirmi morire dieci volte al giorno. Non so dove troverò la forza di rimanere in piedi da sola. E domani, sai, sarà una giornata difficile. Resisti. Anch'io lo farò.

Al mattino siamo andati al cimitero e nel pomeriggio abbiamo festeggiato il suo compleanno. Sono venuti gli amici (i nostri. I figli dei nuovi vicini che avevo invitato non si sono fatti vedere). Yochai era al settimo cielo. Tami gli ha preparato la sua torta di frutta preferita ed è stata un piccolo indennizzo per il leone spelacchiato che sono riuscita a produrre. Si sentiva sicuro e protetto, tutti lo circondavano con affetto e gli hanno portato un sacco di *burekas* al formaggio... C'era una bella atmosfera. Gli ospiti sono rimasti a lungo, non se ne volevano andare. Ho guardato il giardino e la casa, che era improvvisamente illuminata e allegra. Chiassosa. Erano forse tre anni che non avevamo tanti ospiti. Amos ha bevuto qualche bicchiere di troppo e poi è quasi caduto dal tetto quando è salito a prendere la luna col lazo per Yochai.

Alle nove, quando gli ospiti hanno cominciato ad andarsene, Yochai si è spaventato. Si è messo a correre qua e là, li strattonava perché rimanessero, strillava, sbatteva la testa contro il tavolo. Potevo capire la sua sensazione: come se qualcosa gocciolasse via da lui e andasse perso.

Poco dopo le dieci ha avuto una crisi, in bagno, dentro la vasca. A fatica siamo riusciti a tirarlo su e a tenergli la testa fuori dall'acqua. Questa crisi era già nell'aria da qualche giorno, con segni premonitori e nervosismo (mi consola il fatto che almeno la giornata sia trascorsa bene per lui).

L'abbiamo sorretto insieme. Questa volta non siamo proprio riusciti a guardarci negli occhi. Lui rantolava, s'irrigidiva e si dibatteva fra noi. Con la coda dell'occhio ho visto Amos passargli incessantemente il dito sulla tempia, vicino all'orecchio, per calmarlo. E ho sentito che gli sussurrava "piccolo mio, piccolo mio". Mi sono ricordata che, anni fa, ero solita convocare Dio a un serio dibattito sulla giustizia dopo crisi come questa.

È stata più lunga e seria del solito. Il tempo non passava mai. Il suo corpo era di pietra e le mani premevano contro la bocca spalancata, da cui non usciva alcun suono. Ho visto il volto di Amos contorcersi dinanzi a lui, come se cercasse di assorbire la sua sofferenza.

Amos ha detto una volta che, quando una persona grida il proprio dolore, non crede necessariamente che qualcuno possa alleviarlo. A volte ha più bisogno che gli altri mitighino la sua solitudine in questo dolore.

Solo quando i suoi piedi hanno ripreso colore sono tornata a respirare. L'abbiamo portato a letto. Ha subito cercato di alzarsi e di camminare, non capiva assolutamente cosa stesse accadendo. Ma le gambe gli hanno ceduto, si è coricato, esausto, e un secondo dopo ha vomitato tutte le *burekas*. Amos ha continuato ad accarezzarlo con le sue mani buone, e io ho sentito il bisogno di andarmene, di uscire in veranda e di scrivere un po'.

Ora sta singhiozzando. È un buon segno, vuol dire che tutto è finito, ma per me è sempre il momento peggiore. Probabilmente non soffre più, perlomeno non come prima. È un po' intontito e sta per assopirsi. E proprio allora cominciano i singhiozzi. Dal profondo. Un dolore che il corpo non riesce a contenere, come se piangesse su se stesso.

Tra un secondo rientro. Vorrei solo poter restare qui tutta la notte e continuare a scrivere. Scrivere mi fa bene. Lo sento. Anche quando scrivo cose tristi, qualcosa in me si tranquillizza, sento di avere uno scopo.

Voglio rimanere qui e raccontare le cose più semplici. Descrivere la foglia che è appena caduta. O la catasta di sedie in veranda. O le falene attratte dalla lampada. E raccontare ciò che avviene durante la notte finché il buio si tramuta in luce, fino ai cambiamenti di colore. Potrei rimanere qui seduta per giorni e notti a descrivere ogni stelo d'erba, ogni fiore, i sassi del muretto, le pigne. Solo dopo, quando mi sentirò pronta, passerò a scrivere di me. Del mio corpo, per esempio. Comincerò da lui, da ciò che è tangibile. Ma anche con lui partirò da lontano, dalle dita dei piedi, per avvicinarmi piano piano. Descriverò ogni sua parte, ne annoterò le sensazioni, quelle di un tempo e quelle attuali. I ricordi della caviglia, per esempio, o della guancia, o del collo. Perché no? Attraverso le carezze, i baci e le cicatrici. Mantenermi viva con la scrittura. Ci vorrà un sacco di tempo ma ne ho molto a mia disposizione. La vita è lunga e voglio raccontare di me stessa, raccontare quello che probabilmente nessuno mi racconterà mai. La mia storia. Senza aggiunte, ma anche senza detrazioni. Scrivere senza pretendere nulla. Da nessuno. Scrivere solo la mia voce.

Sento Amos in casa, ha cominciato a pulire. Tra un attimo lo raggiungo. Ci sarà molta biancheria da lavare stasera e bisogna lavare il tappeto in camera di Yochai. Anche quello. Tutto.

1° dicembre

Ciao Yair,

è sera e sono a casa. Fuori la notte è nuvolosa e opaca, e il cielo sprigiona un freddo moderato, costante, sgradevole. Te ne parlo come se tu fossi altrove. Sei altrove. È passato un mese e mezzo dall'ultima lettera che ti ho mandato. Una lettera che anche a me, ora, sembra un sogno lontano. Non ho idea se tu sia interessato a leggere quello che ho da dirti. Comunque, ho continuato a scriverti dentro di me.

A dire il vero, questo, senza intenzione, è diventato per me una specie di "diario". Ho scoperto che se talvolta aiuta ad alleviare il dolore, spesso lo acuisce. In un modo o nell'altro considero questa mia volontà di scrivere (e il bisogno, anche, vorrei dire) come un dono straordinario e inatteso che ho fatto a me stessa.

E tu? Mi parli ancora? Mi ricordi? Ti sentirai meglio quando finalmente cadrà la pioggia?

Spero, quel giorno, di provare anch'io una sensazione più definita, ma temo che non sarà così. Vorrei poter scrivere di desiderare soltanto che tutto finisca, che venga lavato via dalla prima pioggia, ma è contrario ai miei veri sentimenti, a ciò in cui credo senza incertezze, anche adesso, indipendentemente dal fatto che tu mi risponda o no.

Perché ti scrivo? Non sono affatto sicura di saperlo. Forse perché oggi le nuvole sono più fosche del solito. Forse perché, per la prima volta da quando sei sparito, mi sento capace di rivolgermi a te e di parlarti. E forse perché mi sembra che, a poco a poco, mi sto avvicinando al punto in cui potrò separarmi da te, o perlomeno dall'attesa dolorosa della tua ricomparsa, senza rinunciare ai sentimenti e alle sensazioni che suscitavi in me.

A nessuno.

Sai, in quest'ultimo periodo ho pensato che abbiamo parlato sempre poco di cose che andassero al di là della nostra sfera personale. Ricordo che più di una volta, prima di sedermi a scrivere, ho deciso di raccontarti almeno una cosa che mi era accaduta nel mondo "esterno", di portare qualcosa della "realtà" nella nostra sfera. Di ampliarla un po'. Ma credo di non esserci mai riuscita. Quello che avevo da raccontarti di noi due era sempre più forte e impellente... Ma quanto tempo, secondo te, una cosa del genere può continuare senza stimoli esterni, quotidiani e reali? E quanto tempo sarebbe trascorso prima che questa intimità ci soffocasse? Pensi che qualcuno possa effettivamente vivere così per tutta la vita?

(Ora, in questo preciso momento, sento che all'interno di questa intimità potrei davvero ricominciare a respirare.)

Ecco, ascolta qualcosa di reale che non sapevi. Ogni sera, prima di andare a letto, Yochai viene a rannicchiarsi vicino a me e io gli canto sottovoce delle canzoncine in polacco di cui non capisco nemmeno una parola. Canzoni che mi cantava mio padre. Lo tranquillizzano. Il suo corpo a volte è scosso da tempeste che gli provocano un forte tremito, soprattutto quando è stanco. In questi casi le parole non lo aiutano e spesso nemmeno le pillole. Ma le canzoni in polacco sì. Questa lingua, straniera a entrambi.

Domani sarà il nostro giorno settimanale di divertimento, questo lo sai. Andremo al cimitero delle auto vicino ad Abu Gosh. Io berrò del tè con Naji, il custode, e guarderò Yochai sfogarsi con il martello sulle auto arrugginite. Non mi è facile vedere quanta forza distruttrice e quanta aggressività ci siano in mio figlio. Ma questo lo purifica completamente, per un'intera settimana.

E tu sai pure che, proprio fra un mese, dovrà essere operato per quel quel piccolo difetto al cuore che ha dalla nascita. Dio non ha avuto la mano leggera con lui, vero? Quante operazioni ha già subito! Niente di male. A poco a poco aggiusteremo quello che la natura non ha saputo fare. Spero solo di riprendermi un po' entro gennaio, in modo da avere la forza per affrontare tutto questo (penso che domani, ad Abu-Gosh, porterò un martello anche per me). Basta, continuo a chiacchierare per non prestare ascolto a quello che provo. Per non guardare se fuori cade qualche goccia di pioggia. Perché hai scelto proprio la pioggia? Sei un bel vigliacco.

Vedo che questa lettera mi sta portando dove non intendevo arrivare. Non volevo litigare con te. Non volevo discutere. Fa così male. Speravo di essere più equilibrata nei tuoi confronti ma quando mi rivolgo a te, e tu non ci sei, risuona ancora in me quella voce, il senso di offesa, la nostalgia di un'occasione perduta. Mi interromperò qui. Non sono disposta a sentirmi parlare in questo modo (e non sono ancora capace, purtroppo, di cancellare quello che provo per te).

Mi ha fatto molto piacere e mi ha fatto anche molto male. Non avevo mai conosciuto in vita mia un piacere e un dolore simili, così fusi insieme. Prometto che non ti scriverò e che non cercherò di mettermi in contatto con te. Non ti importunerò mai più. A malincuore chiuderò la porta che ti ho aperto con tanta gioia.

Ma se per qualche motivo deciderai di tornare da me, devi sapere che in questa fase della mia vita ho bisogno della tua disponibilità più completa e della tua capacità di comprensione più profonda. Ho bisogno che tu fluisca liberamente verso di me, senza alcun ostacolo esterno. Ne ho bisogno come dell'aria che respiro.

Se non puoi donarmi tutto questo, non venire. Davvero: non venire. Perché probabilmente mi sono sbagliata sul tuo conto.

(Ma se sei tu quello che mi ha invocata, e ha ruggito, ragliato e guaito, credo che capirai.)

Tua

Myriam

Yair, senti cos'è successo. Ho scritto il mio nome e ho sentito che mi chiamavi. Ho sentito che mi chiamavi per nome.

Per un attimo ho avuto la certezza che quel richiamo provenisse dall'esterno, da fuori casa, ma la via era deserta e io, come un automa, mi sono seduta e ho composto il numero del tuo ufficio. Scusami. Non è assolutamente dipeso da me o dalla mia volontà. Ho parlato con la tua segretaria. In sottofondo sentivo le voci di alcune persone, e della musica dalla radio. Ho cercato di riconoscere la tua voce. La segretaria ha perso la pazienza, domandando seccata se mi decidevo a parlare. Ho chiesto di mandarmi un fattorino per ritirare un libro, specificando che avrebbe dovuto esserti consegnato personalmente. Mi tremava la voce. Lei ha detto: "Entro dieci minuti sarà da lei, signora". Non c'era traccia di scherno nella sua voce.

Ho pensato: anche se è diplomata a Beit-Ya'akov, questa tua collaboratrice ha l'aria di essere particolarmente sensibile alle voci femminili.

Insomma, sto seduta vicino al tavolo in attesa che suonino alla porta. Non ho davvero idea del perché ti abbia telefonato, smentendo tutti i miei buoni proposti.

Sono passati dieci minuti adesso. Cos'ho da dirti?

Che oggi, per venti minuti filati, non ho pensato a te. Che non ho sentito nessuna parola che ti ricordasse. Poi mi sono detta che forse anche la ferita che mi hai lasciato si cicatrizzerà rapidamente, come tutto quello che ti riguarda.

E a metà lezione, questa mattina, mi sono improvvisamente intenerita pensando a te, tanto che non riuscivo quasi più a parlare.

Mi sono ricordata che a casa dei tuoi genitori ti chiamavano Iri e ho pensato che questo appellativo non ti si addice affatto. E invece, chissà per quanti anni sei stato chiamato così... Ho provato l'urgente bisogno di dirtelo: non lasciare che ti chiamino in questo modo! Non farti chiamare così, da nessuno! C'è troppa leggerezza in quel nome. Iri, Iri: non ti si addice.

(Miri)

(Non mi hanno mai chiamato così)

Sono così pentita di averti telefonato. Pensavo che sarei riuscita a dominarmi. Ma questa storia della pioggia che non vuole saperne di arrivare... Forse è un po' troppo per me.

Starà certo già galoppando qui. Cosa gli darò? Che libro? Tutti i libri che mi sono cari sono imballati in cantina, per via di Yochai.

Magari sapessi come riempire questo silenzio improvviso.

Non sembra affatto autunno, vero? È una stagione nuova. Secca e fredda (e se parlassimo del tempo?)... Non è divertente. Intorno al *moshav* i campi sono tutti inariditi e al mercato qualcuno ha raccontato che volpi e sciacalli vengono di notte nei giardini per bere dagli irrigatori. Ieri ho visto uno stormo di cicogne: sono partite due mesi fa e all'improvviso sono ricomparse. Come se si fossero confuse e fossero tornate indietro, fuori stagione. Per tutta la giornata hanno sorvolato la diga vuota, sembravano perse e inquiete. Sono inorridita. I cicli della natura sono sconvolti. E se stessero aspettando noi? Forse qualcuno sta bloccando la pioggia per noi.

Viene verso di me. Mi sembra persino di vederlo lungo la strada, tra gli alberi, sui tornanti. Da qui posso controllare quasi tutto il suo tragitto. Troverò subito qualche libro e metterò questa lettera tra le pagine (scrivendo all'esterno "personale" e "riservata", non preoccuparti). È così strano pensare che in questo momento qualcuno è partito da te per venire da me. Un filo.

Questa notte ho sognato che Yochai riprendeva a parlare.

Una settimana fa è riuscito a contare in classe quattro oggetti, e la cosa ha suscitato grande emozione. È per questo, probabilmente, che ho fatto questo sogno: io e lui camminiamo in un deserto; non c'è anima viva, il sole è incandescente e lui cade. Io lo prendo in braccio e vedo le sue labbra screpolate. Allora lui alza la testa con un ultimo sforzo e dice: "Sappi che ho sempre capito tutto quello che dicevi, sei tu a non avere capito".

Ho deciso, ti mando il libro di ricette. Non è un comune libro di cucina. L'ha scritto Ana, a mano, per il mio trentesimo compleanno (l'ha scritto durante la gravidanza). Trecentosessantacinque ricette. Custodiscilo con cura. Se non assaggerai la mia minestra, è giusto che tu ne abbia almeno la ricetta.

Ecco il campanello. Dieci minuti esatti.

Sai davvero rispettare i tempi (spaventoso!).

Riconosce già la mia voce, mi pare, ma chi se ne importa?

È l'accordo attuale? Io a parole e tu con i motorini?

Non riesco a trattenermi. È stata una mattina grigia e ventosa. Amos ha portato una grossa catasta di legna da ardere e sul "gufo" ho scoperto di avere io stessa annotato, in un raro momento di lucidità, di chiamare lo spazzacamino.

Alla radio hanno assicurato che, al più tardi dopodomani, cadrà la prima pioggia.

Almeno ho avuto il buon senso di preparare un pacchettino, per aver qualcosa da dare al corriere. Vedrai tu di cosa si tratta.

E tu? Perché non mi mandi un biglietto o, meglio, non vieni di persona? Ti toglierai il casco e ti vedrò. Sarà tutto così semplice.

Cosa ti racconto oggi?

(A dire la verità ci ho già pensato, in questi terribili minuti...)

Questa notte ti ho sognato ancora. Attualmente le mie notti sono piene di sogni. Eravamo insieme da qualche parte, in una casa a molti piani. Ti stavo vicino, ti vedevo e ti sentivo accanto a me, ma non potevo toccarti.

Tu stavi appoggiato alla balaustra di un patio (la parola patio ritorna nel sogno come un lamento: "patio, patio"). All'improvviso intuisco che hai intenzione di buttarti nel cortile lastricato di pietre. Io cerco di fermarti, di dirti che non c'è acqua, ma tu non riesci a sentire la mia voce (o io non riesco a emettere alcun suono).

Ti butti nel cortile e, mentre cadi, ti sento mormorare: "Sapevo che sarebbe successo".

"Non sono riuscita a fermarlo" mi dico, e il cuore mi si spezza.

Il volo finisce, ti vedo riverso sul selciato. Il tuo corpo è nudo, sei disteso su un fianco e hai la testa gonfia, certo a causa dell'impatto. Non ti muovi, ma ti sento mormorare senza sosta: "Malgrado tutto mi sono rotto solo qualche dente e sono solo un po' stordito. Nient'altro".

Nonostante il sollievo di saperti vivo, il fatto di essere rimasta a guardarti mi provoca un dolore e una sofferenza terribili (ancora adesso).

Ecco, è alla porta. E se fossi tu?

Sono passate ventiquattr'ore ed è come se non mi fossi mossa. Voglio dire, ho fatto tutto quello che dovevo: ho nutrito, vestito, cucinato, organizzato i trasporti di Yochai, ho ospitato, con mia grande sorpresa, una coppia di amici venuti dall'America per una visita lampo in patria e mi sono mostrata socievole e brillante. Non capisco come io possa reggere tutta questa commedia. Ora che mi sono finalmente seduta, la penna volteggia nelle mie mani. Sento che per tutta la giornata non ho mai smesso di scriverti ed è come se il mondo intorno a me avesse solamente battuto le ciglia. Un giorno si è chiuso e un altro è cominciato, e io mi ritrovo sulla sedia a dondolo, aspettando Yochai che sta seguendo delle cure. Cala la sera, la pioggia ristagna nell'aria e io ti scrivo. Talvolta c'è un foglio sotto la penna, ma la maggior parte delle volte no.

Se solo potessi stendermi e dormire, e alzarmi un giorno senza provare più dolore. Ma tutte le notti mi sveglio alle tre, l'ora in cui sei corso intorno a casa mia, e non riesco più a riprendere sonno. E io non ho un bambino che mi sveglia a quell'ora.

Sono io la bambina che non permette a se stessa di dormire (no, è la donna che è in me).

È strano come tutto questo scompiglio spirituale si traduca in un "linguaggio del corpo". Non meriti di sentir parlare del mio corpo. Non penso che qualcuno l'abbia mai offeso così. E non capisco perché, proprio quando finalmente mi sento donna, tu non mi corrispondi.

Yair, hai sentito? Hanno appena annunciato che domattina pioverà. Ora, proprio ora, al notiziario delle cinque.

"Finalmente una buona notizia" ha esordito lo speaker e il cuore ha preso a battermi all'impazzata. Ma invece di prendere una pastiglia, ho fatto in fretta il numero della tua Ruhama (siamo già diventate un po' amiche, vedi?) e le ho chiesto di mandarmi qualcuno. Subito. Si tratta di un'emergenza.

Allora ecco tutto, vero? L'ultima possibilità. Le ultime parole. La fine della storia che hai cominciato a scrivere per noi poco più di otto mesi fa. Non abbiamo nemmeno portato a termine una gravidanza.

Proprio ora hanno cominciato a tremarmi le mani. Quanti minuti ho a mia disposizione? Dieci? Nove? Qualcuno sta già preparando la ghigliottina?

Non ho nemmeno preparato un libro. Se solo potessi guardarti negli occhi, vederti là dentro, raccontarti quello che vedo.

Vedo un uomo che non è un uomo, e un bambino che non è un bambino. Vedo un uomo la cui maturità e la cui virilità sono come una cicatrice che si è chiusa e indurita sulla ferita del bambino. Tu stesso hai scritto una volta sulla busta "Cicatrizzazioni Wind" (quando ancora eri Wind) e io ricordo di aver pensato che per te la "cicatrice" si è formata esattamente nel punto d'unione tra l'uomo e il bambino, e che questo punto non è vivo in te, senza essere comunque morto.

(Non è ancora arrivato al tornante del bosco, il tuo motociclista. È un po' più lento del solito, mi pare. Che sia uno nuovo? Benissimo. Vada pure adagio e si fermi per strada. C'è una nuvola grossa e pesante sospesa sopra il bosco.)

Lettera dopo lettera sentivo che avrei potuto fare qualcosa

per te; e non era un caso che tu ti fossi rivolto a me, perché grazie al tuo intuito avevi capito che io avrei potuto guarire quella cicatrice, fino a rivelare il bambino, il tuo gemello luminoso e, ricominciando da lui, avresti potuto tornare a essere l'uomo che sei, che eri destinato a essere.

Chi è quest'uomo? Temo che non mi permetterai più di scoprirlo. Posso solo indovinare che è tutto quanto insieme: adulto e bambino, uomo e donna, morto e vivo, e molte altre cose e molte altre persone – ma riuniti insieme, senza le divisioni artificiali e violente che esistono dentro di te.

Perché ai miei occhi, nel punto in cui tutte quelle "anime" si toccano, si mescolano e si uniscono senza che nulla le separi, sento che laggiù si trova il tuo vero io.

Quando ti ho incontrato laggiù mi sono subito sentita riempire da te. Il mio corpo e la mia anima ti hanno parlato direttamente, oltre le tue parole, che non sempre amavo. Perché laggiù tu mi ecciti veramente, mi stimoli, mi infiammi e mi fai male.

E quando, talvolta, mi hai permesso di stare laggiù con te mi sono sentita viva come non mi era mai successo con nessuno. Con nessun uomo.

Cosa succede? Hai sentito? All'improvviso provo freddo e caldo al tempo stesso. E ti sento, reale, con tutto il corpo. Mi stai di fronte, così vicino, come se ti trovassi al di là della porta.

No, non mi farò illusioni.

Ma fuori è silenzio già da qualche minuto. Non si muove una foglia e io ho paura a sollevare la penna. Sento i tuoi occhi sospesi sulle mie labbra. Cosa vuoi che dica? Cosa potrei dire che ancora non ho detto? E cos'altro rimane da dire, a parole?

Sento dei passi all'esterno, salgono le scale verso la veranda. Yair, se mi rimane un altro desiderio voglio, chiedo, che tutte quelle migliaia di parole diventino corpo.

Con amore,

Myriam

PIOGGIA

E il giovedì mattina, mentre le nubi calavano sulla valle di Beit-Zeit rimanendo sospese sopra la casa, e la pioggia non voleva saperne di cadere – alle nove e mezzo in punto lui ha telefonato

Ho chiesto se era lei, se era Myriam

Sapevo che era lui ancora prima che parlasse. L'ho sentito respirare con affanno e anch'io quasi soffocavo

Myriam, sei tu?

Sì, sì, sono io, sì... C'è stato un lungo silenzio, i nostri respiri ansanti. Ho pensato che potesse sentire i battiti del mio cuore

Cosa volevo dirti? Un momento...

Tutto quello che c'era stato e non c'era stato tra noi, tutti quei mesi folli, hanno cominciato a sciogliersi nel petto

Senti, non si tratta di quello che pensi

Io non penso nulla. E chi riesce a pensare? La sua voce era roca, sembrava fosse appena uscito da un bosco impenetrabile

Devo solo chiederti una cosa

303

Ferito per la battaglia combattuta con se stesso prima di telefonare

Sei a casa sola?

Sì, sono sola

Non ha proprio niente a che fare con... con quello, con noi due, capisci?

Cosa vuoi dirmi? Ho domandato senza più forza

Riguarda Yidò, riguarda lui, non noi, non te e me, voglio dire. E ho cominciato a raccontarle quello che era successo la mattina

Ma parla più piano, ti prego

Abbiamo qualche problema con lui, ultimamente

Piano, non riesco a sentirti così. Spiegami ancora cos'è successo a Yidò. Ho pronunciato il nome di suo figlio

È fuori

Cosa significa "fuori"? Dov'è? La sua voce si è affievolita, quasi un bisbiglio. Sono riuscita a capire solo dei frammenti: la mattina sua moglie ha avuto un litigio con il bambino

Non ha ancora cinque anni e mezzo, ma è testardo come un mulo

Chissà da chi ha preso, ho pensato

No, no, è più testardo di me e di certo più di mia moglie. È testardo in una maniera incredibile. Ha una voce gradevole, del tutto diversa da come me l'ero immaginata, molto giovanile. E Maya, mia moglie, Maya

Sì, lo so. Sua moglie, suo figlio e lui

Dimmi, ma tu hai un po' di tempo? Hai voglia di sentire la...

Non ne avevo alcuna voglia in quel momento

Cioè, se hai pazienza per...

Raccontami tutto

Non è necessario, i dettagli in ogni caso non sono importanti

Eccole, quelle folate familiari. Il caldo e il freddo, anche nella sua voce

Si avventa su ogni mia parola. Quando ci scrivevamo, avevo tempo di respirare tra una lettera e l'altra. Mentre ora soffia su ogni mio respiro

C'è stato un attimo di silenzio. Come se entrambi fossimo già esausti per quella rapida conversazione

Senti, per farla breve, questa mattina si è di nuovo vestito al rallentatore, per farci impazzire, e Maya ha detto che non lo avrebbe aspettato. È già una settimana che fa tardi al lavoro per colpa sua

Balbettava, ansimava e mitragliava raffiche di parole che mi sembravano del tutto irrilevanti

Abbiamo deciso che, se anche oggi non avesse rispettato i tempi, lei se ne sarebbe andata lasciandolo qui, così l'avremmo spaventato un po', per una volta

In quel momento ho provato una grande tenerezza per lui, per essere riuscito a vincere se stesso

Perché oggi io posso anche arrivare tardi, abbiamo sempre una riunione settimanale il giovedì

Al lavoro? Al negozio di libri? Al Librattiere?

Sì, sì. Mi ha innervosito sentirle pronunciare il nome del mio negozio. Mi ha innervosito che lei conoscesse così bene i particolari della mia vita e che godesse a farmelo notare. C'era qualcosa di femminile e di cerimonioso in questo modo di fare. Dov'è la nobiltà d'animo che credevo non le mancasse? Perché le ho telefonato?

Per un attimo l'ho immaginato al lavoro, tra migliaia di libri, tra la gente che veniva a cercarli mentre lui si dava da fare, veloce, onnipresente, entusiasta. Riempiva tutti gli spazi vuoti

Almeno una volta al giorno qualcuno solleva la testa dalla pila dei libri e mi si avvicina. Dovresti vedere il suo sorriso mentre mi mostra quello che aveva cercato per anni! Quasi sempre si tratta di un libro che aveva letto durante l'infanzia, probabilmente questa è la sola cosa in grado di accendere una scintilla negli occhi della gente. E io ho un nome per quella scintilla; la chiamo "la scintilla di Myriam". Raccontaglielo. No

Abbiamo taciuto insieme

Ho con lei varie conversazioni, simultaneamente. Chissà se la Bezek[1] mi addebita anche quelle

Abbiamo respirato all'unisono

Insomma, mi ascolti?

Un rumore sconosciuto, la brace della sigaretta che avanza dopo un tiro. L'ha aspirata e quella, come dotata di vita propria, ha respirato poco dopo lui

Abbiamo deciso che, non appena si fosse arreso e vestito, l'avrei portato all'asilo perché oggi volevamo dargli una lezione

---

[1] La compagnia telefonica israeliana. [*N.d.T.*]

La sua voce per un momento si è fatta più decisa, ma l'ho sentita ancora più lontana. Un'interferenza nella linea telefonica, forse a causa delle nuvole cariche di pioggia

Ci sono dei disturbi nella linea perché sto camminando per casa con il cordless. Lo tengo d'occhio. Ma tu mi senti?

Non tanto

Cercherò di parlarti dalla cucina

La loro cucina

Cos'hai detto?

Niente

Come va ora?

Bene, dove sei?

E tu?

A casa...

Ha una voce davvero sorprendente, molto giovanile, fresca, spedita. Del tutto diversa da come me l'ero immaginata. Sfiora appena le sillabe

Ho sorriso per un istante. La storia che mi aveva raccontato non sembrava grave né seria, persino un po' fiacca come scusa

Allora, le cose stanno così: Maya è uscita e lui l'ha rincorsa, mezzo nudo, con la giacca aperta, perché improvvisamente ha capito che oggi facevamo sul serio

Fin dall'inizio della conversazione sembrava non avesse idea di quale sarebbe stata la sua prossima frase. Ho cercato di mantenere un tono di voce serio e gli ho chiesto quale fosse il problema

Ma non capisci? Vorrei che lui si rendesse conto che i suoi trucchi con noi non funzionano e che mi chiedesse scusa

Di colpo la sua voce si è fatta tesa e il contatto vivo con la sua agitazione mi ha fatto sentire ancora più vicina a lui. Ho capito che era capace di infervorarsi al punto di credere a ogni storia che inventava e gli ho quasi urlato: "Dài, adesso basta con le scuse"

Gli abbiamo chiuso la porta in faccia, capisci? Non era mai successo prima, e lui ne è rimasto piuttosto sconcertato. Persino un po' traumatizzato, credo

Ho cercato di non commettere errori e di stare al suo gioco con estrema serietà. Ma perché adesso non lo porti all'asilo?

No, adesso è impossibile. Ti rendi conto? Non capisce nulla. Lui vorrebbe rientrare in casa senza nemmeno chiedere scusa

Un campanello in lontananza ha cominciato a suonare. Ero ancora confusa, ma qualcosa mi chiudeva lo stomaco, nel punto... Hai detto che tua moglie se n'è andata?

Sì, sì. Sembrava che non mi avesse ascoltato per tutta la conversazione. Come se sentisse solo quello che voleva lui

E lui è chiuso fuori? Voglio dire, tuo figlio sta fuori dalla porta da che lei... Quando hai detto che lei...?

Da questa mattina, dalle sette e mezzo. È il giorno in cui va a Safed

Ma adesso sono le nove e mezzo passate

Sì, è quello che ti sto dicendo: è molto testardo. Che idiota sono stato a pensare che lei capisse tutto e subito, senza dover spiegare ogni cosa venti volte. È così lenta, davvero. Adesso è vicino alla porta ma io lo posso vedere attraverso la persiana della cucina

E non ha freddo? Fa un freddo terribile fuori

Certo che ha freddo, lo vedi che tempaccio e che vento

E tra poco comincerà a piovere, ho detto. La mia voce si è un po' spezzata, è come scivolata su quella parola

Ma cosa m'importa della pioggia, diamine! Voglio solo che chieda scusa!

Mi sono ripiegata su me stessa. Come se avesse ruggito per la collera e mi avesse morso. E allora perché non lo fai entrare e non gli parli?

Perché abbiamo deciso così, capisci?

No, non capisco... Improvvisamente ho cominciato a sospettare di non capire davvero nulla

Perché gli ho già detto che potrà rientrare solo dopo avere chiesto scusa!

Ma scusa per cosa? Ogni volta che alzava la voce mi sentivo come se mi stesse picchiando

Ma non hai sentito quello che ti ho detto?

Quest'uomo mi maltratta come nessuno osa più fare, come non permetterei a nessuno di fare. Ma è un bambino di cinque anni!

Quasi cinque anni e mezzo, ma è molto testardo. Ha un carattere d'acciaio e adesso mi sono tolto le scarpe e anche la camicia

Non ho capito. Cos'hai fatto?

Per non avere nessun vantaggio nei suoi confronti

Lui è senza scarpe e senza camicia?

No, intendo solo dire che fuori fa freddo e così saremo pari. Ma non ho nessuna intenzione di cedere

Non puoi tenerlo lì tutto il giorno. Cosa dice Maya – cioè, tua moglie?

Mia moglie non c'è. Ha detto "Maya". Tornerà tardi, stasera. Fammi un favore e lascia perdere per un momento i motivi e le spiegazioni, perché dovrei già essere al lavoro e lui ancora non dà segni di voler cedere

All'improvviso ho smesso di seguirlo. Forse perché si era allontanato troppo, al di là di ogni speranza. A un tratto ho fatto una pausa e ho potuto chiedermi se davvero volevo arrivare fino a lui

Probabilmente sono riuscito a scuotere la consulente pedagogica. A spiegarle esattamente qual è il problema

Vuoi educarlo o vuoi piegare la sua resistenza? Non ne avevo alcuna intenzione, ma quell'urlo mi è proprio sfuggito

Mi sono ricordato di qualcosa e ho riso ad alta voce, perché lei capisse esattamente a cosa stavo pensando

L'angolo del figlio di dongiovanni, ho pensato. E com'è che mi intrappola di nuovo senza che quasi me ne accorga?

Senti, dimentica tutto. Ho commesso un errore terribile a telefonarle. È come volerle mostrare di colpo tutta la feccia che c'è in me. Adesso taci, non dire niente. Sì, io credo davvero che occorra spezzare la sua resistenza, una volta per tutte, altrimenti non imparerà mai

Io non credo che sia necessario troncare la resistenza di qualcuno per...

È necessario, è necessario. Stai zitto, almeno cerca di mascherare quella merda che sei. Solo così i bambini imparano. Come può continuare a discutere con me in modo dignitoso e civile invece di venire qui e mollarmi un calcio?

Ora ti stai comportando tu come un bambino, Yair. Persino la sua voce si è fatta sottile e piagnucolosa. Non sapevo cosa fare. Avrei voluto soprattutto aiutare il piccolo, perché avevo capito che la situazione era molto più seria di quanto pensassi. Ho pronunciato il suo nome, per la prima volta, con naturalezza...

"Yaìr", con l'accento sull'ultima sillaba. Chi altri mi chiama così, con quel tono da insegnante? Ecco, senti, gli do un'ultima possibilità, senti come se ne infischia di me

C'è stato un attimo di silenzio, quindi dei passi. Cammina scalzo, ho pensato, i suoi piedi sul pavimento. Mi sono ricordata dei "piedi piccolissimi" di Maya e anche di "come possano sostenere due adulti e un bambino". Non sapevo cosa avrei dovuto sentire. E poi, alta, stridula e imperiosa, la sua voce

Se vuole entrare in casa, che bussi alla porta come si deve, chieda scusa e poi andremo subito all'asilo perché tutti i suoi amichetti sono già là da un pezzo

Di nuovo silenzio. Poi ha bisbigliato nel ricevitore, con furia complice, ridicola e un po' terrificante

Ecco, guarda, non si muove! Non mi risponde! Dovresti vedere la sua faccia! Non ci pensa nemmeno ad arrendersi

Allora arrenditi tu! ho urlato. Ho perso il controllo e ho urlato

Non mi arrenderò a lui, non cederò a un ricatto del genere. Si cede una volta e poi, per tutta la vita...

Sembrava isterico e ho cominciato a sudare freddo. Io sono qui e loro due laggiù, e sua moglie è in viaggio verso Safed. Cos'avrei potuto fare?

Camminavo con il telefono urlando contro di lei e contro i muri. Perché poi le ho telefonato? Non ne ho la più pallida idea. È stato un impulso improvviso

Yair, mi senti? Ascoltami un momento, scuotiti e considera cosa gli stai facendo

Gli faccio solo del bene. Chiederà scusa come un cucciolo pentito e allora potrà rientrare in casa e faremo pace

Si ammalerà

Che si ammali pure per una volta, non succederà niente di male

Si ammalerà e tu ti sentirai terribilmente in colpa

Si ammala venti volte in un anno per i germi. Una volta tanto si ammalerà per una buona ragione. Al giorno d'oggi nessuno muore per un mal di gola

Lo stai torturando

Lasciami risolvere la questione come meglio credo

Mi ha sbattuto il telefono in faccia. Sono rimasta allibita, senza fiato, come mi succede sempre con lui. Perché gli permetto di aspirarmi dentro di sé in questo modo?

Ho telefonato al negozio dicendo che avrei fatto tardi e che aspettassero un po' per la riunione. Mentre parlavo, ho sbirciato dalla finestra e ho visto che tremava. Almeno penso che stesse tremando. Si stringeva nelle spalle e saltellava da un piede all'altro. Non ho avuto altra scelta, mi sono tolto anche la canottiera e le calze. Sarà una battaglia lunga ma equa

Sono crollata sulla poltrona di Amos, esausta. Ho cercato di calmarmi un po', ma riuscivo solo a pensare che forse era scomparso per non tornare mai più, perché l'avevo visto nel suo sconforto e nella sua infamia

Quando ho guardato di nuovo, il piccolo stupido non era già più vicino alla porta ma stava in mezzo al sentiero, vicino all'entrata, rannicchiato a fissare uno scarafaggio nero a zampe in su

Devo staccarmi da lui, ora. Ma il bambino... ho pensato, e subito ho provato una debolezza strana, uno stordimento da capogiro e il cuore ha preso a battermi con forza terribile, una forza che non conoscevo. Ho ripetuto ad alta voce, senza alcuna logica, il bambino, il bambino

Devo solo evitare di guardarlo, perché questo mi rende più debole. Negli ultimi minuti lei si è messa proprio a gridare

Ho respirato a fondo, mi sono concentrata: non devo abbandonare il bambino alla sua collera. E di nuovo il respiro è inciampato nella parola "bambino"

Un attimo dopo sono tornato alla finestra e cos'ho visto? Un uomo vecchio e alto, dall'aspetto piuttosto losco e con un impermeabile lungo, che stava vicino a Yidò

Ho continuato a ripetere "il bambino". La parola era nuova, aveva un sapore nuovo per me. Più la ripetevo e più mi sentivo forte, mi caricavo. Improvvisamente mi sono ricordata di una cosa e il respiro mi si è bloccato

Forse quel vecchio gli aveva già fatto del male. L'ho sentito chiedere a Yidò se lui fosse il "piccolo Einhorn" e Yidò l'ha fissato. Forse era già un po' stordito dal freddo

Non è possibile, ma come? Perché? Così?

Il vecchio si è chinato verso di lui chiedendo se il papà o la m⁀ ⁀m-ma fossero in casa, e Yidò ha continuato a fissarlo

Sono andata a guardare il calendario in cucina, ho contato i giorni ma non me ne capacitavo. Le parole mi sfuggivano come perle da una collana rotta. Ho contato di nuovo, sulle dita, e mi sembrava di avere ottenuto di nuovo lo stesso risultato. Mi sono seduta e ho cominciato a tremare

L'uomo ha chiesto: "Cosa ci fai qui fuori?", e Yidò ha continuato a fissarlo. Mi è sembrato che quello pensasse che fosse un po' ritardato

Mi sono alzata per telefonare ad Amos e di nuovo sono caduta nella poltrona. Sono rimasta seduta, con tutti i sensi vigili, ma non avvertivo niente. Solo una consapevolezza lontana, ma che si dirigeva verso un punto preciso e mi diceva che non mi stavo sbagliando

L'uomo si è infilato una mano in tasca frugando. In un secondo mi sono precipitato alla porta, l'ho spalancata con forza e ho detto: "Sì, dica, qual è il problema, signore?"

Stai calma, mi sono detta, e subito, nella più completa follia, sono affiorati tutti i segnali che il corpo mi aveva trasmesso nelle ultime settimane, tutto quel tumulto interiore, i cambiamenti e il sapore del caffè. Ma sono già dieci mesi che non seguo una terapia... Non è possibile che così, dopo tutti quegli anni di sofferenze, di torture, improvvisamente accada che...

L'ho un po' spaventato, il vecchio, perché avevo un aspetto selvaggio; ero nudo, pronto alla lotta. Lui ha detto con un sorriso: "Oh, niente, vi ho solo portato una lettera dal municipio che è stata recapitata a noi per sbaglio"

Allora, finalmente, mi sono ricordata di Yair e del bambino, sapevo che non avrei dovuto perdere la testa. Avrei dovuto rimandare tutto a dopo, fino a quando Yair non l'avesse fatto rientrare in casa

Il vecchio mi ha dato la lettera ma, invece di andarsene, ha cominciato a dire con tono saccente, come se si stesse rivolgendo a Yidò: "I bambini piccoli possono prendersi una polmonite stando fuori così"

Con tutta la forza di concentrazione di cui ero capace ho pensato a quel povero bambino, quel povero bambino, quel povero bambino, in balia di quella fiamma di spada guizzante brandita contro di lui. Sapevo quanto fosse avvilito e quanto lo fosse Yair

Ho risposto al vecchio, sempre con il viso rivolto verso Yidò, che, nel momento in cui il "piccolo" avesse chiesto scusa, allora gli sarebbe stato permesso di rientrare in casa, anche dopo tutto il trambusto che aveva provocato quella mattina

Mi sono ricordata di come lui gli leggesse le fiabe prima di metterlo a letto. Con quale tenerezza raccontava di lui e di come mi è sempre sembrato un padre migliore di quanto io sia madre, proprio perché Yidò è un bambino sano. Sì, lui ha più punti di contatto con l'anima di suo figlio

Yidò si è contratto un po' a causa della parola sconosciuta "trambusto", come se gli avessi mollato un ceffone

E, poiché non sapevo come avrei potuto aiutarli, mi sono tolta anch'io le scarpe. Una cosa stupida e pazzesca, ma in quel momento, chissà perché, mi è sembrata logica Poi mi sono levata anche il maglione, restando solo con una camicia leggera indosso. Ogni contatto con il mio corpo mi sembrava nuovo, mi rallegrava e allo stesso tempo mi atterriva, come se stessi scartando un regalo non ancora del tutto mio

Il vecchio ha fatto un passo indietro e ha ridacchiato senza capire, un po' intimorito. Io gli ho lanciato uno sguardo tagliente finché se n'è andato

Faceva freddo in casa, ma non ho acceso la stufa. Ho pensato che mi sarei ammalata. Adesso io e Yidò ci saremmo ammalati. Adesso io e Yidò e Yair avremmo avuto la stessa malattia

Ho fatto un rapido dietrofront e sono rientrato, sbattendo la porta e precipitandomi subito alla persiana

Ma devo essere sana ora, sana

Ho visto Yidò aprire lentamente la mano, aveva una caramella rossa che quel vecchio stronzo era riuscito a dargli di nascosto

Allora, finalmente, ho osato pronunciare ad alta voce, per la prima volta, il mio pensiero, nella sua completezza, con le due parole meravigliose e terrificanti che lo definivano

All'inferno, dov'è lei? Dov'è?

Non ce l'ho fatta più. Ho composto il numero, ho visto le mie dita che tremavano e ci ho rinunciato. Ho anche capito perché l'anello mi stava stretto negli ultimi giorni, e mi sono sentita così sollevata

Perché non telefona, adesso che abbiamo bisogno di lei?

Al primo squillo si è lanciato sul ricevitore e ha risposto "Sì?" Urlava, stava urlando. Ho detto che ero io e lui ha taciuto, come se stesse cercando di scavare nella memoria per ricordarsi di me. E anch'io, per un momento, non ho più saputo cosa volessi dirgli. Ho ripetuto il mio nome, persino quello mi sembrava nuovo. E pieno, pieno di vita. Yair, sovrappensiero, ha detto, ah, sì, sei tu. E subito ha cominciato a parlare con concitazione e in tono lamentoso

Guarda come si intestardisce. Non cede e adesso capisci perché ho detto prima che questa è una guerra? Ma vedrai che stavolta lo stronco

La sua voce era ormai del tutto falsata, sottile e contratta per l'offesa e la rabbia. Potevo sentirla allontanarsi e ritirarsi fino a raggiungere le sue radici. Ma dimmi, perché dovresti stroncarlo?

"Perché?" "Perché?" Perché altrimenti gli sembrerà di avermi sconfitto, e invece deve capire che in questa casa ci sono ancora due o tre principi validi, e che il papà è più forte del figlio. È importante che lui lo capisca, è vitale

Ma lo stai tormentando. È proprio una tortura per lui... Le tempie mi pulsavano per l'eccitazione. Di nuovo tornavamo a ripetere le stesse frasi. Non riuscivamo a liberarci della nostra trappola

Credimi, non è facile nemmeno per me, ma non ho intenzione di cedere perché ho già perso mezza giornata di lavoro e non c'è ragione adesso di sprecare quello che già...

Ero così confusa che gli ho chiesto perché mi avesse telefonato. Mi è proprio sfuggito, in maniera stupida

Perché io... Non sapevo cosa dire. Davvero, perché avevo telefonato proprio a lei? Perché tu te ne intendi di bambini e hai un figlio. Ho pensato per un attimo di chiederti un consiglio. Ma anche...

Non ha detto "perché..."

... perché sei una madre

Quelle semplici parole volavano dentro di me. Un'onda si è infranta e mi sono quasi messa a piangere. Ma non potevo crollare in quel momento e per resistere mi sono aggrappata con tutte le mie forze al pensiero di Ana. Come avrei voluto che fosse lì adesso. Ho pensato anche a come le cose cambieranno fra noi, e cosa capirà Yochai? Potrà rendersi conto del fatto che non cambierà niente? E ho pensato: dev'essere un bambino sano, Dio, ho tremendamente bisogno di un bambino sano, e prima di tutto devo telefonare ad Amos. No, una notizia simile non va data per telefono. Gli chiederò di tornare a casa e gli racconterò tutto. Un momento, un momento. Calma. Rifletti

Myriam, ci sei? Myriam, mi senti?

Con una forza che non sapevo da dove mi venisse ho raccolto la voce, un po' come faccio in classe, per superare il frastuono nella mia testa e ho detto, Yair, adesso apri la porta e fallo entrare, abbraccialo, vestilo e preparagli una cioccolata calda

No, no, no, tu non capisci. Tu, voi, questo vostro metodo

Cosa significa "questo nostro metodo"? Ero furiosa. Che ne sa lui del "nostro metodo"? Ho cercato di immaginarmi come ci vedesse. Quanto la nostra casa e noi, come coppia, gli sembrassimo di certo assurdi, delicati, castrati da tutto ciò che lui definisce "le leggi", con le feroci battaglie che ne conseguono. Con le mie ultime forze ho aggiunto che forse si può costringere un bambino a chiedere scusa, ma non ha senso

No, no, e perché poi ti intrometti? Chi ti ha chiesto di intrometterti e di fare delle analisi psicologiche?

Sei stato tu a telefonarmi! ho gridato, pentendomene subito

Mi dispiace, davvero. Basta, dimentica tutto. Fa' come se non ti avessi chiamato. È stato un attimo di debolezza, non voglio coinvolgerti in questa faccenda. Scusami, okay? Non avevo nessuna intenzione di parlare con te. E scusami, ho pensato, anche per questa bugia che ti sto raccontando

Ma ormai mi hai coinvolta, Yair! Non puoi sparire ora! A ogni urlo pensavo che da anni non si sentiva gridare così in casa nostra. E ogni urlo mi procurava un lieve capogiro. Ho pensato: forse tutto finirà qui e ora, mi accadrà durante la mia conversazione con lui

Smettila di chiamarmi sempre per nome

Forse voglio ricordarti chi sei

Non lo dimentico neppure per un secondo. Ho la situazione sotto controllo, e la gestirò nel modo che riterrò più opportuno

Ha continuato a parlare con un misto di arroganza e di timore, mentre io non riuscivo a liberarmi della sensazione che anch'io fossi colpevole di qualcosa: stava spingendo se stesso con tutte le sue forze verso un baratro per invocare il mio aiuto, per obbligarmi a salvarlo

Ne ho piene le scatole delle sue lagne. Non avevo immaginato che fosse tanto fragile. Mentre parlavo mi sono tagliato una fetta di pane, ci ho spalmato del burro, ci ho messo sopra delle fette di pomodoro, ho sparso un po' di sale e mi sono messo a mangiare. Perché? Dovrei forse morire di fame a causa sua? Le ho spiegato con calma che non ce l'avevo con lui, anzi, ammiravo persino la sua forza di volontà e, a dire il vero, mi spaventava un po' vedere quanta determinazione ci fosse in lui, un marmocchio di cinque anni e mezzo

E tu ne hai trentatré, gli ho ricordato senza troppe speranze. Ho intuito che, contemporaneamente alla guerra contro suo figlio, Yair aveva cominciato a lottare contro di me, e ogni mio tentativo di aiutare il figlio otteneva l'effetto contrario, inducendo Yair ad accanirsi ancora di più contro il bambino

Ma poi gli ho dato un'occhiata e mi è passato l'appetito. Ho gettato la fetta di pane nella spazzatura e ho gridato in cuor mio che si arrendesse, all'inferno, che facesse tre passi e bussasse a quella dannata porta. Perché insiste con questi giochini d'orgoglio?

Mi è sembrato di sentire un tuono rimbombare lontano mentre l'aria era sempre più fredda. Ho avuto un brivido e, come se stessi giurando qualcosa, gli ho sussurrato: ma tu ami tuo figlio, lo ami

In quel momento è caduto per la prima volta. La gamba gli si è piegata ma si è subito rialzato, e si è trascinato fino a una seggiolina di paglia. Una piccola sedia a dondolo che abbiamo in giardino

Dio, ho pensato, Dio onnipotente, fa' che laggiù, a casa loro, tutto finisca bene

Si è steso sulla sedia a dondolo, di traverso. La testa ricadeva da un lato e le gambe dall'altro. Teneva gli occhi aperti, fissi su un limone rinsecchito, rimasto lì dall'estate

Forse perché ho taciuto per un momento, mi ha sbattuto ai nuovo il telefono in faccia. Senza dire una parola, con indifferenza assoluta, come se avesse dimenticato che ero lì. Di nuovo sono caduta nella poltrona e di nuovo ho fatto il calcolo dei giorni sulla punta delle dita pensando che, appena possibile, avrei dovuto considerare le cose con calma. Ma non ero calma

Nella mente qualcuno mi proiettava, in uno spettacolo privato ed esclusivo, tutta la scena: Yidò fuori e io che lo spiavo. Tutto si ripeteva senza speranza. Un uomo stempiato, chino sulle stecche della persiana, a godersi lo spettacolo pornografico di se stesso

L'ho richiamato subito, prima di cominciare a tentennare. È pazzesco, ho pensato, che per otto mesi non abbia osato telefonargli e ora l'abbia fatto tre volte in una mattina

Le sue mani hanno cominciato a diventare bluastre e ho capito che occorreva far presto. Conosco i sintomi. Okay. Sono andato ad aprire tutte le finestre permettendo al vento gelido e tagliente di penetrare in casa. Mi sono lasciato sferzare dalla corrente gelata e poi sono corso alla finestra. L'ho visto alzarsi e fare qualche passo. Poi è indietreggiato di nuovo e si è fermato, confuso

Malgrado la situazione angosciante e la mia assurda confusione interiore, ho provato anche una gioia e tutta particolare, come se io e Yair avessimo questa abitudine di conversare, la mattina

Si è preso in mano il pisellino e l'ha stretto, guardandosi intorno con una disperazione che mi ha spezzato il cuore

All'improvviso è parso che l'aria si acquietasse, si facesse tersa e immobile. Poi il vento è cessato. Non si muoveva una foglia e io ho pensato, ecco, è il momento

Adesso si arrenderà per via della pipì. Non avrà scelta, ma perlomeno sarà finita. Ha cominciato a saltellare a gambe unite fino alla porta, si è fermato e non ha bussato. Ho contato sottovoce fino a cinquanta, poi ho aperto gli occhi e lui stava ancora a testa bassa davanti alla porta, senza bussare. Senza bussare

La pioggia, la prima pioggia

A cosa ho pensato in quel momento? Che anni fa Maya mi aveva chiesto di spiegarle come andasse sistemato il pisellino dei maschietti nel pannolino: se era meglio rivolgerlo verso l'alto o verso il basso. Chiedi scusa! ho urlato, mordendomi la mano stretta a pugno con tutte le mie forze

Le prime gocce incerte sulle foglie del limone. Poi sul caprifoglio. Sul gelsomino. Ecco: la bouganvillea si bagnava. La polvere veniva lavata via, foglia dopo foglia. Gocce pesanti sul vetro della finestra

Mi hanno un po' spaventato quei segni di denti sulla mano, e il sangue che ha cominciato a gocciolare

Di colpo ha preso forza, impeto, ha ruggito. Come se tutto ciò che si era raccolto in cielo dall'inizio dell'autunno, tutto ciò che era stato trattenuto così a lungo...

Ho visto Yidò alzare la testa e guardarsi intorno, sorpreso. Ha teso una mano verso il cielo e non ho capito quel gesto. Era come se ballasse. Improvvisamente sembrava felice. Ho pensato, forse sta impazzendo

Ho aperto la finestra grande e tutti gli odori della pioggia sono volati dentro casa: il profumo della terra, del prato, degli alberi bagnati. L'alito di Ana quando eravamo bambine, attraverso il passamontagna

Piove, un momento, ha cominciato a piovere! Come posso lasciarlo così, sotto la pioggia?

Odori dimenticati sono saliti dai pollai lontani e dalla scuderia dei vicini. Di colpo tutto emanava un profumo di parto appena concluso. Anche la foresta di Gerusalemme si è fatta verde, piano piano, davanti ai miei occhi, mentre si lavava nella nebbia lattiginosa

Stava sotto l'acqua che scrosciava senza nemmeno cercare un riparo. Magari si divertiva. Forse capiva che adesso avrei dovuto arrendermi

Ecco l'attimo che ho temuto per mesi, ecco l'abbondanza contro la quale lui combatte

Solo allora ho capito che non si trattava solo di pioggia ma di "quella" pioggia. Chi avrebbe potuto immaginare che alla fine sarebbe stato così? Avevo pensato di correre, di lavarmi, di urlare il suo nome e separarmi così da lei per sempre, nella pioggia e nelle lacrime, e invece mi nascondo dietro una persiana da mio figlio

La casa tremava per gli scrosci impetuosi. Era una pioggia insolitamente forte, con tuoni, lampi e quel buio improvviso calato sulla valle squarciato da due o tre raggi di sole che sembravano dita aperte. Ho pensato, tutto si sistemerà, la pioggia è arrivata

I suoi pantaloni erano già completamente zuppi d'acqua, e forse anche di pipì, ma lui non smetteva di ballare, di saltare, di tendere le mani al cielo, come se non sentisse il freddo e la pioggia. I suoi capelli erano bagnati, gli si appiccicavano al viso e lui ballava

Mi sono sentita meglio, senza alcun motivo logico. La mia fede infantile nella pioggia. Forse ci sarà anche l'arcobaleno alla fine, un regalo speciale per me. Come sarò quando questo inverno sarà passato?

Sono corso per casa come un pazzo, sbattendo la testa contro le pareti con tutte le mie forze. Il telefono ha squillato, sapevo che era lei ma non ho alzato il ricevitore. Cos'avevo da dirle?

Ancora una volta sono stata sommersa da quella consapevolezza meravigliosa che era già stata assorbita da tutto il mio corpo: la pe-

santezza e la grazia. Ma non ero ancora in grado di assaporarla, non con quello che stava accadendo a Yair e al bambino

Mi sono tolto anche i pantaloni, per non avere proprio alcun vantaggio su di lui, e in mutande ho cominciato a camminare davanti alle finestre aperte, pensando che probabilmente stavo impazzendo

Ho lasciato squillare il telefono per cinque minuti buoni, ma lui non ha risposto. Forse aveva già preso il bambino e l'aveva portato all'asilo, ma sapevo che non era così. Ho avvertito delle fitte. La profondità della sua follia mi trafiggeva da quella distanza

Mi ha distrutto, il piccolo figlio di puttana. Mi sento completamente perso, come se tutti i miei riflessi paterni fossero stati smantellati. E pensare che credevo di saper fare bene solo questo

La pioggia ora scroscia con violenza. I pochi raggi di sole si sono raccolti e racchiusi dietro le nubi. A metà del giorno si è fatto buio, come di sera, e d'un tratto mi sono lasciata sopraffare dall'angoscia. Ho visto il bambino fuori, riverso, intirizzito, nudo. Ho telefonato alla stazione dei taxi di Giv'at Shaul e mi hanno detto che, per via della pioggia, gli ci sarebbe voluto anche un'ora per arrivare

Come un drogato sono entrato in camera sua, mi sono infilato nel letto facendomi posto tra gli orsacchiotti, le scimmie e i leoni

Non pensare, mi sono detta, segui il tuo istinto. Mi sono vestita e sono uscita sotto la pioggia. In un attimo ero completamente fradicia. Non mi sono nemmeno preoccupata di indossare qualcosa di decente. Non mi sono pettinata, non mi sono neanche messa un po' di rossetto. Perché non pensasse che io... perché non pensasse

Ho sollevato la coperta fin sopra la testa e gli ho gridato con tutte le mie forze che chiedesse scusa e che entrasse in casa. Il sangue che stillava dalla mano ha macchiato il lenzuolo e io l'ho morsa ancora

La vecchia Mini Minor era parcheggiata sotto la tettoia e per un momento ho esitato, pensando che sarebbe stato meglio rinunciare. Non guidavo da troppi anni e non era quello il momento per riprendere. Non avevo nemmeno la patente, non l'avevo più rinnovata

All'improvviso ho avuto l'impressione che parlasse, là fuori. Ho avuto paura che il vecchio pervertito fosse tornato, forse aveva chiamato la polizia

Ero combattuta fra tutti quei pensieri e di nuovo, nella confusione e nel senso di oppressione crescente, mi sono balenate nella mente quelle parole nuove – sono incinta – e una distesa enorme di vita si è aperta dentro di me, come se ogni volta che rivolgessi al mio corpo una domanda lui mi rispondesse sì. Il mio corpo mi rispondeva di sì

Stava solo parlando con il limone rinsecchito. Gli stava raccontando che noi lo rimproveriamo di fare tutto "lentamente e di proposito", e poi ha risposto a se stesso, facendo la parte del limone. Aveva ancora la forza per le recite. Ho pensato, speriamo che Myriam chiami, e il telefono ha squillato. Ho alzato il ricevitore nervosamente, con l'intenzione di rinfacciarle tutto quello che mi tengo dentro già da troppo tempo riguardo a lei e a quel santarellino del suo Amos. A loro non potrebbe mai accadere una cosa del genere con un bambino. Loro si siederebbero a parlare con calma e tutti insieme giungerebbero in maniera pacata a un compromesso equo

Tu non capisci niente

Invece era Maya che, arrivata a Safed, non mi aveva trovato al lavoro ed era rimasta esterrefatta nel sentire quale fosse la situazione perché non si era immaginata che fossimo ancora a quel punto

No, non è proprio il momento di cercare di ricordarsi come si guida. Non quando viene giù un tale acquazzone. Non quando sono così agitata. Non mi metto al volante da sette anni. (Improvvisamente mi sembra assurdo. Per un momento ne ho quasi dimenticato il motivo: la paura di investire qualcuno, di fare del male a qualcuno e di rovinarmi, in questo modo, la vita. Che peso enorme ricadrebbe allora su Amos. Ma ricominciare proprio quando mi trovo in questo stato... Improvvisamente ho uno "stato"...

Allora ho sfogato su di lei tutto quello che mi si era accumulato dentro. Dopotutto anche lei era in qualche modo responsabile di ciò che stava accadendo. Lo avevamo deciso insieme la mattina. Però sono sempre io quello che alla fine deve punirlo e lei ne esce sempre pulita. E un episodio del genere gli rimarrà impresso per tutta la vita. Già ora comincio ad assumere il ruolo di imputato nella sua breve storia, e chissà quale odio proverà per me a causa di questa mattina

Sotto la pioggia torrenziale sono corsa verso il cancello del moshav. Non dovrei correre, ora. Ho fatto voto che, quando tutta questa faccenda con Yair e Yidò sarà finita, comincerò a essere prudente. Dov'è Ana a dirmi, in polacco, che adesso dovrei stare doppiamente attenta? Com'è che non ho ancora telefonato ad Amos? Ma nessuna macchina è passata davanti al cancello e non si vede anima viva

E lei oltretutto mi fa la predica da Safed, ripetendo tutti i ritornelli di Myriam: che non c'è bisogno di spezzare la sua resistenza, che è solo un bambino, e che io stesso mi sto comportando come tale

Stavo lì sotto la pioggia e, malgrado l'angoscia, ridevo anche di me stessa, pensando che solo a me sarebbe potuta accadere una cosa del genere. Essere così presa da qualcosa, dedicarmi talmente a un'altra persona da non aver avuto tempo di capire quello che il mio corpo mi stava dicendo con segnali tanto espliciti

Pensavo che sarei esploso. Sembrava che si fossero messe d'accordo su come rimproverarmi dall'alto dei loro seggi

Ero fradicia come uno straccio per i pavimenti e probabilmente ne avevo anche l'aspetto. Speravo che tutta quella eccitazione non mi avrebbe fatto male e non pensavo ad altro che a quel bambino là fuori, cercando di dimenticare la mia completa cecità, la gravidanza insinuatasi in me mentre io nemmeno ci badavo

È tutto vero quel che dici, ho tagliato corto con Maya, ma Yidò è un maschio e capisce alla perfezione le leggi di questa piccola battaglia. Le capisce più di quanto tu possa immaginare. In fondo Maya viene da una famiglia tutta moine e smancerie. Non si è mai beccata nemmeno un sano ceffone dai suoi. Ma io non mi aspetto che tu capisca, in ogni caso, nessuno di voi è in grado

Quando mi sono resa conto che nessuno si faceva avanti per aiutarmi a uscire da Beit-Zeit, sono tornata a casa e sono rimasta sotto la tettoia. Se non lo faccio, cosa valgo?

Mentre parlavo con lei sono corso alla finestra e ho visto che si era di nuovo steso sulla sedia a dondolo, stava lì rannicchiato, mormorando qualcosa tra sé. Giocava, con strana calma, con un ramoscello nell'acqua che scorreva a rivoli sotto la sedia. Ho pensato che forse era in preda a uno shock da congelamento

La vecchia Mini è partita subito, il serbatoio era ancora mezzo pieno. Amos, Amos, non c'è nessuno come te. Che fortuna ho nella mia scalogna!

Ho sbattuto il telefono in faccia a Maya e sono corso fuori. Ho afferrato un plaid che era sulla lavatrice e l'ho coperto con quello. Lui non mi ha nemmeno guardato. L'ho chiamato per nome e mi ha risposto. Allora mi sono seduto ai piedi della sedia nell'acqua e l'ho guardato dicendo in cuor mio, chiedi scusa

Ho avuto uno strano pensiero, che ora avrò bisogno di tutti e due, di Amos e di Yair. E Yair sarà costretto a rimanere con me, ormai non potrà più rifiutarsi

Anche la mia stupidità, voglio che anche la mia stupidità ti penetri ora, Myriam. L'esaltazione, la paura, l'infedeltà, la grettezza. Ma anche due o tre cose buone che, forse, sono dentro di me e si mescoleranno con le tue. Voglio che le nostre paure, i trabocchetti che abbiamo teso a noi stessi, che continuiamo a tenderci, si accoppino. Correggimi se sbaglio, correggimi

Stai con me, riportami alla vita. Dimmi: sii luce

Ma cosa ti ho dato, poi? Solo parole, e cosa possono le parole

Probabilmente talvolta possono. E forse ci sono dei momenti di grazia in cui il cielo si apre anche sulla terra

Piano piano ho spinto la sua sedia sotto la gronda, perché non si bagnasse. La pioggia mi colpiva con forza e, nel giro di un secondo, ho cominciato a gelare. Yidò mi ha guardato da dietro il plaid e per un attimo ho temuto di vedere le sue pupille offuscarsi

Ho guidato adagio sulla strada interna del moshav, pregando che nessuno venisse dalla direzione opposta. Ho deciso di non pensare a ciò che dovevo fare, di lasciarmi solo portare dall'istinto, perché d'un tratto mi fidavo di lui, dell'istinto

Non so se faticasse a riconoscermi a causa dell'intontimento o per il mio aspetto, ormai ero irriconoscibile. Ho visto il suo corpo irrigidirsi di colpo davanti a me

Per fortuna un paio di settimane fa, una sera, sono andata a vedere dove vive. Il quartiere e la casa e tutto il percorso da casa mia alla sua

Come se si preparasse a ricevere un colpo da me, anche se in vita mia non ho mai alzato una mano su di lui. Non sono mio padre, dopotutto

Viaggiavo tra cascate d'acqua. Pensavo a come talvolta Yair mi sembri un cucchiaino che si rompe a metà in una tazza di tè

Speravo non notasse i muscoli del mio viso che cominciavano a tremare, come sempre quando ho freddo. Non dovrei stare al freddo

Una pioggia battente sferzava il parabrezza. Non avevo mai visto Gerusalemme così, deformata dalla pioggia

Si è alzato un po' sulla sedia, ha visto che ero in mutande e allo-

ra ha chiesto, non credevo alle mie orecchie, se anche lui poteva. Se anche lui poteva restare senza vestiti

Dentro di me parlavo con il bambino, con Yidò. Sto arrivando, gli ho detto, resisti

Allora ho fatto un respiro e con il po' di raziocinio rimastomi ho detto sottovoce che forse finora non mi aveva capito, forse era talmente idiota da non capire nemmeno parole tanto semplici ma, se si fosse alzato, adesso io l'avrei persino aiutato, e insieme saremmo andati a bussare alla porta, insieme avremmo chiesto scusa

Dentro di me sapevo, lo sapevo con una chiarezza tremenda, che, se questo fosse stato "l'ultimo giorno", tutto ciò non sarebbe successo

Ormai non avevo altra scelta. Quale scelta avrei potuto avere? Lui non era per nulla disposto a sentir parlare di scuse e ho pensato che non avrei dovuto rimanergli accanto un altro minuto perché non sarei più stato padrone delle mie azioni. Mi sono alzato e sono rientrato in casa, mi sono appoggiato alla porta e ho visto formarsi intorno ai miei piedi una piccola pozzanghera

Ma quando è successo? Quando? Forse mentre lui scriveva il mio diario, a Tel Aviv

E così, attraverso la porta, da lontano, gli ho spiegato che si sbagliava se pensava che la mamma sarebbe venuta ad aiutarlo, perché lei era a Safed e sarebbe tornata solo la sera e ora eravamo solo io e lui

O il giorno in cui mi ha rivelato il suo nome? E come ha potuto resistere e sopravvivere durante tutto il periodo del suo silenzio?

Ma lui non ha risposto. Forse ha sentito che così riusciva a indebolirmi ancora di più. Gli ho chiesto se capiva cosa io stessi dicendo e se aveva la forza di andare dalla sedia alla porta per bussare, perché improvvisamente mi è sembrata una distanza enorme

Forse è successo solo dopo che ho cominciato a ricopiare le sue

*lettere e le nostre parole si sono mescolate. Oppure quando ho co-
minciato a scrivere il mio diario*

*Piano piano mi sono lasciato scivolare lungo la porta e mi sono
seduto per terra. Gli ho spiegato con calma che ora avremmo dovuto aiutarci a vicenda, perché era successo qualcosa, una complica-
zione. Un giorno ti dirò come possono accadere certe cose. Un giorno capirai, mi ringrazierai persino che io non abbia ceduto*

*Per un attimo mi sono vista nello specchietto retrovisore, fradi-
cia e scarmigliata, il naso tutto rosso, come sempre quando ho freddo. Ho considerato cosa avrebbe pensato di me, e che in fondo lui è
molto giovane*

*È sceso dalla sedia e si è steso per terra davanti a me. Si è steso
nell'acqua di proposito, mi ha voltato le spalle e si è rannicchiato di
nuovo su se stesso, senza muoversi. Ormai non avevo più freddo,
ho pensato che fosse strano che non sentissi più niente. Purché lui
non morisse lì, davanti a me*

*Ho provato pietà per quel piccolo che, come tutti i bambini, paga
per qualcosa di cui nemmeno si rende conto*

*Per quanto tentassi, non sono riuscito a capire come un orrore
del genere potesse avvenire nella nostra famiglia e com'era che nessuno sentisse o vedesse cosa stava succedendo. Dov'erano tutti i vicini o anche solo la gente? Dov'erano?*

Sono corsa, le scale

*Era strano vedere le gocce colpire il mio corpo e non sentirle. La
pioggia cadeva dentro casa, ma ormai non esisteva più un interno e
un esterno e, quando ho visto che non capivo più niente, ho chiuso
gli occhi e ho smesso di...*

*Da metà rampa, con uno sguardo, li ho visti, tutti e due, Yair e il
bambino. Forse a tre passi di distanza l'uno dall'altro. Erano river-
si nell'acqua, nel giardinetto, ripiegati l'uno accanto all'altro in*

una posizione terribile. Come due chiodi spezzati. Yair era nudo e cianotico per il freddo. Le sue costole appuntite quasi non si muovevano. Gli occhi chiusi, con affanno. Yidò era steso accanto a una sedia di paglia, ricoperto da un plaid. Ricordo di essere rimasta sorpresa nel vederlo avvolto e protetto. La pioggia batteva sul muro di casa e rimbalzava con forza su Yair e su di me. Ho pensato: alla fine, come all'inizio, ci incontriamo nell'acqua, in una storia che lui ha scritto per noi.

Poi, per un attimo, ha aperto gli occhi, mi ha guardato, e li ha richiusi con dolore. Ho visto le sue ciglia fremere e ha emesso un gemito come non ho mai sentito provenire dalla bocca di un uomo. Ha ripetuto il mio nome, ancora e ancora e ancora. E ricordo anche che, prima di correre verso il bambino, prima di toccare Yair, il mio sguardo è caduto sulle palme delle loro mani, delle mani di Yair e di Yidò. Erano blu, trasparenti per il freddo, e incredibilmente somiglianti. Avevano entrambi dita lunghe e belle; lunghe, sottili e fragili.

febbraio 1998

nella collana
contemporanea

Eraldo Affinati, *Campo del sangue*
Eraldo Affinati, *La Città dei Ragazzi*
Stephen Amidon, *Il capitale umano*
Pietrangelo Buttafuoco, *Le Uova del Drago*
Pietrangelo Buttafuoco, *L'ultima del Diavolo*
Ottavio Cappellani, *Chi è Lou Sciortino?*
Ottavio Cappellani, *Sicilian tragedi*
Vincenzo Cerami, *La gente*
Vincenzo Cerami, *L'ipocrita*
Vincenzo Cerami, *La lepre*
Vincenzo Cerami, *Tutti cattivi*
Vincenzo Cerami, *Vite bugiarde*
Vikram Chandra, *Amore e nostalgia a Bombay*
Vikram Chandra, *Giochi sacri*
Vikram Chandra, *Terra rossa e pioggia scrosciante*
Cynthia Collu, *Una bambina sbagliata*
Leonardo Colombati, *Il Re*
Guido Conti, *Le mille bocche della nostra sete*
Roberto Cotroneo, *Otranto*
Roberto Cotroneo, *Questo amore*
Maurizio Cucchi, *La traversata di Milano*
Giuseppe Culicchia, *Ambarabà*
Giuseppe Culicchia, *Brucia la città*
Andrew Davidson, *Gargoyle*
Mario Desiati, *Il paese delle spose infelici*
Edgar Lawrence Doctorow, *La città di Dio*
Edgar Lawrence Doctorow, *La marcia*
Edgar Lawrence Doctorow, *Homer & Langley*
Francesco Durante, *Scuorno (Vergogna)*
James Ellroy, *American Tabloid*
James Ellroy, *Clandestino*

James Ellroy, *Dalia Nera*
James Ellroy, *L.A. Confidential*
James Ellroy, *Il sangue è randagio*
James Ellroy, *Sei pezzi da mille*
Nathan Englander, *Il ministero dei casi speciali*
Jeffrey Eugenides, *Middlesex*
Jeffrey Eugenides, *Le vergini suicide*
Nadia Fusini, *L'amore necessario*
David Grossman, *Che tu sia per me il coltello*
David Grossman, *Ci sono bambini a zigzag*
David Grossman, *Col corpo capisco*
David Grossman, *Il libro della grammatica interiore*
David Grossman, *Qualcuno con cui correre*
David Grossman, *Il sorriso dell'agnello*
David Grossman, *L'uomo che corre*
David Grossman, *Vedi alla voce: amore*
Alan Hollinghurst, *La linea della bellezza*
Denis Johnson, *Albero di fumo*
David Leavitt, *Ballo di famiglia*
David Leavitt, *Il corpo di Jonah Boyd*
David Leavitt, *Eguali amori*
David Leavitt, *La lingua perduta delle gru*
David Leavitt, *Un luogo dove non sono mai stato*
David Leavitt, *Il matematico indiano*
David Leavitt, *Mentre l'Inghilterra dorme*
Massimo Lolli, *Il lunedì arriva sempre
di domenica pomeriggio*
Claudio Magris, *L'infinito viaggiare*
Federica Manzon, *Come si dice addio*
Fosco Maraini, *Case, amori, universi*
Paolo Maurensig, *Gli amanti fiamminghi*
Paolo Maurensig, *Canone inverso*
Francesca Melandri, *Eva dorme*
Pascal Mercier, *Partitura d'addio*

Walter Siti. *Il contagio*
Zadie Smith, *Della bellezza*
Zadie Smith, *Denti bianchi*
Zadie Smith, *L'uomo autografo*
Kathryn Stockett, *L'aiuto*
Uwe Timm, *Come mio fratello*
Giuseppina Torregrossa, *Il conto delle minne*
Delphine de Vigan, *Gli effetti secondari dei sogni*
Delphine de Vigan, *Le ore sotterranee*
Serena Vitale, *A Mosca, a Mosca!*
Tom Wolfe, *Il falò delle vanità*
Tom Wolfe, *Io sono Charlotte Simmons*
Tom Wolfe, *La stoffa giusta*
Tom Wolfe, *Un uomo vero*

Succ
GIOVA.succu@Tiscali.it